NILS-OLOF FRANZÉN

# Zola et La Joie de vivre

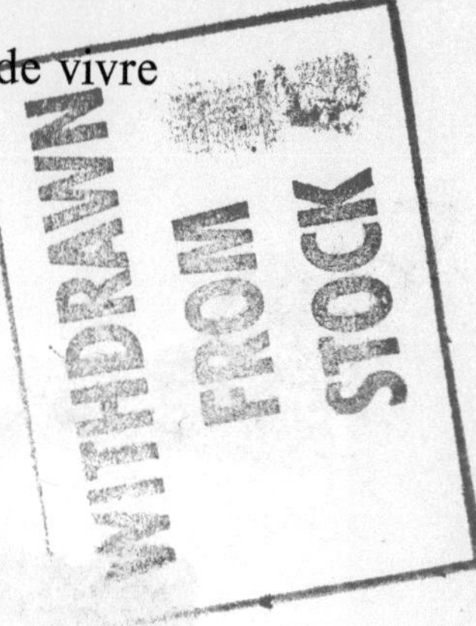

*Ouvrage publié avec le concours de*
*Humanistiska Fonden*

NILS-OLOF FRANZÉN

# Zola

ET

# LA JOIE DE VIVRE

LA GENÈSE DU ROMAN

LES PERSONNAGES

LES IDÉES

ALMQVIST & WIKSELL · STOCKHOLM

© NILS-OLOF FRANZÉN

STOCKHOLM 1958

Tryckt vid Esselte AB, Stockholm 1958

# Avant-propos

Au moment de livrer ces pages à l'impression, c'est pour moi à la fois un devoir et une joie que de remercier ceux qui ont contribué à les rendre moins imparfaites. Ma reconnaissance va d'abord à M. Henry Olsson, professeur à l'Université de Stockholm, qui a éveillé mon intérêt pour l'œuvre d'Emile Zola et avec lequel j'ai eu le privilège de discuter fréquemment le présent travail. Ses encouragements, ses observations et ses conseils m'ont été extrêmement précieux. Mme Karin Tarschys, maître de conférences à la même Université, a bien voulu lire attentivement mon manuscrit et formuler sur certains points d'importance maintes remarques dont j'ai tiré le plus grand profit.

M. Pierre Cogny, grand connaisseur de l'époque naturaliste et secrétaire général de la Société littéraire des amis d'Emile Zola, a accepté de parcourir la rédaction française de cette étude. Non seulement il m'a fait bénéficier de sa vaste compétence mais il a encore assumé la tâche ingrate de corriger certaines imperfections de mon style. Si malgré son inlassable dévouement la rédaction du texte laisse quelquefois à désirer, la faute n'en revient naturellement qu'à moi.

Parmi ceux qui se sont intéressés à mes recherches et qui les ont suivies d'un œil bienveillant et critique, je veux encore nommer ma femme, qui m'a donné beaucoup d'appui et d'encouragement, Mlle Eva Moberg et M. Jacques Gengoux, docteur ès lettres.

Je les prie tous de trouver ici l'expression de ma chaleureuse gratitude.

Stockholm, avril 1958.

NILS-OLOF FRANZÉN

# Introduction

Plus d'un demi-siècle s'est écoulé depuis la mort d'Emile Zola. Les controverses passionnées suscitées par sa personne et ses écrits se sont depuis longtemps apaisées, mais l'indifférence – que Zola redoutait peut-être plus que tout – n'a pas, pour autant, enseveli ses œuvres sous la poussière de l'oubli. Aujourd'hui encore, dans le monde entier, il garde un vaste public et certains de ses romans ont pris place parmi les « classiques » de la littérature universelle.

Sur l'homme comme sur l'auteur, d'innombrables volumes ont été publiés. Dans l'une des premières études scientifiques qui lui aient été consacrées, *Le Roman scientifique d'Emile Zola* (1907) par Henri Martineau, on constate un certain parti pris. Certes Martineau n'a pas eu tort de contester les théories pseudo-scientifiques de Zola et les prétentions du « roman expérimental ». Mais ses réserves portent aussi sur la valeur proprement littéraire de l'œuvre, offrant ainsi un exemple assez significatif des préjugés auxquels obéissait alors une bonne partie de la critique.

Toutefois, l'année précédente, Henri Massis avait publié un ouvrage où il exposait avec objectivité les méthodes de travail de Zola : *Comment Emile Zola composait ses romans (1906)*. Sans doute Massis s'attachait-il principalement à *L'Assommoir,* mais la reconstitution précise de la genèse du roman l'autorisait à tirer certaines conclusions générales concernant la méthode employée par l'auteur. Le grand mérite de Massis a été de citer d'abondants matériaux inédits qui mettaient en lumière la conception d'ensemble de la série des Rougon-Macquart et celle du roman sur Gervaise Coupeau.

Il est évidemment impossible de rappeler ici les noms des nombreux chercheurs et critiques qui, par la suite et en différents pays, ont contribué à enrichir notre connaissance de Zola (tout particulièrement précieuses sont les biographies dues aux personnes qui ont connu l'auteur – Paul Alexis, Robert Sherard, Edmond Lepelletier et Denise Le Blond-Zola). Je me bornerai donc à mentionner les ouvrages qui marquent quelques étapes de la critique.

La première grande étude d'ensemble a été donnée par Fernand Doucet dans *L'Esthétique d'Emile Zola et son application à la critique*

(1923), qui dégage avec une clarté exemplaire les grandes lignes de la pensée et de l'esthétique naturaliste de Zola. C'est également entre 1920 et 1930 que Maurice Le Blond, le beau-fils de Zola, a entrepris et achevé la publication des *Œuvres Complètes* chez Bernouard. Malgré certaines erreurs de détail on ne peut que lui être reconnaissant des matériaux si riches qu'il met à la disposition du chercheur : extraits des notes de travail de Zola, notices sur les éditions, citations de comptes rendus, etc.

Après 1950 ont encore paru quelques travaux d'une grande importance. Je pense surtout aux enquêtes de Guy Robert et de F. W. J. Hemmings, de même qu'aux études de Robert J. Niess, Marcel Girard, Angus Wilson et de quelques autres. C'est ainsi que Guy Robert, dans sa magistrale étude sur *La Terre* et dans sa monographie *Emile Zola* (toutes deux de 1952), a su d'une part utiliser des documents de premier ordre, corrigeant sur des points essentiels et nuançant à bien des égards l'idée qu'on se faisait jusque-là des procédés de travail de Zola, d'autre part exposer de façon définitive les principes esthétiques et philosophiques qui soutiennent son œuvre (« La peinture d'une époque », « L'aspect mythique des Rougon-Macquart », « Zola et le classicisme », etc.). Dans sa grande monographie *Emile Zola* (1953), l'Anglais F. W. J. Hemmings, publie comme l'avait fait Robert des matériaux du plus grand intérêt, mais il insiste davantage sur la psychologie de l'auteur. Ces deux études se complètent admirablement. Sans prétention scientifique mais très bien documentée est aussi l'œuvre d'Armand Lanoux, *Bonjour, Monsieur Zola* (1954). Comme Angus Wilson, auteur d'une étude brève mais dense, *Emile Zola* (1952), Lanoux s'attache avec prédilection aux fondements psychologiques des romans.

Nombre d'études scientifiques ont été consacrées à des œuvres déterminées de Zola. Parmi les plus importantes j'ai déjà signalé celle de Massis sur *L'Assommoir* et celle de Robert sur *La Terre*. Dans *Autour de Germinal* (1955) Ida-Marie Frandon a cherché à préciser la façon dont Zola s'est servi de ses sources pour son roman sur les ouvriers mineurs ; du même roman Pierre Moreau et Philippe van Thieghem ont retracé la genèse et ils ont publié le résultat de leurs recherches dans deux cahiers ronéotypés, édités par le Centre de Documentation Universitaire (1954) et destinés aux étudiants de lettres.

Le roman qui fait l'objet du présent ouvrage a déjà été étudié plusieurs fois, en particulier par Niess, Hemmings et Girard. Si malgré leurs travaux et malgré la place tenue par le roman dans bien des études sur Zola ou sur le naturalisme, j'ai osé me proposer une nouvelle enquête, c'est que *La Joie de vivre* occupe dans la production de Zola une place éminente et qu'une étude assez étendue, si imparfaite fût-elle, m'a semblé pouvoir contribuer à éclairer certains aspects de cette œuvre complexe. *La Joie de vivre* en effet pose la question : si pleine de souffrances et de cruautés, la vie vaut-elle la peine d'être vécue ? Aussi, plus que bien d'autres, ce roman – qu'une récente enquête du *Figaro* reconnaît comme l'un des meilleurs romans d'amour écrits sous la Troisième République – permet-il de mettre en valeur et d'ordonner certaines données essentielles de la philosophie de Zola.

La méthode du romancier, nous l'avons-dit, a déjà été étudiée avec bonheur, en particulier par Robert. Mais, comme chaque roman a sa genèse propre, il m'a paru opportun de consacrer la première partie de mon travail à l'exposé des notes préparatoires de Zola. Cette première enquête, intitulée *La préparation du roman,* était du reste indispensable à la suite de l'étude dont elle constitue la base. J'essaie d'y établir la chronologie des diverses étapes des travaux préparatoires, l'élaboration de l'intrigue, l'évolution des idées et des personnages, à partir du moment où Zola ne sait du futur roman qu'une seule chose : son personnage principal sera Pauline Quenu et son thème principal « douleur et bonté ». Quand Zola ne fournit aucune indication de sources, je recherche celles qui sont à l'origine de ses notes et je tente de préciser la relation qui unit ces matériaux documentaires au produit de l' « imagination créatrice ». De plus, j'étudie dans cette première partie, en elles-mêmes et dans leur relation au manuscrit définitif, les deux séries successives de plans de chapitres, terminant le tout par un examen des corrections stylistiques de l'auteur.

La seconde partie, *Les personnages du roman,* retrace leur genèse, analyse la psychologie que Zola leur attribue et les symboles dont il les fait porteurs. La base de l'étude est constituée par les notes préparatoires et le texte du roman. L'accent est mis, évidemment, sur les deux héros du récit, Lazare Chanteau et Pauline Quenu. Plusieurs critiques, et Zola lui-même, ont constaté dans le portrait de Lazare des traits presque caricaturaux, se référant à l'auteur lui-même. Je reconstitue ici la part d'autobiographie déjà indiquée par Niess, Hemmings et Girard, tout en dégageant certains autres éléments qui ont contribué à former cet être bizarre. Si Pauline, par sa psychologie, nous intéresse peut-être moins que Lazare, sa valeur symbolique n'en est que plus importante. Elle est, aux yeux de Zola, l'incarnation de la femme idéale mais elle est également la matérialisation de l'harmonie à laquelle Zola aspirait, une expression de l'optimisme et de la foi au bon sens, à la vérité et à la science qui, dans les 20 dernières années du siècle, animent de plus en plus l'œuvre de Zola.

*La Joie de vivre* est, au fond, un roman à thèse : ses personnages sont porteurs d'une idée. Sa signification philosophique et psychologique ne peut être précisée que si l'on élargit le cadre imposé jusqu'ici à la recherche. La troisième partie, *Les idées du roman,* vise à retrouver l'ultime signification de l'œuvre en décrivant l'attitude de Zola envers la science dont il se voulait le porte-parole énergique, envers le romantisme qu'il abhorrait mais dont il constatait l'emprise autour de lui et en lui-même, envers le néo-pessimisme qu'il voulait également combattre parce qu'il le jugeait aussi dangereux que le romantisme. Il apparaîtra finalement que « l'évangile de Pauline » est, pour Zola, la réponse définitive aux problèmes vitaux qu'il s'est posés de même que son époque, et que cet évangile découle en droite ligne de « la religion de l'humanité » de Comte. L'adoration brutale de la vie qui avait caractérisé Zola à ses débuts, prend ici une forme nouvelle et plus noble ; sa foi dans la vie et dans la science est alors mise directement au service de la morale du bonheur.

Le portrait de Lazare, disions-nous, a des traits autobiographiques presque caricaturaux. Néanmoins le roman est infiniment plus qu'une autobiographie déguisée ; son contenu essentiel est d'ordre philosophique. On s'apercevra que Zola s'efforce de combattre tout d'abord certaines tendances dont il est personnellement la victime – « l'héritage romantique » et l'hypocondrie –, ensuite le pessimisme schopenhauérien qui, à cette époque, en 1883, avait marqué quelques-uns de ses amis et confrères les plus proches, surtout Huysmans et Maupassant. Ce pessimisme avait sans doute tenté Zola lui-même dans sa crise des environs de 1880. Sa réaction de défense n'en fut que plus vigoureuse : le personnage de Lazare en reçut ses traits les plus pitoyables et Pauline une lumière et une harmonie encore plus souveraines.

PREMIÈRE PARTIE

# *La préparation du Roman*

# I. «L'ANCIEN PLAN»

## 1

## Introduction: La méthode de Zola; les manuscrits de la *Joie de vivre*

Du roman naturaliste Emile Zola ne s'est pas contenté de créer le genre ; il s'en est fait le défenseur et le théoricien dans des articles de journaux et des essais qui méritent aujourd'hui encore de retenir l'attention. Bien plus il a voulu renseigner ses lecteurs sur la méthode qu'il estimait la mieux adaptée à l'élaboration d'un roman expérimental.

Parmi les procédés de travail appliqués ou proposés par Zola, l'intérêt du public s'est attaché en premier lieu – comme il fallait s'y attendre, puisqu'il s'agissait de « tranches de vie » – à l'aspect « documentation ». Zola un cahier à la main, Zola sur une locomotive, Zola aux Halles, dans les mines du Nord de la France – autant d'images bien connues et qui illustrent le travail créateur d'un romancier qui se voulait à la fois reporter et homme de science.

Mais, beaucoup plus encore, peut-être, qu'une recherche systématique de matière, sa méthode de travail comporte un souci constant et minutieux du plan de chaque roman. Dans les notes de Zola, nous assistons au dialogue de l'auteur avec lui-même : il cherche, en tâtonnant, son intrigue, approfondit sa connaissance des personnages, pénètre toujours plus sûrement leurs caractères et leurs actions. A la fin, tous les morceaux épars du puzzle sont rangés, ordonnés dans deux séries successives de plans de chapitres qui sont, en fait, le plan définitif et détaillé du futur roman.

Cette méthode de travail est connue par les témoignages de plusieurs auteurs, dont quelques-uns ont reçu leurs informations du romancier lui-même. Les sources les plus intéressantes et maintenant « classiques » proviennent de Fernand Xau, Edmondo de Amicis, Paul Alexis, Edmond Toulouse et Henri Massis.[1] Voici, pour l'essentiel, les « recettes » de Zola, telles que ces auteurs les ont décrites.

Prenons Zola au moment où il se met à la composition d'un roman de la série des Rougon-Macquart. Nous savons que, pour lui, l'homme est un produit de l'hérédité et du milieu. L'hérédité du personnage principal de son nouveau roman – un Rougon ou un Macquart – a été indiquée d'avance dans l'arbre généalogique de la famille dressé par Zola en 1868. Il s'agit maintenant d'étudier le milieu. Laissons la parole à Zola :

> ... C'est là mon occupation la plus importante : étudier les gens avec qui ce personnage aura affaire, les lieux où il devra vivre, l'air qu'il devra respirer, sa profession, ses habitudes, jusqu'aux plus insignifiantes occupations auxquelles il consacrera ses moments perdus.[2]

C'est cette étude du milieu qui fournira au romancier son intrigue, car c'est le milieu, tel que l'a vu Zola, qui pèse de manière inéluctable sur le personnage principal et qui forme son destin. Ne nous étonnons donc pas si les recherches d'ordre documentaire sont extrêmement importantes pour le travail créateur de l'auteur.

Dans une interview accordée à Fernand Xau, en 1880, Zola déclare : l'étude « la plus consciencieuse, la plus exacte et la plus habilement faite, en ce qui me concerne, est celle de M. de Amicis ».[3] Nous pouvons donc regarder cette étude comme particulièrement « autorisée ». C'est en 1879 que Zola et de Amicis se sont vus, et, dans son livre *Ricordi di Parigi,* celui-ci expose la conception que Zola se faisait de son métier, sa méthode et ses théories. Zola explique qu'il ne *fait* pas précisément un roman ; il le laisse se faire de lui-même. Il ne sait pas inventer des faits. Il commence sans savoir ni quels événements se dérouleront dans son roman, ni quels personnages y prendront part, ni quels seront l'entrée en matière, le nœud et le dénouement de l'intrigue. Il connaît seulement – et depuis longtemps – son Rougon ou son Macquart. Il s'occupe d'abord exclusivement de ce personnage principal et visite les milieux où il devra vivre. Prenez Nana. Où va une cocotte ? Au théâtre, aux premières. Zola va donc aux premières, il observe, interroge, devine. Une cocotte assiste aux courses. Zola se rend donc au Grand Prix. Elle fréquente les grands restaurants. Zola fait de même. Il observe toujours, le crayon à la main.

Après deux ou trois mois de cette étude, il s'est rendu maître d'un genre de vie ; il le voit, il le sent, il y vit en imagination. Il a, en outre, connu des personnes qui appartiennent à cette couche sociale, il a entendu raconter des faits réels, il a appris le langage qui s'y parle, il a en tête, comme le dit Alexis, qui traduit quelques pages de de Amicis, « une quantité de types, de scènes, de fragments de dialogues, d'épisodes, d'événements, qui forment comme un roman confus de mille morceaux détachés et informes ».[4]

A ce procédé, il faut ajouter l'étude d'ouvrages spéciaux d'où il tire nombre de renseignements. Il consulte aussi des amis et des experts de toutes catégories.

C'est seulement après ce long travail que Zola s'attaque à ce qu'il appelle son Ebauche. Il faut mettre de l'ordre dans cet amas de notes pour en tirer une intrigue laquelle n'est, en effet, que la conséquence logique de tous les faits rassemblés et mis en ordre par le romancier. Alexis précise :

... Alors, la plume à la main, il cause avec lui-même sur son personnage. Il cherche des figures secondaires déterminées par le milieu. Il tâche de nouer quelques premiers faits, que lui donne la logique des milieux et des personnages. En un mot, il débrouille ses idées et arrête un sujet. Mais tout cela reste encore très vague.[5]

Après l'Ebauche, il passe aux notes groupées sous la rubrique Personnages. Le personnage principal et son milieu étaient certes le point de départ de son travail, mais cela n'empêche pas Zola de résumer dans ces notes tout ce qu'il avait déjà observé à leur sujet, en ajoutant souvent des renseignements nouveaux. Tous les personnages reçoivent ici leurs traits physiques et leur caractère moral. C'est, à proprement parler, l'état civil des divers personnages, explique Alexis, qui poursuit : « Il reprend chacun de ceux qu'il a trouvés, en écrivant l'Ebauche, et lui dresse des actes : histoire, âge, santé, aspect physique, tempérament, caractère, habitudes, alliances, etc. En un mot, tous les faits de la vie. »[6]

Selon Alexis, Zola se remet maintenant à prendre des notes. Il s'agit toujours du milieu : étude des métiers dont il traite ; visites aux endroits où se dérouleront les grandes scènes. Il copie des extraits de certains livres et met encore ses amis à contribution.

Vient enfin le moment où il peut s'occuper du « plan ». Pour l'instant, c'est un plan très bref – une ou deux pages – que l'auteur nomme Plan sommaire. Il rédige ensuite les premiers plans de chapitres, dont la matière est puisée dans les notes, dans l'Ebauche et dans les « Personnages ». Cette série de plans, nous l'appellerons par la suite les premiers plans détaillés.[7]

Mais le travail préparatoire n'est pas encore terminé. Avant de s'attaquer à la rédaction d'un chapitre, il en refait le plan, « c'est-à-dire qu'il prend, dans le plan primitif [à savoir les premiers plans détaillés], toutes les notes amassées et qu'il les combine, les met en œuvre dans l'ordre nécessité par la déduction des chapitres déjà écrits et par l'effet littéraire qu'il veut tirer du chapitre à écrire ».[8]

Il y a donc deux séries complètes de plans de chapitres. L'une est écrite avant la rédaction du premier chapitre ; l'autre – que nous appellerons les seconds plans détaillés – est faite au cours même de la rédaction du manuscrit. (Parfois, par exemple pour certaines parties de *La Terre,* il arrive que Zola fasse trois plans pour un seul chapitre.)[9]

Voilà, selon Zola, les différentes étapes du travail.

Arrêtons-nous un instant. D'abord, on peut constater que la documentation ne forme pas toujours la plus grande partie du dossier. Souvent, la grande majorité des feuillets de chaque dossier témoigne d'une imagination créatrice et non de recherches plus ou moins approfondies. Naturellement, cette constatation n'autorise nullement à déprécier la documentation en tant que source d'inspiration. Mais pour que la documentation possède vraiment cette valeur, il faut de toute évidence qu'elle ait précédé le travail créateur dont les résultats apparaissent dans l'Ebauche et dans les plans. En est-il ainsi ? Non, décidemment non, dit Guy Robert, qui a étudié la méthode de travail de Zola et exposé ses résultats dans sa thèse sur *La Terre* et dans son *Emile Zola. Principes et caractères généraux de son œuvre.* M. Robert établit que les renseignements donnés par Zola sont inexacts sur quelques points très importants.[10] Avec un grand nombre d'exemples, M. Robert peut démontrer que la documentation n'a point l'importance primordiale qu'on lui a attribuée conformément aux témoignages de de Amicis, d'Alexis, de Toulouse, etc. En fait, dit Guy Robert, Zola, qui a peut-être commencé par s'informer très hâtivement en faisant appel à quelques témoignages oraux, *rédige d'abord une partie de son Ebauche.* « L'intrigue ne s'ordonne qu'après des tâtonnements qui se poursuivent généralement dans les différentes parties de *l'Ebauche.* »[11] Mais, tout en commençant par l'Ebauche, « Zola s'entretient peut-être avec quelques amis au sujet du nouveau milieu qu'il se propose d'étudier ». Il cherche donc certaines informations nécessaires, mais « moins pour élaborer l'ensemble de son œuvre que pour meubler quelques développements particuliers ou garantir leur vraisemblance ».[12] C'est seulement après la rédaction de l'Ebauche qu'il visite « les lieux qu'il a choisis pour cadres de son action : les Halles de Paris – – –, les mines d'Anzin – – – les champs de bataille de Sedan ». Donc, « le plus souvent les notes que Zola prend alors contiennent des références à une action déjà organisée dans ses grandes lignes et à des épisodes prévus déjà dans l'Ebauche ».[13]

C'est donc, selon M. Robert, seulement après ou au cours de la rédaction de l'Ebauche que Zola se met à la documentation. Dans la suite, nous essaierons de démontrer que la plupart des notes que Zola rédigeait pour la *Joie de vivre* datent d'une étape bien avancée de son travail. En fait, il paraît probable que presque toutes les notes n'ont été prises qu'après la première série de plans de chapitres, c'est-à-dire immédiatement avant la rédaction du manuscrit.

Selon Alexis et les autres critiques déjà cités, les notes intitulées *Personnages* sont écrites avant la première série de plans de chapitres. Comme on rencontre souvent, dans ces plans, des renvois aux *Portraits,* c'est-à-dire aux Personnages, il semblerait que l'information d'Alexis soit correcte. Mais M. Robert établit que ces « notes concernant les personnages forment [seulement] comme un ensemble de fiches établies sur chacun d'eux ». Dès lors, les renvois aux Portraits – comme d'ailleurs les renvois aux notes concernant les lectures – se présentent toujours comme « des additions manifestement postérieures à la rédaction du plan ».[14] L'étude du dossier de la *Joie de vivre* nous apprendra que les renvois aux Portraits dans la première série de plans de chapitres sont, pour la plupart, des additions de ce genre.

Les notes sur les personnages n'exercent donc aucune influence sur l'action du roman, elles ne sont pas, comme Zola le prétend, des points de départ pour le développement de « l'intrigue », laquelle devrait être, selon sa théorie, l'inébranlable suite logique du milieu et des caractères. Ces notes sont donc des résumés de tous les faits et de tous les traits qui, au cours de la rédaction de l'Ebauche et des premiers plans de chapitres, ont été rapportés aux personnages.

Notre étude du dossier de la *Joie de vivre* confirmera pour l'essentiel les observations de Guy Robert.

A la Bibliothèque Nationale sont conservés trois volumes de manuscrits dans lesquels on peut suivre le travail méthodique effectué par Zola pour son roman sur Pauline Quenu. Ils font partie des Nouvelles



2—802357

Acquisitions Françaises et portent les numéros 10309–10311. Les deux premiers volumes comprennent le manuscrit définitif du livre, pendant que le troisième, le n° 10311, contient les notes, les plans, quelques lettres, etc.[15] Ce volume a 393 feuillets paginés et un nombre de feuillets non paginés. L'ensemble des feuillets a été classé et paginé par les soins de la Bibliothèque Nationale. Un assez grand nombre des feuillets portent aussi une pagination faite par la main de Zola, mais cette pagination n'est appliquée qu'à certains groupes de feuillets, par exemple l'Ebauche, les notes sur la goutte, les notes Bouillier, etc. Nous nous référerons toujours à la pagination d'ensemble. Voici la liste des feuillets telle que Maurice Le Blond l'a dressée dans ses commentaires du roman :

| | | |
|---|---|---|
| Feuillets | 1 à 141. – | Plan par chapitre. |
| – | 143 à 220. – | Ebauche. |
| – | 221 à 223. – | Une liste de personnages. – Un court plan par chapitres. |
| – | 225 à 257. – | Personnages. |
| – | 259 à 284. – | La peur. – Schopenhauer. – Sur la vie (au feuillet 266 : Une liste de titres pour le livre). |
| – | 286 à 314. – | Notes médicales sur les chirurgiens-majors, l'accouchement, la goutte. |
| – | 316 à 331. – | Renseignements sur les épis, les brise-lames, la marée (trois pages de l'écriture de Céard, feuillets 318 à 320). |
| – | 324 à 325. – | Lettre de M. Edmond Perrier sur les algues. |
| – | 333 à 337. – | La maison et le pays (avec croquis à la plume). |
| – | 339 à 362. – | Notes sur la tutelle (avec deux lettres de Thyébaut). |
| – | 364 à 393. – | Plan primitif.[16] |

Un regard rapide sur cette liste suffit pour nous convaincre que les feuillets ne sont pas classés dans un ordre chronologique. Même à l'intérieur des différents groupes, la pagination est souvent peu satisfaisante et ne saurait nous aider à suivre les traces du romancier. Pour se faire une idée à peu près exacte de la méthode de Zola, il faudra recourir à d'autres moyens. Pourtant, un certain classement est possible dès maintenant, si l'on met à profit les renseignements et les observations d'Alexis, de Guy Robert, et des autres auteurs que nous avons déjà cités.

Il y a tout d'abord le *Plan primitif* que Zola nomme l'*Ancien plan* et qui date très vraisemblablement de 1881. Après l'ancien plan il faut placer l'*Ebauche,* qui renferme les premières notes de 1883, où Zola reprit son travail. L'Ebauche est suivie d'un plan très bref de tous les chapitres du roman, le *Plan sommaire* [3–2][17] et d'une série de plans de chapitres que nous nommerons les *premiers plans détaillés* et qui se trouvent aux feuillets 10–141, avec les *seconds plans détaillés* (voir plus bas). Ces premiers plans contiennent tous des additions qui, en grande partie ont été faites après que toute la série a été terminée. Les notes *Personnages* (225–257) et la *documentation* proprement dite (259–362) – c'est-à-dire les renseignements sur Schopenhauer, sur la goutte, l'accouchement, les algues, etc. – sont, selon toute vraisemblance, rédigées après les premiers plans détaillés. Quelques-unes de ces notes ont même été écrites à une époque où la rédaction du manuscrit définitif était presque terminée. Finalement, le dossier contient une série de plans de chapitres que nous nommerons les *seconds plans détaillés*. Ceux-ci se trouvent aux feuillets 4–134 et sont donc, dans le dossier, superposés aux premiers plans détaillés. Ils ont été dressés selon la méthode que nous venons d'indiquer, c'est-à-dire que le second plan détaillé de chaque chapitre a été dressé immédiatement avant que Zola entreprenne la rédaction du chapitre en question. Autrement dit, le dernier de ces plans détaillés a été rédigé lorsque Zola n'avait plus qu'un seul chapitre à composer.

Les extraits du dossier préparatoire que nous allons présenter sont en grande partie inédits. Un certain nombre de fragments du dossier ont été publiés par Maurice Le Blond dans son édition du roman (l'édition Bernouard) : la liste des titres pour le roman, la lettre d'Edmond Perrier, des extraits de l'Ebauche et des Personnages.[18] F. W. J. Hemmings, dans son étude « The Genesis of Zola's *Joie de vivre* » a également donné certains fragments de l'ancien plan et de l'Ebauche.[19]

## 2

## Les esquisses de l'ancien plan

Au début de l'année 1869, Zola, jeune encore et fort pauvre, présenta à l'éditeur Lacroix un grand projet littéraire. Il méditait une série de romans qui devaient « peindre l'homme physiologique », mettre en œuvre « le positivisme, le matérialisme, et les hypothèses les plus récentes de la science », *faire* les bourgeois, les financiers, les ouvriers, les prêtres, les artistes, les filles, etc. L'étude qu'il rêvait serait « un simple coin d'analyse du monde tel qu'il est ». Il étudierait « l'homme placé dans un milieu, sans sermon ».[1] La liste présentée à Lacroix prévoyait dix romans.

Dans ce premier plan de la future série des Rougon–Macquart, aucun titre. Aucune allusion non plus à un personnage que l'on pourrait regarder comme la première origine de Pauline Quenu, ni à un roman qui devait traiter des problèmes exposés dans la *Joie de vivre.*

Deux ans plus tard, peut-être en 1871, Zola dressa une nouvelle liste de la série qu'il méditait.[2] Ici, il a déjà baptisé quelques-uns de ses personnages : Lisa Quenu (la mère de Pauline), Eugène Rougon, Etienne Lantier, et d'autres. Le nom de Pauline ne figure pas.

En 1878, Zola publia l'arbre généalogique des Rougon–Macquart. Il le fit conjointement à la préface d'*Une Page d'amour.* Nous rencontrons ici, pour la première fois, Pauline Quenu en tant que personnage « achevé » – elle était déjà apparue, mais comme fillette, dans le *Ventre de Paris.* L'arbre généalogique caractérise comme suit la jeune Pauline : « *Pauline Quenu,* née en 1852. – *Mélange équilibré.* – Ressemblance de la mère et du père. Etat d'honnêteté. »[3]

Dans la préface d'*Une Page d'amour,* Zola explique pourquoi il joint à son nouveau roman l'arbre généalogique des Rougon–Macquart. « La première [raison] est que beaucoup de personnes m'ont demandé cet arbre. – – – La seconde raison est plus compliquée », dit-il. En effet, il « regrette de n'avoir pas publié l'arbre dans le premier volume de la série, pour montrer tout de suite l'ensemble de [son] plan ». Ce plan « a été dressé tel qu'il est en 1868 ». Maintenant, qu'il le publie, il désire que ce document soit « une réponse à ceux qui m'ont accusé de courir après l'actualité et le scandale ». Cet arbre marque pour lui « les grandes lignes » du travail, sans lui « permettre d'aller à droite ni à gauche ». Zola déclare ensuite que les circonstances seules l'ont amené à publier l'arbre dans *Une Page d'amour ;* il aurait dû être joint au dernier volume. « Huit ont paru, douze sont encore sur le chantier ; c'est pourquoi la patience m'a manqué. » Après avoir cité, parmi tous les livres de physiologie consultés, l'ouvrage du D^r^ Lucas : *L'Hérédité naturelle,* il conclut :

> Aujourd'hui, j'ai simplement le désir de prouver que les romans publiés par moi depuis bientôt neuf ans, dépendent d'un vaste ensemble, dont le plan a été arrêté d'un coup et à l'avance, et que l'on doit, par conséquent, tout en jugeant chaque roman à part, tenir compte de la place harmonique qu'il occupe dans cet ensemble. On se prononcera dès lors sur mon œuvre plus justement et plus largement.[4]

Nous avons déjà pu constater que ces renseignements ne sont pas absolument exacts. Le projet fut considérablement élargi, puisque le premier plan ne prévoyait que dix romans et que l'on arriva à vingt. Il est à noter que, parmi les dix romans qui furent ajoutés aux dix originairement projetés, il y en a cinq qui, sous différents rapports, ont été regardés comme « moins dangereux » : *Une Page d'amour, Au Bonheur des Dames,* la *Joie de vivre,* le *Rêve* et le *Docteur Pascal.* On a fait remarquer qu'il s'était assigné, « entre les plus lourds et les plus brutaux de ses romans documentaires, des 'œuvres de repos et de récréation' ».[5]

Zola ne s'en cachait pas, comme le prouve le livre de Paul Alexis, publié en 1882 et qui s'appuie sur des interviews et des conversations avec Zola. En même temps, on peut donc constater que le besoin de faire alterner des œuvres de divers caractère ne s'est imposé à Zola qu'au cours du travail. Il y a tout lieu de supposer que, vers 1880, après l'orage que suscita l'*Assommoir,* Zola éprouvait le besoin d'annoncer l'arrivée d'une Macquart qu'il pût qualifier d'*honnête.* C'était donc là tout ce qu'il savait à cette époque sur Pauline Quenu – tout, sauf le peu qu'il avait indiqué dans le *Ventre de Paris.*

Le roman sur Nana fut publié en volume au mois de mars 1880. Auparavant, il avait paru en feuilletons dans le *Voltaire.* Nous savons que, *Nana* achevée, Zola avait l'intention de consacrer le prochain roman de la série à Pauline Quenu. Selon Alexis, il se mit à ce travail au printemps de 1881.[6]

Les travaux préparatoires dont nous venons de parler eurent pour résultat, nous le savons déjà, l'*ancien plan.* En fait, il s'agit de quatre brèves esquisses. Si Zola avait continué son travail, en se tenant à ces esquisses, elles auraient abouti à ce qu'il appelle son Ebauche.

Ces esquisses constituent une partie très importante des travaux préparatoires de Zola. Elles fixent quelques thèmes centraux, notent certaines idées importantes, fondamentales même, du roman, mais Zola n'arrive pas à déterminer une action et un cadre, qui puissent le satisfaire. Il pose la plume sans avoir trouvé ni un conflit acceptable, ni un milieu suffisamment précisé.

Les quatre esquisses n'occupent que 30 des 393 feuillets du dossier : elles sont le résultat d'un procédé si homogène qu'elles peuvent, avec profit, être étudiées à part et avant les autres éléments de la genèse du roman. Naturellement, il y aura lieu de revenir souvent, dans la suite de notre étude, à l'ancien plan.

Laquelle des quatre esquisses est la première ? Dans son étude intéressante, où il a publié quelques fragments de ces esquisses,[7] F. W. J. Hemmings a adopté l'ordre qu'elles ont reçu dans le dossier, et nous ne révoquerons pas en doute l'exactitude de cette pagination. Nous aurons donc à signaler quelques-unes des raisons pour lesquelles, malgré la fantaisie de la pagination, nous avons accepté l'ordre qu'on a établi dans le dossier.

*Première esquisse [366–372].* Zola présente *l'idée générale* du roman, ce qui prouve sans doute que cette esquisse est la première. Cette rédaction de premier jet commence en ces termes :

Voici le roman que je veux écrire. Des êtres bons et honnêtes, placés dans un drame qui développera l'idée de bonté et de douleur. Puis, tout l'effort portera surtout sur la facture. Pas ma symphonie habituelle. Un simple récit allant au but. Les milieux jouant toujours leur rôle nécessaire, mais moins en avant ; les descriptions réduites aux strictes indications. Et le style carré, correct, fort, sans aucun panache romantique. La langue classique que je rêve. En un mot, de l'honnêteté en tout, *pas d'emballage.*

Maintenant, j'ai mon héroïne, qui est Pauline Quenu, née en 1852. Elle a donc l'âge de Nana. En 1869, elle est dans ses dix-huit ans. Cela me forcerait à ne pas étudier une vie se développant en de longues années, mais un simple drame, un épisode, tenant un an ou deux. Si je prends Pauline pour figure centrale, elle pourra être l'opposé radical de Nana, car dans ma distribution des tempéraments elle en est le pendant contraire. Donc, si Nana s'est donnée à tous, elle se donnera à un seul, et encore ; si Nana a été lâchée dans la vie sans lien moral, sans frein religieux ou social, elle se fera des devoirs, aura une police, la religion, les convenances, etc. ; mais surtout elle apportera la vertu comme Nana a apporté le vice, un produit.

La grosse affaire est de mettre Pauline dans un drame. La province me paraît s'imposer ; il n'y aura qu'à décider si cette province doit être loin ou près de Paris. Je ne puis changer le tempérament de Pauline, qui est une santé morale avant tout, un calme natif dans l'honneur et dans l'équilibre des vertus. Il faut donc que je la plante au milieu du drame comme j'ai planté Nana. Tout roulera autour d'elle, en agissant sur elle. Cela devient un séjour dans une petite ville [366–368].[8]

On remarque combien Zola s'est déjà attaché à son personnage principal. Dès les premières lignes, il a trouvé le ton de sympathie et de respect qui rendra le portrait de Pauline si émouvant. Il mettra en relief sa destinée par un simple récit sans « emballage », empreint d'honnêteté et écrit dans la langue classique qu'il admire.

Il se met maintenant à méditer sur l'action du roman. Pauline vivra-t-elle chez un herboriste (comme celui qu'il a vu à l'Estaque), marié à une terrible femme infirme qui le torture ? C'est déjà la première idée du père Chanteau, de l'infirme qui rend la vie impossible aux siens.

Nouvelle idée : Pauline a un oncle veuf, toujours gai, bon et héroïque. Cet oncle a une fille qui représenterait « l'autre côté de la bonté, la bonté nerveuse qui sanglote, qui s'exaspère, la pitié emportée contre la douleur » [369]. Formule à retenir, car nous entrevoyons là, pour la première fois, le Lazare du futur roman. Quant à la jeune fille qui jouera, avec Pauline, un rôle important dans le drame, elle préfigure le personnage de Louise, la jeune femme que Lazare épousera.

Pour que le livre fût grand, dit Zola [369], il faudrait que l'idée de douleur dominât. Comment atteindre ce but ? La scène pourrait être dominée par la peur d'une maladie contagieuse, se jouer « sous la peur d'une fièvre typhoïde ». En ce cas, poursuit l'écrivain, le mieux serait d'avoir marié Pauline au fils de l'herboriste. C'est un garçon qui a fait, par exemple, ses études de droit. Le jeune couple passe quelque temps chez l'herboriste. Celui-ci a aussi, chez lui, une nièce, qui est « la détraquée par la douleur ». Le jeune homme et la nièce se sont aimés.

Ce thème d'un amour d'enfance reviendra par la suite ; il s'agira toujours d'un drame à trois, mais les rôles seront distribués différemment. Ici, le conflit amoureux se jouera pendant une épidémie. « Etude de la peur de la mort, et du relâchement que cela produit » [370]. La nièce se jette au cou du jeune homme. Mais Zola revient tout de suite sur sa décision. Il vaudrait mieux, dit-il, que l'oncle eût un fils (remplaçant la nièce) et que ce fils devînt amoureux de Pauline.

L'aspect le plus intéressant de cette nouvelle idée est le caractère du jeune homme substitué à la nièce. Au fond, il ne s'agit que d'un changement de sexe :

> Ce fils aurait pu commencer des études de médecine qu'il n'aurait pu achever parce que la douleur le bouleverse. Il écrit des mémoires (voir si j'en donnerais des extraits). Naturellement, il tombe amoureux de Pauline ; jusqu'où ils vont [370].

Un jeune homme qui a un peu étudié la médecine et qui est paralysé par « la douleur » – et l'on pourrait ajouter: par la peur de la mort – ce sont déjà les contours assez nets de Lazare.

Mais si Pauline doit être entraînée dans une aventure avec un autre homme, il faudrait, puisqu'elle est une femme très honnête, qu'elle ait de graves sujets de plainte contre son mari. Zola cherche sans trouver.

« Mais le drame me manque toujours » [372]. Dans ses tâtonnements, il imagine même des épisodes un peu mélodramatiques :

Je voudrais un crime au début. Par exemple le mari, en bonne fortune chez un garde, à la chasse, est surpris par le mari, et le tue. Il rentre chez sa femme : J'ai tué un homme ; et elle pâle et calme. Puis après l'épidémie, elle peut décider de la mort du neveu qui l'aime, et s'en aller avec son mari, *dont elle est enceinte* (après le coup de feu). Elle ment, elle sauve son mari, elle le cache, pendant que toute la maison cherche l'assassin, le père, le neveu, etc. [372].

Comme nous l'avons déjà fait remarquer, il y a dans cette esquisse nombre d'éléments qui reparaîtront dans l'action du roman. D'abord, le thème de la douleur, puis le milieu, lequel se précisera sans doute, enfin la première ébauche de quelques personnages principaux.

Il conviendrait peut-être de s'arrêter quelque peu à l'épidémie que Zola médite pour son intrigue. Il ne semble point invraisemblable que cette idée lui soit venue de certains événements de la fin de 1880 et du début de 1881. A cette époque, les journaux s'occupaient beaucoup des « odeurs de Paris ». Selon la *Civilisation* du 12 septembre 1880, la presse parisienne « fait une campagne contre l'administration à cause des émanations putrides dont Paris est infecté ». La morbidité et la mortalité ont augmenté pendant l'été, et, dit encore la *Civilisation* dans une causerie scientifique du 1er janvier 1881 à propos de ces odeurs de Paris, « il y a lieu de tenir compte de l'épidémie de variole qui régnait à cette époque ». Dans le *Gil Blas* du 4 septembre 1880, Paul Ginisty constate : « il est certain qu'il faut, pour beaucoup, attribuer la fièvre de villégiature qui a régné cette année, à cet intolérable état des choses ». Et, songeant sans doute aux épidémies de variole, de diphtérie et de choléra infantile de cette année, Ginisty conclut : « Il y a véritablement lieu de craindre une épidémie. » Selon un correspondant du journal suédois *Dagens Nyheter* (le numéro du 5 janvier 1881), on craignait une grande épidémie de variole, la statistique ayant démontré que les épidémies se déclaraient assez régulièrement tous les dix ans. La dernière grande épidémie avait frappé la France en 1870. – Les odeurs de Paris, provenant sans doute des égouts, ont encore amené la *Civilisation,* dans l'article du 12 septembre, à évoquer cette sombre vision d'une catastrophe menaçant la capitale des Français :

Et Paris sera inhabitable ! – – – Et le commerce de Paris sera tué parce que l'étranger ne visitera plus cette ville qui ne sera désormais qu'un foyer d'infection et de maladies. – – – L'Égout pue et empeste la ville ; la statistique de la mortalité en fait preuve.

Zola donnait beaucoup dans l'hypocondrie,[9] et il pouvait assurément évoquer bien des souvenirs de l'année 1870, où, en plus des catastrophes militaires, on avait dû éprouver les ravages de terribles épidémies.

*Deuxième esquisse [373–379].* Zola n'est pas satisfait. Il désire une action plus simple, et cela concorde bien avec la déclaration qu'il avait déjà faite en s'attaquant à son nouveau roman. Voici le début de la deuxième esquisse :

> Peut-être quelque chose de beaucoup plus simple vaudrait-il mieux. – Avoir la douleur représentée par un père infirme souffrant horriblement d'une maladie chronique, et par un jeune homme souffrant d'une maladie morale, un amour impossible ; et mettre au milieu, très haute, la figure de la santé et de la bonté héroïque, Pauline, un tempérament fort, délicat, pensant à tout, soignant le physique et le moral. Faudrait-il la soumettre elle-même aux épreuves douloureuses de la vie, la montrer traversant les douleurs (on pourrait à la fin mettre l'accouchement comme une scène grandiose, un nouveau souffrant mis à la vie ; Il faudrait tremper le tout de tendresse et de bonté.)
> Je voudrais avoir le type du neveu ainsi conçu : la pensée de la mort continuelle, gâtant la vie, arrêtant l'effort, désolant tout, atteignant ceux qu'on aime ; puis du sang-froid dans le danger ; et l'idée de la mort reprenant ensuite. – Ce pourrait être là le mari de Pauline, on aurait l'opposition entre lui et sa femme [373–374].

La douleur est toujours au centre de l'intérêt de Zola. La souffrance physique se manifeste chez un père infirme horriblement torturé ; nous ne sommes pas loin du père Chanteau. La souffrance psychique est conçue comme une maladie morale : la hantise de la mort chez un jeune homme. Les souffrances physiques et morales seront à la fin fondues dans une « scène grandiose » – il faut bien remarquer le mot – qui sera l'accouchement de Pauline. Pour elle, qui est la santé, la bonté et l'équilibre, l'accouchement ne sera sans doute qu'une souffrance physique momentanée ; pour le mari, une souffrance psychique, car il verra un « nouveau souffrant » mis à la vie. Il paraît que c'est Schopenhauer qui parle ici, et c'est, en ce cas, la seule allusion que l'ancien plan fasse à sa doctrine.

Quelle action tirer de ces idées ? *Albert* a épousé Pauline. Son père est malade, incurable. Albert et Pauline viennent vivre chez le père. « Tout le roman dès lors va être dans la peinture des caractères opposés » [375]. L'intrigue se présente maintenant comme « très simple ». Zola note les étapes suivantes : L'arrivée au village. – Une construction, maison. – L'épidémie. – L'accouchement et la mort [375].

Mais il faudrait aussi une passion, un drame : Albert, malgré son amour pour Pauline, la trahit avec une autre femme. Surtout, déclare l'écrivain, il faudrait insister sur la façon dont les choses se passent pendant l'épidémie. La mort prochaine lâche la bride à tout l'égoïsme des hommes – « la bête à découvert ». Il veut montrer « *le drame terrible de la vie entre gens qui s' a i m e n t et qui sont bons ;* puis la bonté trempant tout et triomphant de tout » [376].

Dans le paragraphe suivant, Zola a une idée qu'il abandonne bientôt – le passage est biffé – mais qui reviendra plus tard : le vieux qui souffre est le père de Pauline, Quenu, dont la femme est morte.

Il résume. L'originalité du livre consiste à ne présenter que des êtres bons, au moins normaux, et qui pourtant se dévorent, la seule Pauline s'élevant au-dessus de toutes les mesquineries. Mais le livre aura encore ceci d'original qu'il ne présentera que de menus faits quotidiens, le trantran de la vie. Zola gardera l'idée d'une épidémie, mais « pas forte ». La grande vision de terreur à laquelle il a songé dans ses premiers tâtonnements, a disparu et ne reviendra plus. Il est bien facile de comprendre pourquoi. Une grande épidémie dévastatrice ne serait guère en accord avec son intention de faire un récit intime et simple – « pas [sa] symphonie habituelle ». Il fera monter la souffrance des personnages avec des petits faits de rien. Ainsi, il arrivera à « une intensité d'émotion énorme, d'attendrissement, d'honnêteté et de bonté. C'est là le difficile » [377]. Le roman finira par la mort du père et l'accouchement de Pauline.

Voilà une antithèse caractéristique de Zola et dont il ne pourra s'affranchir du premier coup. Nous reviendrons sur cette préférence de Zola pour les arrangements antithétiques, à la Hugo, avec des contrastes violents, comme la naissance et la mort.

L'esquisse se termine par un résumé et une mise au point de la situation intérieure et extérieure d'Albert. Pour la première fois, le jeune homme est dépeint comme une nature compliquée, hérissée de contradictions : il est à la fois irritable et bon, lâche et courageux, chaste et lubrique. Il est « l'homme ondoyant et divers en un mot » [378].[10]

Nous signalons aussi la maison qui sera bâtie : « construction, maison » [375]. Le symbole sera développé dans la quatrième esquisse.

*Troisième esquisse [380–384].* Il est évident que cette esquisse se fonde sur la précédente : le « père infirme souffrant horriblement d'une maladie chronique » devient Quenu, que la goutte a pris, et qui est « peu à peu cloué sur son fauteuil ». Egalement, Zola développe le caractère du jeune homme en partant des traits antithétiques cités plus haut. D'autre part, cette esquisse est manifestement antérieure à celle que nous appellerons la quatrième, laquelle commence par les mots « Dernier état de l'idée ».

Zola est beaucoup plus sûr de ses intentions lorsqu'il reprend ses considérations. Nous lisons aux feuillets 380–381 :

Voici le roman. *Tout ce qu'il y a de plus simple.* Lisa est morte. Quenu, après fortune faite, s'est retiré à la campagne, près Paris (pas des paysans, des bourgeois). La goutte l'a pris, avec rhumatisme ; peu à peu cloué sur son fauteuil. Pauline le soigne. Tout le caractère de Pauline, bonne, équilibrée, ne souffrant pas, niant presque la souffrance, gaie. Puis Gérard. Voir ce qu'il faut en faire. Ce sera dans le caractère. En tous cas faire de lui, *l'homme,* et non le héros. Poltron et courageux, travailleur et paresseux, menteur et véridique, sincère et comédien. Le *moi* moderne, actuel. Et le mettre en face de Pauline, créer des incidents, une série infinie de faits qui les heurtent. Ce qui domine, dans Gérard, c'est la peur du lendemain, après la mort ; la peur de la mort, paralysant tout ; à quoi bon ? puisque tout doit finir, et peut-être à l'heure même. Cela l'atteignant dans son activité. La peur dans la douleur, la révolte contre la douleur. – Maintenant, quant au roman lui-même, il sera simplement l'histoire des amours de Gérard et de Pauline autour du fauteuil de Quenu. Les poser d'abord, puis voir comment ils iront l'un vers l'autre. Puis une crise, une fâcherie, Gérard allant à une autre, trompant Pauline, tout en l'aimant ; Pauline compromise. – La grosse question est de savoir si je ferai manquer le mariage et si j'arrêterai là le roman ou si le mariage sera le milieu de l'œuvre et si j'irai jusqu'à un accouchement de Pauline qui serait le dénouement [380–381].

Zola souligne encore une fois que le roman doit être *trempé de tendresse.* La religion doit y jouer un rôle [382]. C'est la première fois que Zola traite le problème de la religion dans son rapport avec la souffrance et la mort.

Ce qui est particulièrement intéressant dans cette esquisse, c'est l'hésitation de Zola sur un point très important. Comment établir une parfaite harmonie entre la philosophie du livre qu'il voit grande et poétique, et les petits faits quotidiens continuellement analysés ?

En somme, comme philosophie, je ne veux pas peindre les petites misères, les petites vilenies de l'existence (en province) ; je veux au contraire peindre un large courant de vie, *la souffrance et la bonté ;* et cela, – ce qui est la difficulté, – non pas avec mon procédé de poème habituel, mais avec une analyse continue des faits quotidiens [382–383].

Zola n'a pas changé d'attitude. Dans la première esquisse, il a déjà insisté sur la nécessité de chercher l'action du roman dans les faits banals de tous les jours. Ici, il veut encore souligner sa résolution d'éviter ce qui ne serait que tristesse; les faits quotidiens doivent former un ensemble puissant, digne de la philosophie du livre.

L'esquisse se termine par quelques lignes – ajoutées plus tard, peut-être – sur Pauline, qui doit être un ange de bonté. Ensuite, il retourne pour quelques moments à l'herboriste et à sa terrible femme, mais il les quitte immédiatement, et à jamais.

*Quatrième esquisse [385–393].* Le dernier état de l'idée est présenté. Gérard est musicien et marié à Pauline. Quenu a disparu, il est remplacé par la mère de Gérard. Voici l'introduction de l'esquisse :

> Dernier état de l'idée : Famille à trois, Gérard, sa mère et Pauline. Toujours l'épidémie emplissant le volume : trois cas, Pauline malade, soignée par Gérard avec un soin jaloux et sauvée ; la mère malade et mourant dans les bras de Pauline, tandis que Gérard est faible comme un enfant ; enfin, après la peinture de Gérard disant : à quoi bon (la vie gâtée par la vue de la mort), les couches de Pauline finissant le volume. Il me faudrait toujours un drame extérieur, tombant là-dedans pour mouvementer.
>
> Le drame ne peut être qu'un amour ancien de Pauline pour un homme qu'elle n'a pas épousé. Quand elle le retrouve à la campagne, elle peut lutter ; je la fais triompher, et cela me la donne honnête. Seulement, il faut déterminer dans quelles conditions tout cela se passe. D'autre part, je fais bâtir une maison, qui croîtra au fur et à mesure du drame.
>
> La pose de la première pierre
> La rencontre de Pauline et sa lutte
> La maladie de Pauline
> La maison qui revient et l'analyse de Gérard
> Contrecoup de la lutte de Pauline (péripétie)
> Maladie et mort de la mère
> La maison, analyse de Pauline et de Gérard
> Fin de l'aventure de Pauline
> Couches de Pauline [385–386].

Et le drame ? Les Quenu sont morts, et Gérard a épousé Pauline. Mais le passé revit dans la réapparition de Monier, un ancien amoureux de Pauline qui l'avait abandonnée malgré un échange de promesses. Il s'éprend de nouveau de Pauline, qui le repousse au cours d' « une lutte toute morale » [388]. En s'apercevant qu'une bonne amitié se noue entre les deux hommes, Pauline « marie » Monier à une jeune fille.

Cette intervention de Pauline ne manque pas d'intérêt. Ce qui paraît sans doute un peu curieux, c'est qu'elle marie justement l'homme qu'elle a aimé et qu'elle aurait sans doute des raisons d'aimer, vu le caractère peu sympathique de son mari. En effet, nous trouvons ici l'origine de ce qui sera le grand sacrifice de Pauline dans le futur roman : sa décision d'abandonner Lazare à Louise. Et la jeune fille, qui disparaît si vite dans cette intrigue, est une première ébauche de Louise : « Caractère à trouver, avisée, très positive, une Pauline en petit, mais plus fûtée et plus rieuse « [389]. Monier, de son côté, joue un peu le même rôle dans cette intrigue que Lazare dans le roman : il aime Pauline, il l'abandonne, il revient à elle mais est repoussé, et il épouse une autre femme.

Zola réunit maintenant les éléments épiques dans un plan, et il en ajoute d'autres [390–393]. Nous avons déjà constaté qu'il introduit un nouveau personnage principal, la mère de Gérard qui meurt dans les bras de Pauline, pendant que Gérard dans cette situation réagit comme un enfant. Ensuite, la maison qu'on bâtit, a reçu un rôle beaucoup plus important que dans la deuxième esquisse. Notons un détail remarquable : « La pose de la première pierre. » Cet événement doit illustrer la peur de la mort et de l'anéantissement dont Gérard est saisi. « Arriver au sentiment du néant, par la date, par le papier enfermé dans la pierre » [390]. Pareillement, la plantation des arbres reflétera sa peur du néant : « Arbres plantés qu'il ne verra pas » [393]. L'esquisse contient d'autres détails qui visent à donner à Gérard des contours plus nets : il compose une symphonie sur la douleur [390], il soigne tendrement Pauline, il se révolte contre la souffrance, il pleure son impuissance, il oublie son travail dans une sorte de paralysie mentale [391]. Il se demande qui des deux – de lui ou de sa femme – partira le premier [393]. Tout cela sera conservé dans le roman. Dans le dernier chapitre, il achève sa symphonie le soir même que Pauline accouche de leur enfant. « Et finir par les sanglots de Gérard, lorsque le garçon est né » [393].

Le plan que Zola ébauche est d'une architecture stricte et régulière : chaque étape de l'action est liée à un mois précis :

Derniers jours de septembre. La pose de la première pierre. – – – Arriver au sentiment du néant, par la date, par le papier enfermé dans la pierre. – – – Beaux jours d'octobre. La rencontre de Pauline et de Monier. Dans une île. Chercher le cadre. – – – Novembre. La première nuit de maladie. Gérard près de Pauline qui souffre. – – – Janvier 69. La maladie de Pauline. – – – Avril. Puis, le péril passé, convalescence de Pauline. – – – L'été jusqu'en septembre. – – – Septembre. La mort de la mère. – – – Fin septembre. La mort de la mère. – – – Octobre, novembre, décembre. Pauline grosse. Après la mort de la mère, analyse du vide, de la terreur. – – – 15 avril 70. Enfin les couches de Pauline.

Par ce parallélisme entre le drame humain et le cours des saisons, Zola a sans doute voulu mettre en relief la valeur symbolique du récit, son insertion dans la vie universelle.

## 3

## De quand date l'ancien plan ?

C'est au mois d'avril 1880 que le journaliste Fernand Xau interviewe Emile Zola. A cette occasion, Zola donne certains renseignements sur ses publications futures. Il a vu quelque part, dit-il, qu'il compte prochainement faire un roman sur « la lutte du grand et du petit commerce ». (Il s'agit de *Au Bonheur des Dames,* publié en 1882.) Il n'a nullement l'intention, proteste-t-il, de se livrer à un travail aussi lourd, aussi épineux, aussi fatigant, immédiatement après *Nana.* Et il poursuit :

> Tout au contraire, je veux faire un roman intime, à peu de personnages, écrit avec une grande simplicité de style et dans lequel j'essaierai d'abandonner la description. Ce sera une sorte de réaction contre mes œuvres antérieures. Les deux idées de la douleur et de la bonté domineront cette étude, qui, du reste, ne paraîtra pas avant dix-huit mois ou deux ans.[1]

Zola donne aussi à Xau la liste des romans qu'il écrira. Le premier volume aura, pour personnage principal, Pauline Quenu.[2] Il est donc hors de doute que pour Zola le livre sur Pauline est justement ce roman intime dont il vient de parler.

Ce roman devait paraître seulement dans dix-huit mois ou dans deux ans. Comme Zola ne consacrait généralement qu'une année, tout au plus, à la création d'un roman, il est peu probable que, à cette date, en avril 1880, il eût l'intention de se mettre immédiatement au travail préparatoire. Il dit d'ailleurs lui-même qu'il pensait maintenant s'occuper de théâtre et qu'il était en train de « réunir en trois volumes, chez Charpentier, tous [ses] articles de critique, en les soudant ensemble de façon à leur donner un regain d'actualité ».[3]

Au début de février 1882, Paul Alexis publia un livre sur son grand confrère : *Emile Zola. Notes d'un ami.*

Ce livre fut écrit en 1881. Le 12 septembre de cette année, Paul Alexis entrevoit la fin de son travail. Il écrit à Zola : « Dès que je vous saurai à Médan, j'irai si vous voulez mettre la dernière main à la biographie, et me réconforter un peu auprès de vous. »[4]

Voici ce que Paul Alexis raconte du roman sur la douleur et sur Pauline Quenu :

Zola comptait, après *Nana,* exécuter une œuvre de sympathie et d'honnêteté, ayant pour thème principal : « la douleur » et, pour personnage central, Pauline Quenu. Vers la fin de l'hiver dernier, en mars et avril 1881, il se mit au plan de cette œuvre. Mais il ne parvint pas à se satisfaire. Le drame qu'il entrevoyait, à trois personnages, et qu'il voulait très simple, très poignant, présentait certaines lacunes. D'un autre côté, il lui aurait fallu, dans ce roman sur « la douleur », recourir à des souvenirs autobiographiques, qui eussent cruellement ravivé une perte récente.[5]

La date de la composition de l'ancien plan est donc bien précisée. Zola dressa ce plan en mars et en avril 1881. On ne peut guère mettre en doute la vérité du renseignement donné par Alexis, puisqu'il s'agit d'événements très récents. Il est même possible que ces renseignements datent de ce même mois d'avril 1881. Il n'y a pas, non plus, de raisons de croire que Zola ait voulu donner des renseignements inexacts.

Il y a en outre un critère interne qui nous paraît confirmer que l'ancien plan est de 1881, et non, comme le supposent deux critiques, de 1880.[6] Dès la deuxième esquisse Zola parle d'« Une construction, maison » [375], il parle de « la maison qu'on bâtit » [378]. C'est en apparence un détail assez insignifiant. La construction de la maison peut bien être là pour servir de contraste avec les forces de destruction, surtout la grande épidémie et ses suites. Mais dans la quatrième esquisse, la vraie signification symbolique de cette construction, de cette maison, saute aux yeux. « D'autre part, je fais bâtir une maison, qui croîtra au fur et à mesure du drame » [386]. Ensuite viennent quelques rubriques préliminaires. Elles commencent par « La pose de la première pierre ». Et lorsque le plan se développe, nous sommes renseignés davantage sur cette première pierre et sa signification dans le récit : « Arriver au sentiment du néant, par la date, par le papier enfermé dans la pierre » [390]. C'est là une des *obsessions* de Gérard.

On sait que Zola, en 1878, avait acheté une propriété à Médan. Deux ans plus tard, dans l'île de Médan, il fit bâtir un petit chalet. Sa fille Denise Le Blond-Zola a raconté la cérémonie qui eut lieu en septembre 1880 pour la pose de la première pierre. Madame Emile Zola écrit sur un papier : « J'ai posé, le vingt-sept septembre mil huit cent quatre-vingts, la pierre de cette maison dans notre propriété de l'île, propriété que nous avons nommée le Paradou. » Et Denise Le Blond-Zola poursuit : « Zola n'ajoute que quelques mots : 'J'ai assisté à la pose de la première pierre faite par ma chère femme.' » Le papier fut enfermé dans une boîte de fer et scellé dans un des murs.[7]

Le rapport intime entre la réalité et l'œuvre d'art nous paraît ici tout à fait évident. La quatrième esquisse fut sans doute écrite après cet événement, dont elle s'est inspirée.

Dans la quatrième esquisse apparaît pour la première fois un épisode capital : la mort de la mère et les réactions du fils devant cette tragédie. Ici, non plus, il n'est pas douteux que Zola ait puisé dans ses souvenirs personnels. Le gendre de Zola, Maurice Le Blond, raconte ce qui suit sur les réactions de Zola pendant l'agonie de sa mère :

> La douleur d'Emile Zola faisait peine à voir, sa nervosité excessive l'obligeait à fuir le spectacle de sa mère moribonde, et qui luttait désespérément dans un dernier sursaut de vie. Il errait dans la campagne, ou restait frissonnant dans quelque pièce de la maison. Sa femme Alexandrine soigna la malade avec un dévoûment admirable, d'autant plus que l'agonisante avait pris sa belle-fille en horreur, lui faisant des scènes terribles, l'accusant de vouloir l'empoisonner à chaque médicament qu'on lui présentait.[8]

Maurice Le Blond fait remarquer que tous ces détails se retrouvent au chapitre VI du roman. Toutefois, ce qui importe ici, c'est que les éléments essentiels de ce récit sont présentés dans la quatrième esquisse de l'ancien plan. Il nous paraît donc légitime de penser que cette esquisse fut écrite après « la pose de la première pierre » à Médan et après la mort de la mère, qui eut lieu le 17 octobre 1880.

Evidemment, il ne serait pas impossible que les trois premières esquisses aient été écrites avant la mort de la mère. Mais en ce cas, cela a dû être fait, en principe, entre le 27 septembre, date de la pose de la première pierre, et le 17 octobre, jour du décès de la mère. Nous aurions donc, en d'autres termes, deux étapes différentes. Cependant, rien n'indique une pareille interruption – du moins rien qui puisse rendre moins acceptable l'information donnée par Alexis – information d'ailleurs vraisemblable en soi.

Rien ne prouve ni ne porte à croire que *tout* l'ancien plan ait été composé entre le 17 octobre et le 31 décembre. Nous tenons donc pour assez certain que le plan ne date pas de 1880, mais, selon le témoignage d'Alexis, de 1881.

Nous allons résumer brièvement ce qui, à notre avis, caractérise la genèse de l'ancien plan. Zola se mit au travail au printemps de 1881. Il avait derrière lui des expériences extrêmement douloureuses. Il méditait depuis longtemps d'écrire un roman sur la douleur et la bonté. Il cherchait, en tâtonnant, une action et un cadre. Il évitait tout ce qui touchait à ses propres souvenirs. Il trouvait un sujet de nature plus générale, les souffrances et les craintes provoquées par une grande épidémie, qui pût faire ressortir tous les aspects de la douleur et de la bonté. Mais ses cruelles expériences personnelles ne peuvent pas être écartées. Ce que le romancier vient de vivre, ce qui pèse toujours sur ses pensées et ses sentiments, se mêle constamment à l'action du roman qu'il prépare. Il est vrai que la recherche d'une intrigue acceptable se poursuit, avec Pauline comme figure centrale, mais l'intérêt de Zola pour le jeune homme grandit peu à peu. Celui-ci se rapproche de plus en plus de Zola lui-même, qui se sent irrésistiblement attiré vers ses amers souvenirs personnels, vers les traits caractéristiques de sa propre vie intime. Or, dans ces éléments autobiographiques, il y en avait un qui se faisait sentir plus que tous les autres : la mort de la mère. Finalement, cet événement est introduit dans l'intrigue. Mais, arrivé à ce point, Zola ne peut passer outre. Le roman sur la douleur auquel il songeait déjà avant la mort de la mère, aurait sans doute dû recourir à des souvenirs personnels, extérieurs et intérieurs. Maintenant, après le terrible choc, ces éléments personnels aboutissaient fatalement aux événements du 17 octobre 1880. Ne pouvant dégager l'action du roman de ce qui le torturait encore, il abandonna l'espoir d'écrire son roman sur la douleur.

Zola lui-même a répété la déclaration qu'il fit dès 1881 à Alexis. Dans une lettre à Goncourt du 15 décembre 1883, il dit avoir renoncé à son plan « parce que, déclare-t-il, je voulais mettre dans l'œuvre beaucoup de moi et des miens, et que, sous le coup récent de la perte de ma mère, je ne me sentais pas le courage de l'écrire ».[9]

Deux ans plus tard, en résumant son travail, il introduira des modifications importantes. Le portrait de Lazare sera sensiblement nuancé. Tous les éléments déjà précisés, et d'autres encore, seront réunis pour former un caractère sans doute bizarre mais qui porte aussi l'empreinte d'une unité logique. Pourtant, il n'y aura là rien de fondamentalement nouveau. Plus importantes encore seront quelques autres modifications. Lorsque la douleur aiguë s'est apaisée, Zola ne veut plus se borner à peindre en détail la ruine d'un homme paralysé par la peur de la mort, le lent émiettement de la volonté de vivre. Il mobilise une résistance active contre la paralysie des forces vitales. Il est vrai que, dès le point



3—*802357*

de départ même de Zola, Pauline devait représenter tout ce qui est bon, sain et harmonieux. Mais ce rôle grandira, il recevra des attributions de plus en plus significatives, jusqu'à ce que le roman achevé soit devenu un grand dialogue, un drame entre deux personnages opposés qui sont les porte-parole du romancier dans le combat qu'il s'est livré à lui-même pour venir à bout de ses problèmes vitaux. Ce n'est pas tout. Le livre sera, par là même, un roman à thèse, une déclaration de guerre au vieux romantisme et au nouveau pessimisme, faite par un homme qui, dans ses plus intimes douleurs, avait éprouvé les tentations de l'un et de l'autre.

En esquissant dans le paragraphe précédent les étapes ultérieures de l'élaboration du roman, nous avons voulu situer dans leur perspective totale les travaux préparatoires faits par Zola en 1883. Une étude plus détaillée de ce développement suppose évidemment l'analyse de l'Ebauche, des plans, etc. Nous reportons donc à la troisième partie de notre étude l'examen de ces éléments psychologiques et philosophiques.[10]

# II. LES TRAVAUX PRÉPARATOIRES DE 1883

## 1

## L'Ebauche

Il existe trois esquisses de 1883. Elles forment à elles trois ce que Zola appelle son Ebauche.

Les manuscrits ne portent pas de date. Ils ne contiennent pas non plus de renseignements directs ou indirects qui permettent d'établir la chronologie exacte de cette partie du travail préparatoire de Zola. Mais une lettre et une note dans le *Journal* de Goncourt fournissent quelques informations précieuses. Le 30 janvier, Zola écrit à un ami qu'il vient d'achever son roman (il s'agit d'*Au Bonheur des Dames*) et qu'il va maintenant s'attaquer à un autre. C'est un biographe anglais de Zola, R. H. Sherard, qui a présenté la lettre, traduite en anglais. « I finished my novel on Thursday «, déclare Zola, » and I am in the joy of this great relief. And now to work on the next. » Et Sherard ajoute : « The exact words in the letter are, in French, 'A un autre', the word 'roman' being understood. »[1]

La note du *Journal* d'Edmond Goncourt nous apprend que Zola a déjà commencé son nouveau travail, qui ne marche cependant pas très bien. C'est le 20 février 1883 :

> Ce soir, après dîner, au pied du lit en bois sculpté, où on sert les liqueurs, Zola se met à parler de la mort, dont l'idée fixe est encore plus en lui, depuis le décès de sa mère.
>
> Après un silence, il ajoute que cette mort a fait un trou dans le nihilisme de ses convictions religieuses, tant il lui est affreux de penser à une séparation éternelle. Et il dit que cette hantise de la mort, et peut-être une évolution des idées philosophiques, amenée par le décès d'un être cher, il songe à l'introduire dans un roman, auquel il donnerait un titre, comme « La Douleur ».
>
> Ce roman, il le cherche, dans ce moment, mais en se promenant dans les rues de Paris, sans en avoir encore trouvé l'action, car à lui, il faut une action, n'étant pas du tout, dit-il, un homme d'analyse.[2]

Si nous comparons cette déclaration de Zola aux esquisses que nous étudierons dans les pages suivantes, il paraît légitime de supposer que, à cette date, le 20 février, Zola n'était pas encore arrivé à la dernière esquisse. En reconnaissant qu'il a besoin d'une action et qu'il n'est pas un homme d'analyse, il semble indiquer qu'il s'occupe actuellement de la première ou de la deuxième esquisse – enfin qu'il est dans ses premiers tâtonnements. Dans la première esquisse, c'est l'analyse qui domine ; pour l'action, il se tient principalement aux éléments conservés de l'ancien plan. Dans la deuxième esquisse, il porte surtout son attention sur l'intrigue, l'éternelle pierre d'achoppement.

Or, nous savons par une note du manuscrit définitif que Zola se mit à rédiger le premier chapitre le 25 avril.[3] Avant cette date, il s'était consacré à des travaux préparatoires assez considérables et qui furent exécutés *après* l'achèvement de l'Ebauche. Etant donné le grand nombre des feuillets, on oserait peut-être supposer que Zola commence l'Ebauche aux premiers jours de février – c'est-à-dire immédiatement après avoir terminé *Au Bonheur des Dames* – et au plus tard vers le 20.

Dans quel ordre chronologique doit-on lire les trois esquisses ? F. W. J. Hemmings considère la suivante comme la première,[4] et il a sans doute raison. Voici *l'idée générale* du livre que Zola médite :

*Première esquisse [177–192].* Elle débute :

> Je voudrais écrire un roman « psychologique », c'est-à-dire l'histoire intime d'un être, de sa volonté, de sa sensibilité, de son intelligence. Pour cela, il faut une lutte et une gradation. Je prends mon être dans un état pour le conduire à un autre état, à travers des batailles. Mais je ne pars pas de la dualité des spiritualistes, l'âme et le corps ; je veux simplement montrer mon être en lutte pour le bonheur contre les principes héréditaires qui sont en lui et contre les influences du milieu. Donc, il faut que j'institue mon expérience de la sorte : un garçon qui a une hérédité de passion, de violence, de peur, etc., et que j'amène, autant que la nature le permettra, à un état de calme, etc. Ce ne sera pas un garçon, ce sera Pauline, violente et jalouse[5] [177–178].

En revenant, après deux ans, au roman sur Pauline, ce n'est donc point à elle que Zola pense, en premier lieu. Nous savons déjà pour quelles raisons il avait mis le travail de côté. Il est donc naturel qu'en reprenant son travail, il s'intéresse tout d'abord au jeune homme. Zola appliquera les théories de l'hérédité et du milieu ; il « instituera » son expérience sur le jeune homme, qui porte une hérédité de passion, de violence, de peur etc. Il est à noter que cette hérédité sera vaincue, du moins autant que la nature le permettra, et que le jeune homme atteindra enfin une sorte de calme et d'harmonie.

Il n'est guère douteux que, pour quelques instants, Zola condense ici le résultat de ses luttes personnelles pendant les deux années écoulées. Le romancier est arrivé à un *modus vivendi* au moins supportable avec sa peur, avec son pessimisme général – sinon, il n'eût pu se remettre au roman qu'il avait quitté deux ans auparavant. Il se figure que le jeune homme doit prendre le même chemin que lui.

Mais cette solution est loin d'être définitive. Seulement quelques lignes plus bas, il condamne le garçon à une défaite totale. Ce n'est pas là le seul exemple des hésitations de Zola dans cette première esquisse. Nous venons de voir qu'il attribue au jeune homme une hérédité de passion et de violence. Mais il se ravise, et c'est Pauline, cet ange de bonté, qu'il charge de cet atavisme, ce qui nuance sans doute le portrait trop idéalisé de l'ancien plan. Par l'effet de ce qu'on pourrait appeler un caprice, presque par une erreur de plume, Pauline reçoit deux nouveaux attributs qui ne la quitteront plus. Certes, le changement requiert d'autres raisons plus complexes ; dans le drame humain auquel Zola essaie de donner forme, il a peut-être depuis longtemps, sciemment ou non, réservé une place à ces deux caractéristiques d'ailleurs assez banales.

Cette modification opérée, il continue son raisonnement :

> Je voudrais surtout faire dans un être, ce que j'ai souvent fait dans une maison par exemple, l'historique d'une désagrégation ou d'une reconstruction (le vieil Elbeuf [raturé : Les Baudu] la Conquê[te] de Plassans, ou le Bonheur des Dames). Une analyse par couche continue, le ravage d'un petit mal, pris au point initial, et amenant la destruction complète [178].

Zola a donc hésité entre deux possibilités. Ou le jeune homme recouvrera suffisamment sa santé mentale, ce qui était le cas pour Zola lui-même, ou il ira jusqu'au bout de sa névrose, ce qui accentuera sans doute le rôle de Pauline comme symbole de l'équilibre harmonieux, de la parfaite santé morale.

Il est naturel que cette dernière solution l'ait emporté ; en effet, elle entrait dans les vues initiales du roman à la fois personnel et philosophique qu'il voulait écrire, et elle était bien d'accord avec sa propension aux arrangements nettement antithétiques. De plus, il y avait dans cette solution une volonté formelle d'infliger une défaite à tout ce que représente le jeune homme. Nous essaierons de montrer par la suite combien est forte et intense la part de la critique dans le portrait de Lazare.

Zola passe maintenant aux détails de la « destruction complète » :

Je tiendrai beaucoup à garder, pour avoir un type général, mon type de l'homme du monde moderne, et hanté par la mort ; et ravagé par cette obsession secrète qu'il cache comme son pudendum. Là, j'ai l'idée initiale, cette peur qui d'abord peut être faible chez l'enfant, puis qui peut grandir sous certaine influence. L'influence même de la vie opère, la mort lente et quotidienne (c'est très important, le lent engourdissement qui arrive et les pertes qu'on fait, la mort se dressant avec l'âge). Puis, il perd sa mère, et là une étude, le mal qui l'emportera lui-même. Le jeter alors dans la croyance. – En un mot trouver les quatre ou cinq grandes phases de l'état d'âme du personnage. – Il a l'abomination de la douleur.

Placer, à côté de lui, ma Pauline Quenu, qui est l'antithèse, le courage tranquille, le pansement de la douleur par la charité [178–180].

Ce qui a préoccupé Zola jusqu'ici, c'est la peinture d'un caractère. Maintenant, il se met à l'intrigue, et il commence par où il avait terminé deux ans plus tôt : « Je reviens pour un instant à mon autre histoire » [181]. L'autre histoire, c'est celle de la quatrième esquisse de l'ancien plan, et il n'y a guère besoin, étant donné ce que nous connaissons déjà, de suivre en détail la nouvelle intrigue. Nous nous bornerons à en indiquer quelques motifs centraux.

Le jeune homme, Jacques, écrit une symphonie sur la douleur. La première pierre est posée, il éprouve « la peur des dates ». Il trompe Pauline avec une voisine, madame Monier, et sa peur de la mort disparaît sous l'impression de ce nouvel amour, mais il ne tarde pas à retomber dans son mal. Il a « un accès de religion » dans le cimetière, mais il reconnaît bientôt, désespéré, qu'il ne peut pas croire à une vie future (183–185).

Pauline s'éprend d'un autre homme, Charles, qu'elle épousera peut-être. Pendant l'épidémie, c'est Pauline seule qui reste debout, tandis que les deux hommes s'enfuient. A la fin, Pauline accouche de l'enfant de Jacques. « L'être nouveau naissant, dans la douleur » [186].

Suit encore une précision du caractère de Pauline :

Mais ce que je voudrais surtout lui donner, c'est une *bonté immense,* la bonté opposée à la douleur, la figure de la bonté, la poser comme la petite bienfaitrice du pays, petit pays perché au bord de l'Océan,[6] toujours des aumônes, des secours, et cela en plein équilibre, avec de la pitié, mais avec du calme. Et courageuse. Pas dévote. – On meurt, eh bien ! on meurt. Gaie, mais sans éclat [187].

Ce qui est surtout intéressant dans ce passage, c'est que Zola transfère l'action de « la campagne, près Paris » [380] ou d'un « petit village comme Médan – – – à quelques lieues de Paris » [389], à un trou perdu au bord de la mer, milieu qu'il ne quittera pas. Ce changement de cadre, indiqué presque en passant, sera d'une extrême importance pour le ton et l'atmosphère générale du roman, pour le portrait de Lazare, et pour la symbolique de l'action. (Nous traiterons ces aspects dans notre chapitre « La mer et les pêcheurs ».)

On peut comparer le passage que nous venons de citer à la déclaration faite par Zola, en 1889, dans une lettre à van Santen Kolff :

> Si j'ai choisi le hameau de pêcheurs comme cadre, avec la vaste mer en face, cela doit être poussé par la logique, qui me fait toujours discuter et arrêter le milieu. Lorsque mon choix est tombé sur un point de la côte normande, je n'ai eu qu'à chercher dans ma mémoire, car je connais toute cette côte, pour l'avoir parcourue, en plusieurs fois, de 1875 à 1882.[7]

Dans cette lettre, Zola insiste comme toujours sur l'importance primordiale de l'étude du milieu, mais nous avons déjà pu constater que ce souci du milieu précisé ne se fait guère sentir dans les esquisses du roman sur Pauline.

Le paragraphe suivant de l'esquisse contient encore une nouvelle idée d'un intérêt capital. Il s'agit du caractère de la mère :

> Il faut dès lors que la mère soit bavarde et tracassière, avec un amour ardent pour son fils. Elle persécute Pauline, qui garde sa tranquillité. L'idée qu'elle l'empoisonne, etc. [187–188].

C'est là un trait autobiographique auquel nous reviendrons plus tard. La raison de l'aversion de la mère pour Pauline est intimement liée au drame conjugal : la mère, qui adore son fils, prend son parti même lorsqu'il trahit sa femme. Mais au fur et à mesure que Zola développe et modifie son plan, il fera intervenir un autre motif psychologique de la haine de la mère: ses remords d'avoir volé l'argent de Pauline, dont elle est la tutrice. Cette version finale du thème a certains points de contact, si vagues soient-ils, avec la réalité biographique entrevue derrière les rapports entre la mère et Pauline.

Cependant, l'attention du romancier se porte surtout vers le jeune homme, Jacques. Il souligne de nouveau les contrastes de sa nature, il le veut bon et brutal, insensible et trop sensible, poltron et courageux, mais avant toutes choses il insiste sur sa peur de la mort, qui doit être le pivot même du livre, « sans quoi le livre n'a pas d'originalité » [188]. Il veut montrer le lent ravage de cette idée qui mène Jacques jusqu'au suicide, « qu'il n'effectuera pas (sans doute) ». Si la mère ne soupçonne pas les causes des bizarreries de son fils, Pauline sait l'idée fixe que dévore son mari, et elle veut intervenir :

> *Elle l'a vu trembler, s'halluciner un peu,* alors il faudrait un premier chapitre posant cela. Et son souci inutile devant ce mal grandissant. La faire *continuellement intervenir* [190].

*Deuxième esquisse [193–223].* Des deux esquisses qu'il nous reste à étudier, celle des feuillets 144–176 est sans doute la dernière en date, étant donné les rapprochements très intimes entre son intrigue et celle du roman. La deuxième esquisse de la série est donc celle des feuillets 193–223.[8]

Nous rencontrons ici pour la première fois quelques idées vraiment nouvelles en ce qui concerne l'intrigue ; elles n'en ont que plus d'importance. Le romancier s'attaque immédiatement à l'action, il ne se sent pas le besoin de méditer sur les personnages. La mère de Pauline, Lisa Quenu, est morte, et Quenu s'est retiré à la campagne, perclus de goutte et de rhumatismes. Pauline a épousé Paul. Ce nom se changera bientôt en *Albert.* Cet Albert est le même jeune homme torturé que nous connaissons depuis longtemps. Entre ces deux hommes qui représentent les souffrances physiques et mentales, est placée Pauline, qui les soigne avec une patience et une bonté admirables.

Dans cette misère stagnante sonne comme une fanfare la nouvelle force qu'introduit Zola pour donner plus de mouvement et plus d'intensité au drame qui se joue autour de Pauline. « Puis, j'introduis un amant, que sera la vie, la protestation de la vie » [194]. Pauline aime cet homme, mais lutte contre lui.

L'idée d'un jeune homme qui représente les forces créatrices de la vie et la joie de l'action, prend une forme de plus en plus nette. Le village est mangé, rongé par la mer. Charles entre en lutte avec l'ennemi redouté, il est victorieux, il remet en état les terrains dont il a hérité et que la mer a grignotés peu à peu. Il gagne une fortune, il se rend utile au village, qui a manqué disparaître sous l'assaut des éléments. Le roman se terminera par l'accouchement de Pauline. Albert sanglote devant « cette vie qu'il a faite, puis il meurt, je le fais se tuer, effaré, béant, tombant dans cet inconnu dont il a peur » [198]. Après le suicide d'Albert, Charles épouse Pauline, « il la prend avec son enfant » [199]. Et cela se passe pendant une crise de Quenu, qui « tient à la vie malgré ses souffrances » [199].

Zola développe ensuite le drame à trois et ébauche les réactions d'Albert et de Pauline pendant la maladie et la mort de la mère [200–205]. C'est ici qu'il fait mention, pour la première fois, de quelques personnages secondaires, comme le curé et le médecin [202].

> La pose de la première pierre. Peur de la mort qui s'aggrave, les dates, etc. Les terrains de Charles, le pays qui doit être mangé. Albert violant presque la femme du pêcheur.
>
> La maladie de Pauline. La nuit où elle tombe malade. Albert la veillant, seul, brutalité pour sa mère. Tout à sa femme. – – – Quelques personnes secondaires me donneront le village, le curé, le médecin, qui peut être en même temps le maire, le maître maçon (lui aussi peut être le maire). Voir si une crise de Quenu ne viendrait pas mieux là.
>
> Et la maladie brusque de la mère. Albert ne pouvant soigner sa mère. Pauline la soignant. – – – Le coup reçu par Albert. Il est accablé, la mort toujours devant lui. – – – Accès de religion, dans le cimetière, désespoir de ne pas croire. L'au-delà [201–203].

Zola a donc, par l'introduction de Charles, voulu renforcer l'effet des forces constructives, créatrices qu'il oppose au pessimisme et à la passivité d'Albert. Pauline est, comme toujours, la bonté qui console et guérit ; maintenant, un jeune enthousiaste, un vrai héros, entrera en scène pour défendre la cause de la vie. Albert succombe à ses malheurs. C'est la première et la seule fois que Zola pense à tuer son misérable pessimiste. Cependant, le suicide comme nécessaire aboutissement dans un roman sur la souffrance sera conservé jusqu'au bout, pour coller de plus près à la philosophie de Schopenhauer. Mais le suicide sera appliqué à un autre personnage, à la bonne, Véronique.

Ce redoublement des forces positives de l'existence n'aurait sans doute été qu'une simplification peu fertile dans le drame que Zola méditait. Il a dû venir à cette conclusion peu de temps après que l'idée s'est présentée à lui, car le thème du jeune héros ne reviendra pas, mais il sera de la plus grande importance pour la formation du caractère d'Albert–Lazare. Le dernier des rivaux que Zola donne au jeune pessimiste ne vit que d'une très courte vie, mais en disparaissant, il lègue à son rival quelques qualités qui, sous une forme presque caricaturale, distingueront certaines périodes de la vie de Lazare : l'ardent enthousiasme et la brûlante énergie, qui s'expriment par des rêves aussi grandioses qu'étrangers à la réalité.

Zola souligne que dans Pauline il voudrait incarner plus encore la bonté que l'honnêteté, ce qui différenciera Pauline de Denise Baudu dans *Au Bonheur des Dames* [205].[9] Il cherche les meilleures expressions de cette bonté, et il répète ce qu'il a déjà dit bien des fois. Mais il n'est pas satisfait de ce qu'il a trouvé :

> Mais je voudrais un sacrifice plus grand, et je le trouverais certainement dans l'abandon d'un amour profond. Par exemple Pauline aime un garçon à la passion, d'une tendresse profonde dans sa tranquillité, et elle le donne à une amie, elle continue à soigner son père. Cela est banal, mais il faudrait l'élargir par l'attendrissement, par la qualité de l'émotion. Seulement, comment rattacher cela à l'idée de mon mal de vivre [206].

Nous avons déjà fait remarquer que cette importante idée remonte à l'ancien plan. Telle qu'elle se présente et se développe ici, elle sera le pivot même du futur roman. Dans ces quelques lignes, la grandeur humaine de Pauline, jusqu'ici à peine plus qu'une affirmation abstraite, se dessine devant nous sous une forme concrète et prend une vitalité nouvelle. On a pu se demander comment cet ange de bonté réussirait à exciter notre intérêt. Or sa trouvaille de bonté est de renoncer de son propre gré à l'homme qu'elle aime pour le rendre heureux. Il n'y aurait là qu'un idéalisme poussé à la fadeur, une douteuse abnégation livresque, une de ces intrigues romanesques que Zola avait tant de fois ridiculisées, si ce sacrifice ne se réalisait après une lutte désespérée. C'est par cette lutte précisément que la personne et la destinée de Pauline reçoivent cette marque d'émotion amère et cruelle qui l'élève, de toute la distance de la vérité au-dessus des nobles héroïnes du roman conventionnel.

Mais, se demande Zola, « comment rattacher cela à l'idée de [son] mal de vivre » ? Il en trouve la réponse. Il ébauche une nouvelle intrigue, où, pour la première fois, nous rencontrons le nom de Lazare. « Voici un arrangement. Lazare demeure chez sa mère, et n'est pas marié. Les Quenu et les Chanteau sont voisins. Lazare ravagé par son idée, déjà trente-cinq ans au moins » [207]. Lazare et Pauline s'aiment, mais une autre jeune fille, « caractère à trouver », vient se jeter à la traverse. Pauline sacrifie son amour, croyant que Lazare sera plus heureux avec l'autre. « Sa bonté agit, elle marie Lazare à la cousine » [207–208]. Le roman finira tout de même par l'accouchement prévu, « mais de la cousine alors ». Le désespoir de Pauline en voyant cet enfant qu'une autre a donné à Lazare est exprimé par les mots : « le dernier cri de la chair » [208].

Zola résume maintenant ce qu'il a déjà comme autres éléments centraux dans l'action du roman : la mort de la mère, la mort du chien, la maladie de Pauline (mentionnée dès l'ancien plan, f. 385).

En effet, c'est là le roman *in nuce*. Le romancier n'ajoutera que deux modifications importantes : Quenu sera remplacé par Chanteau, et Pauline viendra comme enfant adoptive chez les Chanteau, qui lui voleront son héritage. Ensuite, Zola arrive peu à peu à une esquisse plus fouillée du milieu et des personnages [210–221]. Le sacrifice de Pauline le préoccupe : « Et alors la façon dont elle le cède à la cousine : c'est ici qu'il faudrait trouver quelque chose de superbe, des faits, des faits, des faits, donnant de la psychologie » [211]. Et il conclut que Pauline doit avoir un défaut, « pour qu'elle ne soit pas toute bonté », il faut « qu'il y ait un combat en elle » [211]. C'est la jalousie qui s'impose : « J'en ferai une jalouse, (jalouse par excès de tendresse, voulant toute la tendresse des autres pour elle), et elle aura à lutter pour se vaincre, sans se corriger jamais « [211]. Cette lutte intérieure en Pauline se fera valoir même au dernier chapitre du roman, où, cependant, sa bonté triomphante sera relevée comme l'apothéose des forces indestructibles de la vie.

Le romancier souligne la nécessité de spécifier les personnages. Il commence par madame Chanteau. Elle est veuve d'un marin qui s'est enrichi, elle a vingt mille francs de rente. Les traits négatifs, peu sympathiques, dominent ce premier portrait :

> Mme Chanteau est restée paysanne, bonne pour son fils seulement : une adoration, et mauvaise pour les autres, vindicative, grossière, méchante, envieuse, etc. Elle est avare – – – [215].

De ces attributs, Zola ne conservera que deux : l'adoration du fils, et l'avarice ; celle-ci sera d'ailleurs une conséquence de celle-là.

Les pauvres enfants dont il a déjà fait mention, doivent être présentés dès le premier chapitre. Et voici mise à jour la méthode précise de Zola : chacun des sept enfants doit apporter « une histoire de misère différente, et ces histoires doivent continuer, avoir des échos le long du livre, et des dénouements à la fin » [217–218]. Cette intention sera réalisée.

Il revient aussi à l'*émiettement* de Lazare et au petit village qui sera à demi englouti par la mer. Le village sera un symbole de l'humanité :

> Le petit village mangé par la mer est l'image de l'humanité sous l'écrasement du monde, et ils veulent vivre. Une épidémie qui les tuera à la fin, et ils veulent vivre [218].

En revenant ici, l'épidémie a une nouvelle fonction, elle sera la catastrophe finale, alors que dans les esquisses précédentes, elle devait être la terrible menace sous laquelle se jouaient toutes les scènes de terreur et de lâcheté. Ici, il semble que Zola se soit déjà arrêté à la solution définitive, c'est-à-dire que la mer se soit substituée à l'épidémie. Dans les deux cas, il s'agit des effets d'une effroyable menace, mais l'intéressant est qu'un nouvel élément s'est introduit dans le raisonnement du romancier. Si, dans l'ancien plan, l'action était dominée par la peur d'une maladie contagieuse et montrait le lâche égoïsme des hommes, « la bête à découvert », la menace constante de la mer aura un rôle plus « didactique », en ce qu'elle mettra en relief le vouloir vivre de Schopenhauer, ce vouloir vivre qui est invincible et qui se manifestera d'une manière grotesque mais définitive dans les paroles que prononce cette ruine de Chanteau en sachant que Véronique s'est suicidée : « Faut-il être bête pour se tuer ! »

Zola se sent maintenant si sûr de son roman qu'il dresse un *plan sommaire,*[10] c'est-à-dire un court plan des différents chapitres. Quelques citations peuvent nous aider à nous faire une idée du contenu de ce plan :

I. – La scène où je pose Lazare avec sa peur, et Pauline sachant tout, tâchant de le distraire. La symphonie sur un vieux piano pendant la scène des enfants, le curé. La [= Pauline] poser jalouse. Elle l'avoue en riant. Les petits malheureux entamés. Le village mangé.[11]

III. – La pose de la première pierre. Le charpentier.[12] Peur. Lazare et Louise plaisantent. Pauline s'exposant pour prendre du mal. La mère.[13]

IX. – Le cimetière, le curé,[14] l'au-delà. L'émiettement de Lazare sous l'idée de la mort. La mort du chien.[15] Grande lutte chez Pauline qui se vainc [222].

Notons dans ce plan que la jeune cousine que Lazare épousera a reçu son nom : Louise Thibaudier.

C'est la première fois que Zola est arrivé à un plan sommaire de ce genre, plan qui eût pu servir de point de départ aux plans de chapitres. Mais il n'est pas encore satisfait, et il fait de nouvelles tentatives.

*Troisième esquisse [144–176].* Ce qu'il faut déterminer tout d'abord, c'est le cadre, le milieu du drame de Pauline :

Voir ce que donnerait un autre sujet. Lisa et Quenu sont emportés par le choléra à quelques jours de distance. Voilà Pauline seule, à l'âge de neuf ans. Elle doit tomber à un tuteur naturel, parent de Quenu, avec sa fortune : on estime la charcuterie, et c'est le tuteur qui doit la gérer.

Pauline tombe donc un soir chez son tuteur, inconnue, remise par le [raturé : conducteur de la diligence] (à arranger). Et tout le roman va être l'action de cette enfant dans la famille Chanteau [144].

La nouveauté est tout simplement que Quenu a disparu. De cela il résulte – et c'est un changement très important – que Pauline vient vivre chez les Chanteau. Voilà un nouveau point de départ pour le drame. Pauline a neuf ans, Lazare en a vingt. Leur amour sera étudié, mais Zola tiendra surtout à montrer dans Lazare « l'émiettement [qu'il a] souvent étudié dans les choses » [144–145]. Tel est sans doute le thème du roman. Mais comment expliquer le revirement complet qui s'opère lorsque Zola, subitement, a l'idée d'abandonner Lazare et sa peur de la mort, pour appliquer cette étude psychologique au père Chanteau ?

Peut-être vaudrait-il mieux que j'étudie cela avec le père Chanteau, pour avoir toute une vie et pour ne pas être gêné par l'étude de l'amour, que je garderai pour le fils. Donc avec le père, voir ce que cela me donnerait. Il peut avoir quarante ans au début, revenir sur le passé pour expliquer le commencement de la maladie morale [145].

Cette volte-face paraît sans doute surprenante. On peut supposer que, pour un moment, Zola s'est laissé tenter par la possibilité de prêter des éléments autobiographiques à un personnage qui aurait le même âge que lui et dont il pourrait peut-être, de ce fait, étudier plus intimement, plus à fond, les sentiments et les réactions. Zola naquit en 1840 et avait par conséquent 40–41 ans quand il se mit à écrire l'ancien plan. Robert J. Niess fait remarquer que, à la fin du roman, Lazare est à peu près du même âge que Zola lui-même, ce qui suppose que le romancier dépasse le *terminus ad quem* de la série des Rougon–Macquart, c'est-à-dire l'année 1870. Un examen de la chronologie du roman indique que le dernier chapitre se joue vers 1880. Niess pose cette question : « Did he wish to have enough time to develop within his hero the very soul-states through which he himself had passed ? »[16] Il semble que R. J. Niess n'ait pas consulté l'Ebauche. Toutefois notre citation du feuillet 145 nous paraît appuyer sa théorie.

Pourtant Zola revient tout de suite à ses vieilles intentions : « Non, il faut que la maladie porte sur Lazare lui-même » [145]. Et, parallèlement, il voudrait faire une étude de la mère, « la ruine d'une conscience par une première mauvaise pensée » [146]. Pourtant, ce qui le fait hésiter un peu est le rôle de Pauline :

Mais ce qui me gêne, c'est l'idée générale de ce qu'apporte Pauline. Je la fais tomber dans une maison qui va mal, et je voudrais qu'elle y apportât la joie de vivre. Non, ce ne peut être cela. Il faut la montrer, elle, avec la joie de vivre, par-dessus toutes les catastrophes, se relevant chaque fois et relevant les autres (plus ou moins). On lui prend son argent, on lui prend son cœur, et elle ne se plaint pas, elle vit toujours gaie après les crises, elle se relève de toutes les crises. Il faudra rendre cela sensible à la fin par une scène, berçant l'enfant et soignant le vieux [147–148].

Encore une fois, Lazare est caractérisé. « Il doit manquer sa vie, ne rien faire, avec des commencements de tout. *Cela est très bon,* c'est le caractère moderne du pessimisme, des entreprises qui claquent, trois ou quatre, et de plus en plus détraqué » [150]. D'abord, il est très actif et énergique, mais une *lésion* « imperceptible au début » grandit et finit par détruire sa vie. Il faut noter l'expression médicale qu'emploie Zola. Les idées du pessimisme augmentent, et au fond de cette philosophie est cachée la peur de la mort. Il résume la lutte entre le pessimisme et la joie de vivre dans les mots suivants :

*Un malade de nos sciences commençantes.* Un raté très intelligent.[17] *L'avortement de l'E. S.* repris mais dans des faits plus serrés. Et en face *la joie de la vie,* toujours droite, dans sa volonté, dans sa santé, dans le bonheur de l'habitude, dans *l'espoir du lendemain.* Sans thèse, il faut que Pauline soit la réponse aux malades de nos sciences commençantes par son abnégation, sa gaîté etc. [151].

Les lettres E. S. sont les initiales de l'*Education sentimentale* de Flaubert, roman que Zola regardait comme un des plus grands chefs-d'œuvre. Il avait dit, deux ans plus tôt, que, avec *Pot-Bouille,* il avait voulu faire une nouvelle *Education sentimentale,*[18] mais il y a aussi (et bien davantage) des liens perceptibles entre le roman sur Lazare et celui sur Frédéric Moreau.

Zola fixe maintenant certains traits chez les autres personnages du roman. Nous étudierons ces pages en traitant des notes dites *Personnages.* Il s'occupe aussi des cinq familles, dont les histoires « résumeront » la misère humaine [164–166]. Certaines situations-clefs sont ébauchées en sus de celles antérieurement indiquées, ainsi (par exemple) la réplique finale du futur roman [156], la peinture de Lazare cherchant l'oubli dans l'amour [161], et son retour, seul, à Bonneville avec l'amour réveillé entre lui et Pauline, ce qui sera « le point culminant du livre » [163].[19] Il lui reste, dit-il, à « spécifier le village », qui doit avoir environ deux cents habitants. Nous reviendrons, dans le chapitre 3, aux feuillets que Zola consacre aux cinq familles, au curé et au médecin.

Mais, irrésistiblement, l'attention de Zola est attirée par le caractère de Lazare, et il donne des précisions qui ne laissent aucun doute sur ses intentions :

L'important, le fond même de Lazare est de faire de lui un pessimiste, un malade de nos sciences commençantes. Voilà qui est curieux à étudier : l'avortement continu dans une nature, et dans une nature intelligente, qui a connaissance des temps nouveaux, qui va avec la science, qui a touché à la méthode expérimentale, qui a lu notre littérature, mais qui nie tout par une sorte d'éblouissement, un peu d'étroitesse de vue et surtout beaucoup d'impuissance personnelle. Montrer en un mot un garçon très intelligent, en plein dans le mouvement actuel, et niant ce mouvement, se jetant dans le Schopenhauer. Pas de foi. – Variété de Werther et de René. – Le romantisme a fait le désespéré mélancolique qui doute, – le naturalisme fait le sceptique qui croit au néant du monde, qui nie le progrès [172–174.]

Les trois esquisses contiennent des matériaux que Zola utilisera dans le roman. Certains éléments disparaîtront, mais la plupart seront conservés, peut-être sous une forme modifiée ou précisée. Ce n'est donc pas seulement la troisième esquisse que Zola emploiera en poursuivant sa tâche, ce qui est révélé par un examen, si rapide soit-il, des esquisses, qui sont reliées par d'innombrables fils. Donc, ayant besoin des trois esquisses, il les réunit en ce qu'il appelle son *Ebauche,* et donne à cette ébauche une pagination particulière. Il commence par la troisième et dernière esquisse, qui est donc paginée 1–33 [144–176]. Il y rattache ce que nous avons appelé la première esquisse, dont les pages reçoivent les numéros 34–49 [= 177–192]. Ensuite, il prend notre deuxième esquisse, à laquelle il donne les numéros 50–80 [193–223].

Cette manière de réunir les esquisses peut paraître un peu curieuse. En fait, elle est bien naturelle : Zola met en tête la dernière esquisse, synthèse et cristallisation de tous les éléments essentiels qui la précèdent. Les lignes principales s'y dessinent avec plus de netteté, la logique du récit y est assurée, bien des détails y sont précisés. Aussi verra-t-on par la suite que la plupart des références à l'Ebauche contenues dans les plans, renvoient aux pages 1–33 de cette Ebauche, c'est-à-dire à la troisième esquisse. Il est très rare que Zola renvoie à des feuillets portant un numéro supérieur à 33.[20]

## 2

## Le plan sommaire et les premiers plans détaillés

Le temps des tâtonnements est passé. Zola a tracé les grandes lignes de l'action, il a inventé nombre de détails pour l'intrigue, il a réuni et ordonné bien des éléments, qui, à l'origine, ne formaient pas logiquement un récit d'ensemble, et les personnages du roman ont déjà pris des formes assez définitives, bien qu'il n'ait pas encore rédigé les notes intitulées les *Personnages*. Il s'agit maintenant d'ordonner en détail toutes ces matières, d'établir l'architecture du roman. Zola dresse un *plan sommaire* [f. 3–2], lequel est un bref résumé de la substance des chapitres à écrire.[1]

Ce plan sommaire sera donc un premier classement des pierres de taille. Il est court et concentré. Zola prévoit 12 chapitres, ne consacrant à chacun d'eux que quelques phrases, cinq lignes tout au plus. En marge de chaque chapitre, il y a une note sur l'âge de Pauline.[2]

Nous avons pu suivre, dès l'origine, les dialogues de Zola avec lui-même sur le roman qu'il a l'intention d'écrire. Des idées sont nées, pour être ensuite rejetées ou conservées sous une forme ou une autre. Bien souvent, Zola a expliqué les raisons qui l'ont amené à telle ou telle solution. Mais, à l'étape où nous en sommes arrivés, les manuscrits ne nous laissent pas entrer dans les considérations qui l'ont amené à distribuer les matériaux dans un nombre fixé de chapitres. Cette mise en ordre a sans doute été opérée peu à peu, avec ou sans des points de départ dans l'Ebauche. Il est vraisemblable que Zola a écrit certaines notes qui n'ont pas été conservées, mais en principe, il a rédigé son plan sommaire et ses premiers plans détaillés sans trop hésiter. Tels qu'ils se trouvent dans le dossier, ces plans sont la charpente de l'édifice.

Chaque premier plan de chapitre – dont l'ensemble forme ce que nous appelons les *premiers plans détaillés* – a pour base les quelques lignes que Zola donne au chapitre correspondant dans le plan sommaire. Comme il y a des liens très étroits entre les deux textes, nous donnerons, pour chaque chapitre, d'abord le texte du plan sommaire, puis des extraits du premier plan détaillé.

## *Chapitre I [f. 3 et 10—16]*

(Pour le second plan détaillé, voir pp. 89—90.)

Le plan sommaire de ce chapitre est ainsi conçu :

> Attente de Chanteau, de Lazare et de Véronique. Le village posé, le pays, maison emportée,[3] les habitants, le curé. La maison et l'église. Arrivée de Mme Chanteau et de Pauline. Dîner. Pauline s'endort et Mme Chanteau raconte les hist. de Caen et celles de Paris : la tutelle, etc. On monte se coucher. – Aigreur dans la maison [3].

Le plan ne prévoit qu'un seule « scène », et le romancier s'en tiendra, par la suite, à cet arrangement. Aucune analyse psychologique n'est prévue ; le chapitre sera purement épique, il présentera le milieu et les personnages principaux. Aussi le premier plan détaillé porte-t-il l'empreinte d'un prosaïsme sec et succinct :

Arrivée de Pauline, que madame Chanteau est allée chercher à Paris, après la mort de Lisa et de Quenu.
D'abord poser peut-être le village, la maison et l'église, puis les masures en bas. Les environs, la mer. Une grande marée. Le village, qui a déjà reculé, est entamé ce jour-là. – Dire un mot du curé, et peut-être du médecin (ou ce sera plutôt Mme Chanteau qui en parlera, ayant passé par Arromanches : il les a aidées, retard).
Chanteau, goutteux, posé. Véronique. Le chien.[4] Lazare peut rentrer, dans le vent. Le poser. – Un ciel bas, les nuages courant sous le vent d'ouest. Plus tard, dans la nuit, la pluie crèvera, une tempête [10].

Cette entrée en matière est, quant à son modelé, assez typique des premiers plans détaillés : il s'agit, en premier lieu, moins de nouer les maillons de la chaîne épique et dramatique, que de rassembler les matières de base. Mais par la suite, ce plan n'est pas typique de la série des plans auxquels nous avons affaire ici – il diffère, au contraire, sensiblement des autres :

Donc, on attend Mme Chanteau et Pauline. Au lieu d'arriver à trois heures, elles ne viennent qu'à la nuit tombante. Elles n'ont pas trouvé le correspondant habituel à Arromanches : son cheval s'est cassé la jambe. Alors, il a fallu que le docteur leur prêtât son cabriolet, avec son matelot à la jambe de bois.

– – –

Véronique grognant (éviter la ressemblance avec Rose).[5]
Enfin, l'arrivée, le chien sautant,[6] au moment du dîner (ce que Véronique a fait cuire). Poser madame Chanteau.

– – –

Enfin, après le repas, Pauline, vaincue par la fatigue s'endort près du feu, sous la lampe. Et la nappe à peine desservie, avec des choses qui traînent encore, aux hurlements de la tempête, madame Chanteau raconte son voyage à son mari, dans son fauteuil *jaune* de goutteux – tandis que Lazare copie de la musique. Un mot aigre de la mère sur la musique.[7]

– – –

Puis toute l'affaire de la tutelle. Voyage à Paris. Toute l'hist. des Quenu, mort, etc. la charcuterie, les halles.[8] Quenu ayant désigné Chanteau, madame Chanteau étant allée là bas en remplacement de son mari, avec un pouvoir [11–13].

Ici, les situations et les événements ont déjà pris une forme plus concrète. A cet égard, ce plan ressemble aux seconds plans détaillés, qui ont précisément pour but d'ordonner soigneusement tous les éléments



4–802357

épiques et analytiques. On peut supposer que, pour ce premier chapitre, Zola a en effet rédigé deux « premiers » plans détaillés, dont le premier n'a pas été conservé dans le dossier, alors que le second, celui qui nous occupe, est une version plus travaillée de celui qui a disparu. Zola n'était point étranger à cette méthode, comme l'ont établi les études de Guy Robert.[9]

La fin du plan, au contraire, est tout à fait typique de la série, en ce que nous trouvons ici, comme à la fin de tous les premiers plans détaillés, quelques notes laconiques qui résument, précisent ou soulignent certaines caractéristiques du récit :

Pauline toujours gaie.
Chanteau est le maire du pays. Une grange pour mairie.
– – –
Hist. de Quenu dans le portrait de Pauline.
– – –
Rôle du chien et du chat, voir portraits [15].

Selon toute vraisemblance, les notes de ce genre ajoutées à la fin de chaque plan sont, souvent ou même en général, faites seulement après que toute la série de plans est achevée, et peut-être souvent conjointement à la rédaction des seconds plans détaillés correspondants. Nous donnerons par la suite quelques exemples des additions de cette nature. Dans tous les cas, on trouve à la fin de chaque plan au moins quelques notes écrites après coup, sans qu'il nous soit possible de déterminer la date de ces additions.

## *Chapitre II [f. 3 et 22—28]*

(Pour le second plan détaillé, voir pp. 90–91.)

Le plan sommaire :

Jeunesse de Pauline. Promenades avec Lazare, première peur de celui-ci. Instruction de Pauline. Musique, puis médecine.[10] Lazare à Paris et retour aux vacances. Louise introduite, et jalousie de Pauline. Crise de Chanteau. Honnêteté de Mme Ch. La maison plus heureuse [3].

Les éléments les plus importants du futur chapitre sont déjà brièvement indiqués dans ces quelques lignes. Ils seront élaborés dans le premier plan détaillé, mais encore sans l'organisation systématique qui caractérisera les seconds plans détaillés. Le plan commence ainsi :

Jeunesse de Pauline et de Lazare. Pauline va de neuf ans à douze ans.
Il faut montrer là Pauline grandissant chez les Chanteau, et apportant chez eux de la tranquillité. Influence de son argent, la maison a l'air plus riche.[11]

Elle est calmante. Mme Chanteau décide qu'on ne l'enverra pas en pension, ni à Bayeux, ni à Caen. Elle continuera son instruction, elle ancienne institutrice : ce qu'elle lui apprend, le piano auquel la petite ne mord guère.

– – –

D'autre part, Lazare reçu bachelier et voulant faire de la musique. Le piano détrempé par les vents du large, faible et voilé, des soupirs. Débat entre Lazare et sa mère [–] elle adore son fils [–],[12] qui le voudrait sérieux, ayant une situation solide, et que le mot d'artiste épouvante. Lazare met des mois à se décider : sa vie jeune, pleine de rêves, son moment de vigueur, traversé pourtant par sa première peur : un soir en face des étoiles avec Pauline, l'idée de la mort. La mer. Les promenades qu'ils font ensemble.[13] Le frisson de Lazare, le calme de Pauline.

– – –

Et c'est pendant ces vacances que je mets l'épisode de Louise. Poser toute Louise, son père commerçant remarié et cinq enfants en bas âge déjà – – – L'éducation dans un pensionnat. Une promenade, ou un autre cadre simple, et la violence et la jalousie de Pauline qui éclate : scène typique. Mais sa honte ensuite, sa bonté qui triomphe [22–24].

Un peu plus bas, nous sommes renseignés sur les qualités de Pauline et sur son rôle à cette étape : « Pauline est la joie de vivre, elle apporte le bonheur. Toujours gaie, la bonté gaie » [26]. Mais, après coup, Zola fait une note en marge : « garder pour le III ». Ce sera le cas.

Dans quelques phrases, manifestement ajoutées plus tard [27], nous trouvons des références à l'Ebauche, entre autres celle-ci : « Louise une chatte (Ebauche 16) ». Les références de ce genre ne sont pas rares. En voici une autre qui reviendra dans plusieurs plans. Il s'agit du chien et du chat que nous connaissons déjà un peu : « Rôle du chien et du chat, voir portraits. » Cette phrase résonnera comme une rengaine monotone au cours des plans, jusqu'à ce que le vieux chien meure dans les bras de Lazare (dans le plan VIII). Ce chien et cette chatte que Zola peindra avec une tendresse si frappante, n'ont pas encore été baptisés, et leurs « portraits », auxquels renvoie Zola, n'existent peut-être pas au moment où Zola fait ces additions aux plans.

La dernière addition a trait à la puberté de Pauline ;

Toute la physiologie d'une jeune fille, à quel âge règles, et l'effet chez elle de cette puberté. Peur, non ; pas avertie. Les désirs chez elle, les pensées, l'ignorance et ce qu'elle devine. Ce qu'elle voit, les bêtes, les petits de Minouche l'ont instruite, pas de mensonge[14] [28].

Nous savons déjà que Pauline doit représenter la joie de vivre, la volonté de vivre saine et harmonieuse. Son esprit sera ouvert à toutes les fonctions naturelles de la vie, et elle sera, à cet égard, en opposition totale, presque trop systématique, avec Louise.

## *Chapitre III [f. 3 et 36—41]*

(Pour le second plan détaillé, voir pp. 91–94.)

Le plan sommaire fournit les renseignements suivants sur le contenu du chapitre :

> Lazare lâche la médecine, et son idée d'exploitation ; retour au village. Mme Chanteau ruine Pauline, et l'idée de mariage. Amour de Pauline et de Lazare. Livres lus par Pauline, elle sait tout, l'éducation qu'elle se fait. La spéculation lâchée [3].

Ces idées sont développées dans le premier plan détaillé, si riche en thèmes importants. Ce plan ne présente guère d'épisodes concrets ; il insiste plutôt sur les analyses psychologiques. Comme tous les autres, il commence par l'indication de l'âge de Pauline :

> Pauline va de 12 ans à 16 ans.
>
> Pour elle, le chapitre comprend l'éducation qu'elle se fait, par les livres lus, par les romans, par les conversations. Elle sait tout. Et son amour qui grandit pour Lazare. L'intérêt du chapitre est dans l'analyse de cet amour profond et calme : le montrer grandissant, et s'épanouissant jusqu'à ce que le mariage soit réglé. Ce mariage doit être amené par l'idée de l'argent [36].

Ensuite viennent quelques lignes sur le travail de lente décomposition morale qui s'opère chez la mère et qui se manifeste par l'exploitation de Pauline. Elle ne s'avoue pas qu'elle agit malhonnêtement envers la jeune fille, elle se persuade au contraire qu'elle veut l'enrichir ; toutes ces manœuvres n'ont pour cause que son adoration aveugle pour le fils, à qui ses multiples expériences coûtent cher. Madame Chanteau s'aperçoit de l'amour des deux jeunes gens, et c'est alors que naît chez elle la pensée de les marier.

> Enfin ils s'aiment tous les deux très fortement : des scènes simples et puissantes ; le tout pour l'opposition avec l'autre chapitre, où Lazare saute à un autre amour, avec Louise.
>
> L'intérêt du chapitre est donc dans cet amour d'un grand garçon et d'une petite fille, élevés comme frère et sœur, et chez qui l'amitié devient de la tendresse. Puis, dans l'action de la mère derrière, ravagée peu à peu par l'idée fixe de cet argent qu'on lui a confié, et commençant à le prendre sous des prétexte[s]. Si elle donne son fils, cela ne vaut-il pas une fortune. Enfin, tout cela autour de cette spéculation que j'indique seulement. Il faut trouver les scène[s] dans l'intimité de la famille. Le tout doit se passer en quatre ans au moins, car il faut que Pauline ait 16 ans.
>
> Le commencement du détraquement chez Lazare, mais sans trop insister, une idée de la mort.
>
> Peut-être ne faudrait-il pas que Lazare lachât tout à fait la spéculation dans ce chapitre. Pourtant si : et finir sur une scène attendrissante. Pauline donnant tout pour être aimée : qu'est-ce que ça fait. Lazare désespéré et de bonne foi. Mme Chanteau aussi [38–40].

A la fin du plan il y a quelques additions qui ont trait à Lazare : « Dans l'émiettement de Lazare, ici la gaîté s'en va. 1ère phase [40]. – – – 1ère phase de la peur. Voir les notes spéciales » [41].

Nulle part dans le texte courant des plans on ne trouve de références aux trois « phases » de la peur de Lazare. Ces références sont toujours placées à la fin des plans et d'une écriture plus petite.[15] On peut donc raisonnablement tirer la conclusion que ces références ont été ajoutées plus tard et qu'elles renvoient à des notes rédigées seulement après que toute la série des plans a été achevée.

## *Chapitre IV—V (= chapitre IV du roman) [f. 3, 50—55 et 56—60]*

(Pour le second plan détaillé du chapitre IV, voir pp. 94–95.)

Les chapitres IV et V, tels que Zola les envisage dans le plan sommaire et dans la série de premiers plans détaillés, correspondent au chapitre IV du roman. La rédaction de la première série terminée, il a décidé de réunir les deux chapitres en un seul.

Nous avons déjà constaté son désir de réduire le nombre de chapitres de 12 à 11, et son intérêt s'est d'abord porté vers les chapitres II, III et IV. La solution finale sera donc la réunion des chapitres IV et V. Pour plus de clarté, nous étudierons les quatre plans ensemble. Commençons par le texte du plan sommaire :

IV. – Louise reparaît, et Lazare la désire. Saute d'amour.[16] Jalousie de Pauline. Charité aux enfants du village, toutes les histoires. Les épis construits pour protéger le village. Une crise de Chanteau. La haine commençante de Mme Chanteau. La musique reprise.

V. – La maladie de Pauline. Lazare la soigne. Le docteur développé. Etude de la souffrance. Les titres chez elle. On lui tire de l'argent.[17] Puis, la convalescence, et Lazare retournant à Louise qui est revenue [3].

Dans ses plans détaillés, Zola reporte souvent à plus tard certains détails. Ici, nous rencontrons quelques exemples de ce procédé, ainsi une amusante remarque sur le curé, qui ne porte encore aucun nom mais dont quelques traits sautent déjà aux yeux : « Visite à l'église où l'on le trouve bêchant et fumant. Peut-être ne bêchera-t-il que plus tard » [54].

Un autre exemple, et plus significatif. Zola n'a pas encore déterminé quelle maladie atteindra Pauline : « Une fluxion de poitrine ou quelque chose de plus douloureux » [56]. Il va voir si la maladie ne pourrait pas provenir de sa découverte de l'amour entre Lazare et Louise. Nous lisons :

> Détails avec des faits de cet amour qui grandit, caractères qui l'expliquent. Et comment Pauline se doute. Un cadre, une promenade, un bain dans la mer peut-être. Il lui apprend à nager [51].

L'idée d'une promenade pendant laquelle Pauline contracte une maladie, a survécu à bien des phases du travail préparatoire de Zola. Elle figure dès l'ancien plan [390] et a, là aussi, sa place dans le drame à trois : Pauline, son mari et son ami d'enfance Monier.

Un autre motif qui remonte à l'ancien plan est la symphonie sur la douleur que Lazare compose. Cette symphonie est un excellent exemple du processus de développement et d'approfondissement des idées que permet le travail méthodique du romancier. Originairement, la composition de Gérard [= Lazare] ne devait illustrer que la tristesse, le mal de vivre du jeune homme [390]. Dans le plan sommaire, Zola ne parle pas de la symphonie, mais de « la musique ». Le thème est répété trois fois, dans les phrases suivantes : « Musique, puis médecine – – – La musique reprise – – – La musique reprise et les épis refaits » [3 et 2]. Ces trois notes reflètent les modifications qui ont agi sur le motif originaire de l'ancien plan : la musique de Lazare a maintenant une nouvelle signification, ou plutôt une portée plus nuancée, plus complexe, en ce qu'elle entre comme un élément important dans la peinture de son manque total de stabilité et d'équilibre.

Mais Zola n'a point abandonné sa première idée d'une symphonie de la douleur, bien qu'il n'en fasse pas mention dans le premier plan détaillé du chapitre III. Il ne sait pas trop encore où l'introduire et comment la développer. Dans le premier plan détaillé du chapitre IV nous lisons : « C'est ici que son idée d'une symphonie sur la douleur se formule » [52]. Dans le second plan détaillé du chapitre, cette intention revient. Mais dans le roman, la symphonie apparait dès le chapitre II, où nous apprendrons que Lazare rêve «une symphonie sur le Paradis terrestre » (p. 42), qu'il ne tardera pas à abandonner pour se consacrer, en poussant des cris de joie, à une autre tâche, la symphonie de la Douleur, « où il notait, en harmonies sublimes, la plainte désespérée de l'Humanité sanglotant sous le ciel » (p. 45).

En tous cas, il ne s'agit pas d'une musique quelconque. Nous verrons par la suite que les deux symphonies inachevées remontent en effet à des souvenirs autobiographiques.

## *Chapitre VI (= chapitre V du roman) [f. 3 et 66—70]*

(Pour le second plan détaillé, voir pp. 95–96.)

Le plan sommaire :

Mme Chanteau favorisant son fils et Louise, lorsque la ruine de Pauline est consommée. Lazare écrit un mémoire.[18] Pauline surprenant Louise et Lazare, et chassant Louise. On l'a dépouillée de son argent et on lui prend son cœur. *Crise de Chanteau.* Epis emportés, le village revient. Enfants et camions[19] [3].

Dans le premier plan détaillé, le thème principal du chapitre est immédiatement indiqué : « Tout le chapitre est pour amener la surprise de Lazare et de Louise, par Pauline. Pauline a 18 ans » [66].

Le plan de ce chapitre se concentre sur la structure épique du récit. Zola procède avec un soin scrupuleux des détails qui n'est pas habituel dans ces plans. Le chapitre correspondant du roman (le V^e^) est aussi d'un caractère décidément épique, avec très peu d'analyses.

Madame Chanteau rêve de faire épouser Louise par Lazare. La jeune fille aura une dot de deux cent mille francs « et quelques espérances ». Ayant définitivement ruiné Pauline, qui n'est donc plus un bon parti, madame Chanteau pousse Lazare et Louise dans les bras l'un de l'autre :

Donc Pauline tombe sur une scène un peu vive (à arranger) entre Lazare et Louise. Scène qui ne lui laisse aucun doute. Sa colère, les misérables, son idée du juste troublée. Très violente et très jalouse, étude de violence éclatant dans une nature froide.[20] Elle s'enferme dans sa chambre, elle veut partir, aller retrouver son subrogé tuteur. Chasse-t-elle Louise, ou exige-t-elle qu'elle parte. Elle peut vouloir la chasser d'abord et parler de partir ensuite.[21] Elle fait ses malles [67].

Mais Pauline restera quand-même. Zola en connaît la raison : elle ne peut pas se résoudre à abandonner le pauvre Chanteau, qui, d'après le plan sommaire, aura ici une crise. Et voici que cette crise lui fournit le canevas de la scène dramatique qu'il cherchait tout à l'heure : « une scène un peu vive (à arranger) » – mais cette scène pourra logiquement naître de la crise de Chanteau :

Enfin, expliquer comment Pauline reste, tandis que c'est Louise qui part. Une crise de Chanteau pendant tout le chapitre, c'est pendant qu'elle le soigne que Pauline peut [raturé : s'apercevoir] surprendre les deux autres ; et le goutteux laissé là, hurlant toujours. A la fin, Pauline reprendrait son poste près de lui [68].

A la fin du plan, il y a quelques additions d'une écriture plus petite et qui témoignent que Zola profite, toute la série achevée, des analyses qui se trouvent dans l'Ebauche : « Pauline, violente et jalouse, luttant pour le bonheur contre son hérédité et le milieu qui l'entoure. (Ebauche 34) » [69]. Ce besoin de revenir souvent à des formules qui répètent et soulignent une pensée, une idée importante, se manifeste dans deux répliques centrales, dont l'une sera conservée et l'autre disparaîtra dans le roman :

Pauline, droiture : Une fois qu'on s'est donné, on ne doit pas se reprendre.[22] Lazare honnête dans son illogisme : C'est vrai, j'ai eu tort, pardonne-moi [69].

## *Chapitre VII (= chapitre VI du roman) [f. 2 et 78—82]*

(Pour le second plan détaillé, voir pp. 96–98.)

Le plan sommaire de ce chapitre est le plus court de tous. Quelques mots suffisent pour rendre les trois éléments principaux du chapitre : la maladie et la mort de madame Chanteau, les attitudes de Pauline et de Lazare, l'enterrement. Tout ce récit s'appuiera sur des souvenirs personnels :

Maladie et mort de Mme Chanteau soignée par Pauline. Véronique pour Pauline. Lazare battant le pays comme un fou. Enterrement [2].

Contrairement au plan du chapitre VI, qui présentait surtout des traits épiques, ce plan détaillé s'en tient presque uniquement aux analyses des réactions de Lazare, de son désespoir, de cette paralysie qui le mène au bord de la catastrophe. Il a soigné Pauline pendant sa grave maladie, mais il ne peut pas soigner sa mère : Je ne peux pas la voir souffrir, se dit-il, et il vit dehors, « dans une locomotion entêtée », court chercher le médecin et les remèdes, passe les nuits la lampe allumée, entre dans la chambre de la mère en frissonant et « dépose un baiser furtif ». Ce n'est pas « la peur raisonnée de la mort » qui s'empare de lui, mais une exaspération, « une fièvre sourde, dans l'attente anxieuse de la catastrophe » [79]. Les réactions de madame Chanteau agonisante seront aussi mises en lumière :

Le travail d'émiettement continue, sa haine de Pauline continue à grandir et à s'affoler. Bien qu'elle ne se voie pas mourir, elle souffre et elle s'imagine que c'est Pauline qui l'empoisonne. C'est ce qu'elle dit à Véronique, qu'elle redoute aussi. Analyser le ravage dernier de l'argent dans cette nature autrefois honnête [79–80].

93

Pauline la joie de vivre, malgré les catastrophes. Elle se relève et relève les autres. Toujours gaie, la bonté gaie. La joie de la vie, toujours droite, dans sa volonté, dans sa santé, dans le bonheur de l'habitude, dans l'espoir du lendemain. Et reporter cela jusqu'à la fin

Remettre là le village, les petits mendiants grandis. Le petit Journal vole Pauline

Les bains de mer. Le reporter au IV.

L'au delà de la religion pour Pauline (Ébauche 25) Les pêcheurs heureux que tout passe. D'acceptation des épis emportés.

Sur l'idée de la mort (Ébauche 27)

- avortement ancienne (Ébauche 30.)

Pauline connaît la peur de Lazare, tâche de le guérir (Ébauche 47) Pauline ne se confesse plus depuis que l'abbé l'a confessée enfant (voir au III)

Lazare luttant contre son mal (47)

Le village sous la mer est l'image de l'humanité sous la mort et la douleur; et il veut vivre.

L'ennui est au fond de Lazare.

Rôle du chien et du chat, voir portraits.

VIII (Bonteyroy grande fontaine, reprochant les [illegible]

Extrait du premier plan détaillé du chapitre VIII (= chapitre VII du roman).

Zola n'oublie pas Chanteau et ses réactions, mais il est significatif de l'attitude de Zola vis-à-vis de ce personnage qu'il ne prévoie pas d'analyse pour peindre les sentiments du mari. En effet, les mots du plan reflètent avec une exactitude on ne peut plus éloquente la méthode qu'applique Zola en peignant Chanteau : « Chanteau pendant ce temps-là. Ce qu'il devient, son effarement. Et le montrer pendant la nuit de mort, puis au convoi » [80]. Le mot révélateur ici, c'est *montrer*. Zola veut *montrer* Chanteau dans les deux situations, il le regardera du dehors, il n'entrera jamais dans ses sentiments, ne s'intégrera jamais à son *moi*. Nous reviendrons plus loin aux effets remarquables, parfois même saisissants, qu'atteint Zola par cette manière, en apparence impassible et indifférente, de *regarder* Chanteau.

Le plan ne contient aucune indication de la grande scène où Véronique révèle à Pauline que c'est madame Chanteau qui a poussé Louise et Lazare dans les bras l'un de l'autre. Cependant, l'idée d'une révélation par l'intervention de Véronique figure dès l'Ebauche, où Zola établit que la bonne, qui est d'abord contre Pauline, se mettra plus tard pour elle, en lui dévoilant « toutes les coquineries, cachées et silencieuses, qui l'ont entourée » [156].

Pourquoi Zola n'y fait-il aucune allusion dans le plan ? On peut supposer qu'il a été trop absorbé par les éléments intimement personnels du thème principal, pour s'occuper des autres épisodes.

## *Chapitre VIII (= chapitre VII du roman) [f. 2 et 90—93]*

(Pour le second plan détaillé, voir pp. 98–99.)

Le plan sommaire :

> Le coup reçu par Lazare. Etude de l'idée de la mort en lui. Le cimetière, le curé bêchant. La visite aux épis emportés. Pauline croyant que Louise est nécessaire à Lazare, son analyse et commencement de lutte. La mort du chien [2].

Le premier plan détaillé est dominé par des notes exprimant le souci des analyses à faire – avec nombre de références à l'Ebauche – lesquelles seront réalisées avec une ampleur et une richesse d'observations admirables dans le chapitre VII. L'action concrète du chapitre suivra en majeure partie les lignes tracées dans ce plan, qui, par son ton général, annonce la tristesse et le désespoir des scènes navrantes du chapitre.

Tout est écroulement, destruction, et, au centre des misères réelles ou imaginaires, c'est la déchéance, « l'avortement » de Lazare :

Lazare s'éveillant de son cauchemar, épouvante. Le fait tangible de la mort se dressant devant lui, dans l'un des siens. Il était *(sic)* quatre, ils ne sont plus que trois, le trou creusé, le plus jamais [90].[23]

Cette note est soutenue dans toutes les remarques sur les réactions de Lazare : « Dans l'émiettement de Lazare, ici la force s'en va, 2$^{me}$ phase – – – L'avortement continu – – – Lazare luttant contre son mal – – – L'ennui est au fond de Lazare » [92–93]. Mais ce n'est pas assez. Autour de lui le fléau de l'existence humaine frappe avec une logique brutale et inexorable qui semble justifier son pessimisme désespéré, ses idées noires sur les hommes et la vie. La ruine de Pauline est accomplie ; le vieux chien meurt dans les bras de Lazare ; la mer redouble de fureur et engloutit à demi le petit village.

Ruine complète de Pauline [90] – – – La mort du gros chien dans les bras de Lazare. *Une mort humaine.* Un déchirement, c'est comme s'il perdait encore sa mère. Toute une scène dramatique. Pauline n'y assistera pas – – – Le village à moitié détruit. [92] – – – Le village sous la mer est l'image de l'humanité sous la mort et la douleur; et il veut vivre. [93].

## *Chapitre IX (= chapitre VIII du roman) [f. 2 et 99—105]*

(Pour le second plan détaillé, voir pp. 99–100.)

Le plan sommaire, tout en prévoyant des événements de la plus grande conséquence pour tous les personnages, ramène l'action à l'atmosphère de tous les jours :

Lutte de Pauline contre elle-même. Elle triomphe et va chercher Louise. Les jours qui se passent. Explication avec Lazare, puis avec Louise : elle les donne l'un à l'autre, et partira. Le mariage. La musique reprise et les épis refaits. Le village reparaît, enfants. Suicide de Véronique [2].

La phrase « Le village reparaît, enfants » se réfère à la charité de Pauline. Au scandale de madame Chanteau et de Véronique, elle s'est chargée de quelques-uns des enfants à demi sauvages du petit village. Dans le premier plan détaillé le thème des enfants revient : « Pauline et les cinq petits qui ont grandi ; déterminer leurs âges, continuation des histoires des parents » [100]. Mais le thème sera transféré au VII$^{e}$ chapitre du roman (= premier plan détaillé VIII). On peut supposer que cette modification n'est pas due au seul hasard. En effet, le nouvel arrangement a cela de profitable que la charité de Pauline sera directement analysée au chapitre VII en contraste avec la paralysie mentale de Lazare. Bien plus : en faisant agir Pauline justement dans ces conditions, le romancier lui donne une occasion toute naturelle de chercher à faire sortir Lazare de lui-même, en lui créant un centre d'intérêt extérieur. Nous n'avons pas besoin de dire qu'elle échouera.

Un autre élément de l'action qui sera transféré est le suicide de Véronique. Nous avons déjà pu constater que ce suicide, « que personne ne peut expliquer » [103], doit avoir un but fortement antithétique. Aussi dans le premier plan détaillé du chapitre IX, est-il inséré comme un contraste brutalement choquant, lié au mariage de Lazare et de Louise :

> Donc une crise de Chanteau, graduée, à son plan ; et le suicide de Véronique, que personne ne peut expliquer. [Raturé : Quen] Chanteau dans une crise affreuse, crie : « Est-elle bête. » Le suicide mêlé au mariage, au lendemain du mariage [103].

Dans la marge de ce paragraphe, Zola a noté le chiffre XI. Evidemment, il a transféré l'épisode du suicide seulement après que toute la série de premiers plans a été achevée. A la fin du premier plan détaillé du chapitre XII, il a ajouté les mots « Le suicide de Véronique » [141]. Cette modification est une des plus remarquables dans les plans. Elle nous paraît facile à expliquer. L'événement central du chapitre sera la décision de Pauline de renoncer à Lazare, et le mariage qui s'ensuit. Encore une fois, Pauline a fait un amer sacrifice, le plus grand. Mais pendant la nuit de noces de Lazare et Louise, Pauline se révolte à la pensée qu'elle a renoncé au bonheur d'aimer et d'être aimée.

> Dans la lutte de Pauline la révolte de la vie en elle, de l'engendrement. Rappeler sa puberté, la joie d'être femme (pivot de tout le livre),[24] le flot rouge qui crève, gorge,[25] le poil, l'odeur. La femme puissante, celle qui peut donner la vie, ne voulant pas mourir (amour maternel, avant l'enfant) [105].

La scène que Zola prévoit là se développera en une des plus saisissantes du roman. Elle est puissante, brutale même, mais quelle douloureuse sincérité est exprimée par la description des réactions physiologiques de Pauline, qui par cette description même, s'élève très au-dessus de ces nobles héroïnes du roman conventionnel de l'époque. La joie d'être femme est refusée à Pauline, c'est « le pivot de tout le livre ». Le mal que cette scène a donné à Zola ressortit de son retour au thème, dans un autre chapitre (le X$^{e}$), où l'accouchement de Louise réveille en Pauline tous les désirs, toutes les amertumes.

L'importance même de cette scène, empêche le suicide de Véronique d'être l'antithèse du mariage de Lazare et Louise. Ce sont les réactions de Pauline qui doivent être au centre, il n'y a donc pas de place pour un effet de choc qui aurait sans doute détourné l'attention de ce qui dans le chapitre est vraiment essentiel.

Une note curieuse, vraisemblablement ajoutée plus tard, est digne de mention : « Le vieux médecin passionné pour Pauline, peut la demander en mariage » [104]. C'est une nouvelle idée, et elle sera vite rejetée. Il ne s'agira pas d'amour de la part du docteur Cazenove, mais d'une bienveillance paternelle, qui s'exprimera par ses soins mi-tendres, mi-goguenards et par son indignation en observant que les Chanteau profitent de la crédulité de Pauline et que celle-ci, malgré ses malheurs, s'est décidée à rester chez ses parents malhonnêtes. « Elle est impossible, cette petite ! Et quel guêpier, là-dedans ! Jamais elle n'en sortira » (p. 266).

Le goût de Zola pour une certaine accumulation d'effets sombres et un peu mélodramatiques est encore sensible, mais il hésite devant une idée qui pourrait affaiblir, au lieu de renforcer la vérité du récit : « On a pu [raturé : avoir] vouloir un autre chien, qui meurt. Plusieurs peuvent mourir. Un seul resterait pour la fin, très laid et abandonné, grognon. (A voir.) » [105].

Dans le chapitre IX, il reviendra à cette idée de plusieurs chiens morts, mais plutôt en passant. Le principal sera là le chien « définitif », qui aura exactement les caractéristiques indiquées dans le premier plan détaillé : « une pauvre bête bâtarde – – – une humeur exécrable, toujours grognon, d'une mélancolie de chien déshérité, à faire pleurer les gens ».[26]

## *Chapitre X (= chapitre IX du roman) [f. 2 et 113—118]*

(Pour le second plan détaillé, voir pp. 100–102.)

Le plan sommaire :

Lazare et Louise mariés, tous deux à Paris. Dernier avortement de Lazare. Son émiettement dans le ménage.[27] Il vient passer quelques jours, analyse, Pauline a peur de l'aimer encore. Puis, c'est Louise qui revient, et le retour définitif, après l'échec. Pauline veut partir [2].

Le chapitre reprendra donc l'analyse de Lazare, en insistant particulièrement sur la vie intime entre les jeunes époux. L'union avec Louise n'a point délivré Lazare de son angoisse – au contraire, ils seront tous les deux atteints de la même maladie morale. Il y a derrière ces notes brèves des éléments autobiographiques auxquels nous reviendrons plus loin.[28] Voici les formules du premier plan détaillé :

> Lazare marié à Louise. Tout le chapitre est l'analyse de l'émiettement chez lui. Les deux époux couché[s] et ayant la même pensée de la mort (?). La maladie de la mort étudiée et décrite dans des petits faits. Peu à peu l'amour physique épuisé, et la mort trouvée au bout des baisers [113].[29]

Mais la difficulté est que les époux sont à Paris, dit Zola, et que cette analyse ne sera pas commode à faire, s'il veut centrer l'action au village. Il cherche la solution dans une visite de Lazare à Bonneville, pendant laquelle il racontera à sa vieille amie l'histoire de ses souffrances.

L'autre thème principal du chapitre sera l'amour réveillé entre Pauline et Lazare, amour à peine exprimé avant d'éclater dans un violent coup de passion, contre lequel Pauline lutte désespérément, pour remporter la dernière victoire sur elle-même. Le premier plan détaillé du chapitre ne présente pas beaucoup de considérations sur ce thème, mais Zola fut, en fait, dès l'Ebauche, à laquelle il renvoie ici, tout à fait explicite sur la portée de cet épisode. Aux feuillets 19 et 20 de l'Ebauche il est dit :

> Quand Pauline croit s'apercevoir avec terreur qu'elle aime encore Lazare, je dois faire que Lazare de son côté se sente attiré vers elle. Toute cette analyse avant les couches. Je côtoie la faute, mais avec délicatesse. Il y a là une analyse très curieuse à faire, le point culminant du livre. Voir jusqu'où cela doit être poussé, pour être intense, et ne pas rendre le dénouement impossible. La révolte et la victoire dernière de Pauline [162–163].[30]

Dans le premier plan détaillé, Zola répète l'expression « le point culminant du livre » [116] et songe à en faire un chapitre particulier, qui ne doit guère être qu'une scène, puisqu'il ne peut faire traîner la situation, à cause de la résolution exprimée par Pauline de quitter les Chanteau. Il faudrait donc dédoubler ce chapitre, « en créant des scènes simples et très dramatiques » [117]. Ici doit éclore la seconde idylle entre Pauline et Lazare, celui-ci revenant avec la peur de la mort, et Pauline prête à se donner, mais reculant au bord de la faute.

Cette pensée d'écrire un nouveau chapitre est reflétée dans une note, ajoutée dans l'interligne, dans le plan sommaire du chapitre XI, auquel nous renvoyons. Zola laisse tomber l'idée, et la scène sera insérée, sans recherche aucune d'ailleurs, dans le chapitre IX du roman. Un peu plus loin dans le plan, par une note probablement ajoutée plus tard, il revient à l'épisode important. Il a enfin trouvé le fond psychologique de cette scène dramatique :

> Lazare se reprend à aimer Pauline, parce qu'il recommence avec elle ses habitudes d'autrefois, reprendre les premiers chapitres, les revivre, et la perte qui les remet aux bras l'un de l'autre [117].

## *Chapitre XI (= chapitre X du roman) [f. 2 et 125—128]*

(Pour le second plan détaillé, voir pp. 102–103.)

Le plan sommaire:

> Les couches terribles de Louise, avant terme. (Un autre chapitre.)[31] Tout le drame de famille. Le docteur et le curé. Dernière révolte de Louise [lire : Pauline] tenant l'enfant. (Le petit village englouti, les épis emportés ?) La confession de Lazare, là ou au suivant [2].

Nous avons vu que, dès le premier début, Zola rêvait une grande scène d'accouchement dans le roman sur Pauline. D'après sa méthode, il aurait dû, de très bonne heure, préparer les fiches concernant cet élément important de l'action, mais en dressant le premier plan détaillé du chapitre, il ne s'est pas encore documenté. Le plan ne porte aucune trace de lectures, encore moins de notes. Sans doute, il y a au feuillet 125 un détail sur l'accouchement, qui sera « terrible, avec les fers », mais on n'a pas besoin de consulter la littérature médicale pour inventer un tel détail si l'on prépare un accouchement « terrible ». Détail qui, d'ailleurs, ne sera pas utilisé. Comme nous le verrons plus bas, Zola trouvera dans la littérature qu'il mettra à profit, d'autres détails qui lui paraîtront utiles et même riches en symboles.

La documentation faisant défaut, l'objet du premier plan sera de mettre en lumière la portée de la scène de l'accouchement et de préciser les réactions de Pauline et de Lazare :

> L'accouchement de Pauline [sic].[32] Une seule scène, comme au chapitre 1er.
> Accouchement terrible, avec les fers, présentation très difficile. Etudier l'arrivée au monde d'un être, comme nous étudions la mort, la sortie d'un être. Tout ce drame, avec des détails nets, complets, la femme vue dans sa douloureuse besogne ; et la famille autour, Lazare, Chanteau, piétinant, tandis que Pauline, quoique jeune fille, sachant tout, aide activement. Le médecin demandant à un moment à la famille, s'il vaut mieux sauver la mère que l'enfant, et le débat. Situation affreuse. La douleur étudiée dans ce qu'elle a de plus violent. Portée philosophique de l'entrée dans le monde. Etude réelle de l'accouchement, avec des préparations minutieuses et tout ce qui suit.

Une scène où Pauline tient l'enfant, et pleure. Son dernier regret, en tenant ce petit être qui vient de Lazare. Sa dernière révolte. Pourquoi n'a-t-elle pas gardé celui qu'elle aimait [125–126].

Une certaine hésitation se trahit dans quelques détails. Zola ne sait pas s'il doit mander une accoucheuse : « Voir s'il faut une sage-femme. Je crois que oui » [127]. Dans le roman, la sage-femme et le médecin joueront ensemble un rôle essentiel pour illustrer la psychologie de Louise, qui ne veut pas d'homme présent pendant l'accouchement, pas même le médecin. Cette attitude servira d'illustration à la pruderie de Louise, fruit de son éducation étroite. C'est en effet la psychologie de la femme de l'époque.

Zola se sent aussi tenté par un de ces effets de contraste contre lesquels il se défend de son mieux :

Voir si c'est là que le petit village doit être définitivement englouti, après que les épis ont été emportés ; ou repor[ter] cela au chapitre XII. Fin des histoires du village [127–128].

Ce malheur final sera reporté au dernier chapitre, qui est principalement rétrospectif. L'engloutissement du village ne fera donc pas l'objet d'une scène et perdra ainsi son caractère original d'effet de contraste.

L'hésitation de Zola se fait remarquer avec une netteté encore plus grande dans les formules suivantes, qui ont trait à Louise :

Je ne veux pas tuer [raturé : P] Louise, voir pourtant ce que donnerait sa mort, après les couches. Mais cela, je crois, troublerait la philosophie du livre [128].

## *Chapitre XII (= chapitre XI du roman) [f. 2 et 137—141]*

(Pour le second plan détaillé, voir pp. 103–104.)

Le plan sommaire :

Pauline restera, vaincue par l'enfant. Le triomphe de la bonté et de l'abnégation. Pauline entre l'enfant et Chanteau qui a une dernière crise. Le recommencement avec l'enfant. Les trois âges. Le calme après les tortures [2].

Dans le premier plan détaillé, l'intérêt se concentre sur Pauline. Autour d'elle sont groupés les autres personnages :

Un dernier chapitre. Pauline se décide à rester, triomphe de l'abnégation, de la bonté apaisant la douleur. Pourquoi elle reste (Ebauche 17), 18, 19.[33] La scène où elle se décide à rester.

En tout cas, je vois une dernière scène : Pauline [raturé : soignant] jouant avec l'enfant, tandis que Chanteau, qui a une crise, la dernière, tout contrefait par la goutte, hurle dans le fond.

– – –
Cela par un très beau temps, avec la mer calme en face. Peinture du petit, nu et riant, près du grand père criant. Les trois générations, Lazare dans le fond traînant son pessimisme, la plaie qui le courbe. Ne pas le consoler, le faire toujours pencher davantage vers la terre. En face Pauline, l'éternel espoir, berçant l'enfant, qui est l'avenir. Lui n'aura peut-être[34] pas la maladie morale de son père, la maladie des sciences commençantes, la maladie de l'époque. Un enfant faible cependant que les soins de Pauline ont sauvé ; venu avant terme. – – – Une apothéose du calme, de la conscience satisfaite, de la santé équilibrée [137–139].

Mais le portrait de Pauline a besoin d'être nuancé, et cela est fait en des phrases qui peuvent paraître quelque peu mystérieuses :

C'est Pauline qui est tout à fait avec Schopenhauer (voir le VII). Mais sa révolte ronge toujours, pas pour le néant, la chasteté, la fin de l'humanité. – – – Pauline luttant pour le bonheur, contre son hérédité (avare, violente, jalouse) et le milieu, les Chanteau. S'accommodant [141].

Ces deux paragraphes sont manifestement des additions postérieures : le renvoi au chapitre VII se réfère au second plan détaillé, non au premier, puisque celui-ci s'occupe de la maladie et de la mort de madame Chanteau. Dans le second plan détaillé du chapitre VII, en revanche, nous lisons cette note : « Pauline plus tard tout à fait avec Schop. (au XI) » [88]. Vraisemblablement, la phrase sur Schopenhauer au feuillet 141 fut écrite vers la fin du mois de mai, au plus tôt, lorsque Zola travaillait déjà depuis quelques semaines au manuscrit définitif du roman. C'est que cette phrase découle, suivant toute vraisemblance, d'une réflexion qui se retrouve dans la documentation, au feuillet 276 : « Pauline avec Schop., son moi dans le soin des autres. » Et dans la même série de notes, le sens des mots sur la chasteté est expliqué : « Contre les femmes, fin du monde par la chasteté » [272]. Mais ces notes tirées de Schopenhauer sont en tout cas, comme nous allons le démontrer plus loin,[35] rédigées après le 16 mai, c'est-à-dire assez longtemps après que Zola eut achevé son premier plan détaillé du chapitre XII.

Les éléments épiques ne sont que brièvement indiqués dans ce premier plan, mais les épisodes figurant dans le chapitre se développeront, sans efforts visibles, depuis la phrase : « je vois une dernière scène : Pauline jouant avec l'enfant » etc. La seule idée essentielle qui sera ajoutée en plus de ce qui a été indiqué dans le premier plan détaillé, sera le suicide de Véronique.



5—802357

# 3

# Les “Personnages”

Dès l’ancien plan Zola avait esquissé, pour l’essentiel, les portraits des deux personnages principaux. Mais cela n’empêchait pas l’introduction, dans l’Ebauche et dans les premiers plans détaillés, de plusieurs précisions et développements de grande importance. Les citations qui précèdent ont pu illustrer la façon dont les portraits de Pauline et de Lazare se sont dessinés dans l’esprit du romancier avec des contours de plus en plus nets.

Aux autres personnages il a jusqu’ici prêté assez peu d’intérêt. Dans la dernière esquisse de 1883, celle que met Zola en tête de l’Ebauche, il trace cependant des croquis de tous les personnages, à l’exception de Chanteau. Voici quelques ébauches de madame Chanteau :

> Je voudrais bien que la mère fût assez lettrée. Ils viennent de [raturé : Cherbourg Bayeux] Caen où Chanteau a été [raturé : constructeur. Un ami entrepreneur] marchand de bois du Nord. – – – Quant à la mère il faut qu’elle vive en querelle avec son mari, furieuse contre les souffrances de celui-ci qui les ont forcés à la retraite avec peu de fortune, ce qui tue l’avenir de leur fils : donc sa haine de la maladie de son mari, cause de ruine ; analyse curieuse qui la rend mauvaise pour le soigner, raidie devant les crises, et cela par amour exagéré pour son fils. Honnête au fond, sa coquinerie viendra de sa tendresse folle pour son fils [153–154].

Pour la bonne, qui n’est pas encore baptisée Véronique, les délibérations du romancier se limitent à son évolution dans le récit : d’abord hostile à Pauline, elle prendra plus tard son parti. « Puis, pour finir cette bonne, la faire se pendre, sans qu’on sache pourquoi » [156].

Le caractère de Louise est déjà assez fixé, et Zola ne trouvera guère à ajouter à la *faculté maîtresse* de Louise telle qu’elle se présente ici. Zola veut surtout un contraste avec Pauline :

> Je crois qu’elle doit être un être très doux, gentille (pas belle) très câline, voluptueuse même, *une chatte ;* mais uniquement faite pour le baiser, femme absolument, et faible dans la vie, très séduisante, ni bonne ni mauvaise [159].

Reste encore à spécifier le village et ses deux cents habitants, avec l’abbé et le médecin. Il me faut, dit Zola, cinq histoires résumant la misère humaine. Il numérote les trois premières histoires :

1° : Une famille où la mère et le père boivent.

2° : Une famille où la mère a un amant, « et où tous les deux tombent sur le père, qu’ils rouent de coups » [164].

3º : La famille de l'amant, dont la femme « couche avec tous les hommes du pays » [165].

Ensuite une famille de voleurs, et une autre famille, riche, les premiers pêcheurs du pays, avec un petit garçon qu'ils laissent mourir de faim [165–166].

Selon toute vraisemblance, c'est à mesure que ces projets lui viennent à l'esprit que Zola a rédigé les notes sur les cinq familles qui se retrouvent aux feuillets 135 et 136.

Le curé est à trouver, constate Zola. Et le curé et le médecin sont mentionnés pour la première fois dans l'Ebauche : « Quelques personnes secondaires me donneront le village, le curé, le médecin, qui peut être en même temps le maire » [202]. Le premier est nettement imaginé dès l'Ebauche. Il est fils de paysans, il est entré dans les ordres « pour échapper à la charrue et à la conscription », c'est une tête dure qui « en est resté aux formules étroites du catéchisme » et pour qui la religion est une religion de police et de bon ordre. Ce qui peut paraître de la tolérance chez lui, n'est en effet que de l'indifférence, et il n'a plus de pitié pour ses paroissiens vicieux qui ont si mal écouté ses leçons : « tant pis s'ils se damnent, c'est leur affaire » [166]. Avec l'âge, il devient de plus en plus paysan, cultivant le petit jardin du presbytère. Il fume sa pipe, il regarde la mer au bout de son jardin. Il est « très net, très borné » [167].

Le médecin d'Arromanches est un grand sec. Son attitude philosophique est posée : C'est un sceptique ne niant pas précisément la médecine, mais « ayant trop pratiqué, pour ne pas connaître au fond son impuissance » [169]. Il est l'ami personnel des Chanteau, et il dîne souvent chez eux.

Ces croquis n'ont pourtant rien à voir avec les portraits achevés que l'on rencontre toujours dans les préparatifs et Zola ne s'en contente pas. Après l'Ebauche et les premiers plans détaillés, il rédige les notes qu'il appelle « Portraits » ou « Personnages ». Elles comportent les feuillets 225–257. Zola commence par une liste intitulée *Personnages,* sur laquelle il indique, pour les personnages principaux, seulement leur âge, alors que les personnages secondaires reçoivent quelques caractéristiques :

*Houtelard* – Père, mère, riches,[1] petit garçon, maltraité, triste et paresseux,[2] (les avares).

*Cuche* – 1ère maison démolie.[3] Mère, petit garçon (la mère abandonnée couche avec tous) [226].

Le premier portrait est consacré à Pauline [227–230], dont Zola retrace d'abord l'enfance :

*Pauline Quenu.* – Née en 1852, de Quenu et de Lisa Macquart. Mélange fusion. Ressemblance physique et morale du père et de la mère. – A neuf ans, je la fais devenir orpheline, en 1860, et je la mène jusqu'à 25 ans, en trichant, jusqu'en 1876 [227].

Suit son portrait physique. C'est la première fois que Zola s'occupe de son extérieur. Les traits fixés dans ces notes sont définitifs, ce qui s'applique également aux portraits physiques des autres personnages. Mais plus que la physionomie, le caractère de Pauline nous intéresse :

Comme nature morale, un équilibre parfait, qui vient de l'équilibre du sang et des nerfs. La vie prise avec santé et netteté. Pourtant anomalie des crises de violence.[4] Pas de peur de l'au-delà, pas de trouble nerveux ; plutôt sanguine. Le bien naturellement comme un produit ; aucun désir trop vif, aucun regret troublant. Allant droit devant elle, et aimant le sacrifice. Une nature de garde-malade et de consolatrice [227–228].

Il insiste sur sa jalousie, mais aussi sur un ennoblissement progressif de son caractère. Elle éprouve le désir d'être aimée, le besoin de recevoir en retour de ce qu'elle donne, mais plus tard, elle en arrivera au don complet de son être. A la fin, Zola dit quelques mots sur son argent et sur les principes d'éducation de madame Chanteau.

Les projets sur Chanteau [231–234] ont trait en grande partie à la situation générale des Chanteau. Ce n'est que vers la fin que Zola peint son portrait : c'est un petit homme court, coloré de figure, aux cheveux gris coupés ras, il est assez gros, il a la figure ronde et les yeux bleus à fleur de tête. Paisible et gourmand, il succombe trop facilement à la tentation de manger trop et de manger des choses défendues ; cette gourmandise lui donne des accès épouvantables de goutte. Il est sournoisement égoïste [233].

La présentation de Lazare [235–238], quelque ample et détaillée qu'elle soit, n'ajoute guère de nouveaux traits à son caractère ; il s'agit plus d'un résumé assez complet de ce qui a déjà été dit bien des fois, que d'un essai de faire du nouveau ou de formuler une synthèse, et nous reconnaissons toutes les formules appliquées par Zola à son pessimiste malheureux : « tous les contraires ... le moi moderne ... un émiettement par le pessimisme ... le malade du siècle ... l'avortement de sa vie ... Schopenhauer et les autres ... L'ennui ... » Cependant, le portrait physique est nouveau :

Un grand garçon, plus grand que son père. Au début, l'air fort et intelligent ; se courbera un peu par la suite, la tête s'inclinant vers la terre, et paraîtra absorbé, éteint. – Figure un peu longue, nez droit, front large, des moustaches qui s'indiquent à 19 ans. Châtain clair. Plus tard, il portera un instant toute sa barbe. Puis, il se fera raser [235].

Les notes précitées sur madame Chanteau [153–156] portent en grande partie sur son attitude vis-à-vis de Chanteau et de Lazare. Dans les *Personnages,* l'accent est mis sur ses dehors et son caractère. C'est une vieille dame petite et maigre, elle a les cheveux encore très noirs. Si elle n'a jamais été jolie, elle est pourtant agréable encore, malgré son teint jaune. Son visage est déparé par un gros nez, « signe d'ambition » [239].

La montrer jusqu'au jour où Pauline entre chez eux d'une honnêteté stricte, sans chaleur. Puis étudier le ravage que les cent cinquante mille francs font en elle. Elle est dévorée par cet argent [239]. – – – Elle adore son fils, c'est là un des pivots de sa conduite [240].

Pour Louise, l'essentiel est ici le rôle qu'elle doit jouer dans la philosophie du livre. Elle formera contraste avec Pauline, mais pas seulement comme femme : elle doit en effet représenter également l'éducation traditionelle des jeunes filles que Zola a critiquée depuis longtemps et qu'il ne laissera pas, dans la suite, d'attaquer comme dangereuse à la morale, au bonheur des jeunes femmes :

Du reste, elle est en pension à Caen : la jeune fille élevée en pension, sachant tout et le cachant, opposée à la jeune fille élevée en liberté, sachant tout et en tirant une santé, un honneur. (Lazare pourrait vouloir abuser des deux, ou du moins de Louise, tandis que Pauline serait menacée d'un autre côté et s'en tirerait.)

Louise, malgré ses baisers, ne calmera pas Lazare, qui sentira toujours la mort au bout [243].

Il est intéressant de noter que Zola, à une étape si avancée, réfléchit à la possibilité de modifier l'intrigue du roman. Cependant, il oubliera ou bien rejettera l'idée d'une menace contre Pauline « d'un autre côté ».

La bonne, Véronique – qui, au feuillet 226, est d'abord appelée Pélagie,[5] nom que Zola rature – est ébauchée avec quelques coups de pinceau énergiques : c'est une grande fille avec des mains d'homme, elle est bonne pour le gros travail, mais brutale quand elle soigne Chanteau. C'est elle qui cultive le petit jardin, où elle bêche souvent. « C'est elle qui apporte les histoires du village » [244]. Un trait important chez Véronique est son honnêteté ; important, parce qu'il reflète le soin que met Zola à la distribution « objective » du bien et du mal. Cette vieille fille qui a vu naître Lazare et qui le traite toujours en gamin, est d'abord hostile à Pauline, puis elle se mettra à l'aimer « avec passion », ce qui est « tout le mouvement de son caractère » [244]. Son suicide sera incompréhensible : « Il faut que son suicide n'ait aucune raison » [244].

Pour ce qui est de l'abbé Horteur, Zola n'a pas grand'chose à ajouter [245–246] à ce que nous connaissons déjà. Le côté terre-à-terre et étroit de ses idées, de ses attitudes vis-à-vis de la vie, des hommes, et même de la religion qu'il ne prêche guère, est fortement accentué. Par contre, nous ne trouvons plus les paroles d'estime tolérante que Zola lui consacrait auparavant.

Le docteur Cazenove a des contours un peu plus nets [247–248]. Il a voyagé partout, il a vu toutes les maladies, il a essayé de tout, il a même fait des expériences sur des nègres et des Chinois. Il sera un type original, qui est encore très galant et très doux avec les femmes. Peut-être se passionnera-t-il même pour Pauline, qu'il pourrait presque demander en mariage après le départ de Lazare. Il devra être étudié dans ses relations avec le curé, mais il importe de ne pas « recommencer le docteur Juillerat et l'abbé Mauduit ».[6] Son attitude vis-à-vis de la religion est indiquée par les mots : « Est-ce qu'on sait ! » Zola souligne d'ailleurs son scepticisme, son manque de foi en la médecine : « Il a trop pratiqué, pour ne pas connaître au fond son impuissance. N'ayant d'espoir que dans la nature » [248].

Deux personnages importants dans le roman, sont le chien Mathieu et la chatte Minouche [249–252]. Zola aimait les animaux, ce qui résulte nettement de ces notes, où il fixe, avec un soin tendre et affectueux, nombre de menus traits caractéristiques du chien et de la chatte. Mathieu est certainement jusque dans le détail un portrait d'un des chiens de Zola, Bertrand. « Prendre mon vieux B. », écrit-il au feuillet 249. Denise Le Blond-Zola a présenté quelques informations émouvantes sur ce vieux Bertrand si aimé par Zola.[7] Dans les notes sur la chatte Minouche, le même soin des détails, la même observation de la vérité. Mais si l'élément humain est particulièrement accentué dans le portrait du chien, la chatte représentera la génération, la fécondité perpétuelles, l'invariabilité des principes vitaux :

Elle reste toujours la même, et à la dernière scène, lorsque Chanteau hurle encore, elle est là ronronnant, heureuse, la joie de vivre. On vient encore une fois de lui jeter ses petits, l'éternelle fécondité inutile [252].

On est frappé par une expression du passage : « la joie de vivre ». Zola veut-il abaisser la joie de vivre de Pauline au plan purement animal en appliquant cette notion capitale à la chatte avec son « éternelle fécondité inutile » ? Certes non, mais il reste qu'il y a dans la joie de vivre de Pauline un côté animal que Zola n'essaie pas de cacher et pour lequel il trouve des expressions assez brutales. Comme il y a ce parallélisme entre la chatte et Pauline, il y en a un autre, plus fort, entre la Minouche et Louise. Ce parallélisme est tout à fait négatif ; quand Louise est directement comparée à la chatte, c'est parce qu'elle se caresse aux autres, sans méchanceté, il est vrai, mais avec une grâce câline qui s'oppose à la droiture robuste et harmonieuse de Pauline.

Dans les notes sur les cinq familles [253–257], nous pouvons constater quelques nouveaux détails, auxquels il n'y a guère besoin de s'arrêter ici. Une tendance toutefois s'y manifeste avec une netteté accrue : celle d'orienter toutes les données dans un même sens, vers la disgrâce, l'abjection, la détérioration complètes. Le caractère de la misère des cinq familles était on ne peut plus évident dès l'Ebauche : cette misère devait illustrer une thèse. Ici, tous les détails viennent appuyer cette thèse, et ils se retrouveront tous dans le roman.

Les notes que Zola appelle les *Personnages* étant, en grande partie, comme nous l'avons remarqué, les résumés des méditations approfondies que Zola a consacrées à ses personnages, ceux-ci agiront dans le roman en conformité avec les traits caractéristiques fixés dans ces notes. Les détails concrets, dont nous n'avons pu citer qu'un très petit nombre, seront presque tous utilisés. Souvent, cela se fait dans les termes mêmes qu'il avait retenus dans ses notes, ce qui est particulièrement le cas pour les notes sur les dehors des personnages.[8] Zola transmet alors les notes directement des *Personnages* au manuscrit propre du roman, sans les faire passer par les seconds plans détaillés.

On pourrait s'attendre à ce que ces notes continssent des faits, des spéculations et une sorte de documentation reflétant les théories de l'hérédité et du milieu, telles que Zola les développait conformément au système de Prosper Lucas dans l'*Hérédité naturelle*. Ce n'est pourtant pas le cas. A l'exception des quelques formules sur Pauline que nous connaissons déjà, nous ne pouvons constater aucun effort de la part de

Zola pour faire entrer les destinées de ses personnages dans un système pseudo-scientifique ou sociologique quelconque. D'un autre côté, la peinture des cinq familles doit naturellement être interprétée comme une manifestation des idées du romancier sur l'importance capitale de l'hérédité et du milieu.

## 4

## La documentation

Nulle part dans les notes que nous avons étudiées, Zola ne s'est référé à une documentation déjà existante. Faut-il en conclure qu'il ne s'est pas systématiquement documenté avant ou pendant son travail sur l'Ebauche, les premiers plans détaillés et les *Personnages ?* Il est difficile de répondre catégoriquement, bien nous soyons tentés de répondre par la négative, au moins pour la période qui précède l'achèvement des plans détaillés. En tout cas, on peut établir, pour différentes raisons, que *la plupart* des notes documentaires ont été rédigées postérieurement à toutes les phases du travail mentionnées ci-dessus. Pour certaines de ces notes documentaires, nous pouvons fixer un terminus *post quem,* alors que pour quelques autres, nous devons nous contenter d'indices. Il faut ajouter que la pagination du dossier n'offre aucun point de repère pour le classement chronologique à l'intérieur de ce groupe de notes que nous appelons la documentation ; il est, en d'autres termes, impossible de conclure de la pagination si, par exemple, les notes sur la goutte sont antérieures ou postérieures à celles sur Schopenhauer.

Le Journal de Goncourt dans un passage déjà cité signale que vers le 20 février, Zola était préoccupé par le problème de « la Douleur ». Vu sa propension à penser et à travailler en formules, il n'est pas déraisonnable de supposer qu'il s'est mis d'assez bonne heure à étudier quelques auteurs qui avaient traité de la douleur, soit en hommes de science, soit en philosophes.

Il y avait alors deux auteurs qui avaient abordé le sujet d'une manière qui a dû convenir à Zola. L'un était Charles Richet, l'autre Francisque Bouillier. C'est dans la *Revue Philosophique,* éditée par Baillière, que Charles Richet publia, en 1877, un article intitulé « La Douleur. Étude de psychologie physiologique ».[1] Zola en a tiré les notes que nous retrouvons au feuillet 271. Il ne révèle pas sa source – pas plus ici que dans les autres notes documentaires ; il indique seulement « (Richet 460) ». Il est cependant possible d'établir que c'est vraiment dans cet article qu'il a puisé, car certaines phrases de ces notes d'un style lapidaire sont des citations textuelles.[2] Il y a aussi un renvoi qui exclut tout doute : « La douleur nécessaire, avertit (468). Sentinelle de la vie. » La dernière phrase est une citation textuelle de la page 468 du tome dont nous venons de parler.

Dans le même volume de la *Revue Philosophique* se trouve un compte-rendu qui a évidemment éveillé l'intérêt de Zola. Il s'agit d'un long article traitant un ouvrage de Francisque Bouillier, *Du Plaisir et de la douleur,* dont Baillière venait de publier une deuxième édition, revue et augmentée.[3] Il résulte d'une comparaison entre le texte de Bouillier et les manuscrits de Zola, que c'est bien cet ouvrage dont celui-ci s'est servi pour ses notes sur le plaisir et la douleur. Il n'indique pas sa source, mais tout en haut du feuillet 270 il a écrit le seul nom Bouillier. Les notes dont il s'agit ici sont celles du feuillet 270, qui est indépendant des autres, du feuillet 284 et des feuillets 279–283. Ceux-ci doivent se lire dans l'ordre que nous indiquons, c'est-à-dire que le feuillet 284 précède les feuillets 279–283. La pagination est, comme c'est souvent le cas, peu exacte.

On a l'impression que Zola a commencé par un regard assez hâtif sur le texte de Bouillier, après quoi il a pris les quelques notes que nous retrouvons au feuillet 270, lequel serait cependant une sorte de point de départ assez sérieux, pour l'obliger à approfondir ses études :

> Le désir de vivre parce que la vie est un acte. Date incertaine, consolation, tranquillité à ce prix. Mort d'ami chicane au mort. Est-il plus âgé. Compassion pour les morts.
>
> – – –
>
> Lazare qui maudit la vie ne devrait pas pleurer sa mère.
> Plus on est intelligent, plus on souffre.[4]

La dernière phrase du passage cité rappelle une pensée exprimée par Richet, mais non par Bouillier. Il paraît que la phrase n'est pas ajoutée plus tard. On peut donc vraisemblablement conclure que le feuillet 270 a été écrit *après* les notes tirées de Richet.

Il se met maintenant à examiner de plus près le livre de Bouillier, et rédige les notes des feuillets 284 et 279–283. Le texte qu'il a sous les yeux est une exposition psychologique et philosophique de quelques problèmes humains centraux, exposition empreinte d'une sagesse douce et indulgente et d'une connaissance affectueuse des auteurs et des philosophes classiques. Ici sont cités Platon, Sénèque, Spinoza, Montaigne, Adam Smith, Schopenhauer, et nombre d'autres auteurs.[5] Comme d'habitude, Zola retient les phrases et les formules susceptibles d'être fixées dans une note brève et utile. En même temps il prend certaines notes par référence à ses personnages.

La mort est certaine, mais la date en est incertaine : consolation, illusion (71). La tranquillité n'est qu'à ce prix, et Lazare ne l'a pas. La stupeur d'apprendre une mort d'ami. Puis on se tâte soi-même. Chicane au mort, mort par sa faute. Est-il plus âgé ? Compassion pour les morts qui ne voient plus le soleil, qui sont dans la terre, etc. (79), et les redoutables problèmes derrière.

La vie devrait être une méditation de la mort (Platon).[6]

Spinoza : la sagesse n'est pas une méditation de la mort, mais de la vie.

– – –

Le bonheur de Pauline à la fin est dans l'exercice et le développement de son être (110).

– – –

Le plaisir mêlé à la douleur. Après la mort de la mère (137) [279–281].

Nous avons déjà rencontré le nom de Schopenhauer. Son influence sur Zola sera traitée dans un autre chapitre. Ici, nous nous bornerons à exposer les notes que Zola a rédigées sur Schopenhauer et le pessimisme, notes que nous pouvons répartir en deux séries. Il faut d'abord se demander quels livres le romancier a utilisés pour ses recherches. Il y a en effet un fil conducteur dans la correspondance de Huysmans avec Zola : dans une lettre de 1884 Huysmans remercie son ami de l'exemplaire de la *Joie de vivre* qu'il vient de recevoir, et à ce propos il fait mention de la préface de Bourdeau aux *Pensées* de Schopenhauer, laquelle a évidemment figuré dans les propos de Zola et de ses amis à Médan.[7]

Aussi les notes auxquelles Zola a donné le titre « La peur. – Schopenhauer. Sur la vie » sont-elles puisées dans la traduction – avec une préface – de certaines parties des œuvres de Schopenhauer que publiait en 1880 J. Bourdeau. L'éditeur était Germer Baillière, et le volume avait pour titre *Pensées, Maximes et Fragments.*

C'est surtout la préface qui a retenu l'attention de Zola. Elle lui présentait une vulgarisation nette et élégante de la philosophie de Schopenhauer. Ainsi, les problèmes qui le hantaient obstinément depuis des années, étaient discutés ici sous cette forme condensée qui plaisait toujours au vieux journaliste qu'était au fond Zola : la peur, l'épouvante de la mort, la volonté de vivre, le pessimisme, la souffrance, la douleur, l'ennui. Il n'est pas douteux que, par ses conversations avec ses amis, et peut-être par des lectures, Zola s'était déjà un peu familiarisé avec les principes centraux de la philosophie de Schopenhauer. Maintenant, il a éprouvé le besoin d'approfondir ses connaissances, qui ne furent cependant pas très solides, puisque, à ce qu'il paraît, il ne remontait pas aux sources, mais se tenait à des vulgarisations d'ailleurs excellentes.

Les notes Bourdeau se retrouvent aux feuillets 259–263 et 265. Le dernier feuillet est incorrectement paginé et doit porter le numéro 264. Au nombre de ces notes Bourdeau on doit aussi compter le feuillet 266, où Zola a écrit quelques titres possibles pour son nouveau roman.

Dans la préface de Bourdeau, Zola trouve une description curieuse de la peur de Schopenhauer. Il note :

> La peur, quand il reçoit une lettre. Peur d'incendie, au premier étage (au fond de tout pessimiste, il y a la peur de la mort, une âme égale et pondérée, ne songeant pas à la mort, n'est pas pessimiste.) Cache son argent, écrit ses notes en grec. – – – Schop. conseille à la fin de se faire trappiste [260].[8]

Ici, il trouve de nouveau naturel d'introduire ses personnages dans le contexte :

> Pauline a la jouissance du présent. Lazare a vécu dans l'attente de la joie, et elle recule, le pire arrive toujours,[9] puis la mort. Première moitié de la vie appartient au bonheur, seconde regret et peur [261].[10]

Vers la fin une note importante résume, en quelques mots, tout l'évangile de Pauline :

> La vie est un songe dont la mort est le réveil. – Une pitié sans borne pour tous les êtres vivants. – La fin des prières hindoues : « Puissent tous les êtres vivants rester libres de douleurs » [265–lire 264].[11]

Il y a lieu de s'arrêter un peu à la liste des titres que nous venons de mentionner. Avant de l'examiner de plus près, nous allons chercher dans la correspondance de Zola s'il a lui-même, dans ses lettres, commenté le titre du roman de Pauline. Dans les années 80, il correspondait avec le Hollandais van Santen Kolff, qui lui posait bien des questions au sujet de ses romans. Au début de l'année 1889, van Santen Kolff s'est intéressé à la *Joie de vivre,* et Zola lui répond :

> Non, je n'ai aucun souvenir précis sur la façon dont j'ai trouvé le titre. Je sais seulement que je voulais d'abord un titre direct comme *Le Mal de vivre,* et que l'ironie de *La Joie de vivre* me fit préférer ce dernier.[12]

3me Phase. — Après le mariage, chap. X. 269

La ~~dégoût de la vie~~ peur qui va en s'accentuant à mesure qu'il vieillit. La mort lente, quotidienne ; les pertes qu'on fait matérielles. — Des camarades mourant autour de lui, crise de la quarantaine, et la vieillesse en face.

Le dégoût de la vie qui va en s'accentuant toujours, à l'idée de la brièveté : à quoi bon, puisqu'on n'est pas éternel.

Le drame entre lui et sa femme. L'imagination sur l'heure dernière, gâtant tout. Elle ou lui ? Et celui qui restera. Si c'est elle, comment vivra-t-elle : il s'imagine ce qu'elle fait, ses derniers moments, puis après. Son attendrissement, cela paralysant tout. — Quand ils sont couchés, reprendre ses peurs de la nuit, de la 1re phase, en les accentuant. Et elle a peur comme lui. — Atteint mortellement dans son activité. Et cachant cela comme son [illegible], sauvegarder

À la fin, l'adieu aux choses continuelles, tournée à la manie, s'inquiétant où il mourrait, en passant le [illegible].

La fin. Éternité, ravagé toujours, [illegible].

Extrait des notes sur la peur de Lazare, « 3e phase ».

Si nous regardons la liste du feuillet 266, nous ne trouvons pas le titre du *Mal de vivre,* mais bien le titre définitif du roman, avec huit autres suggestions. Voici la liste :

La vallée de larmes
La joie de vivre
L'espoir du néant
Le vieux cynique
La sombre mort
Le tourment de l'existence
La misère du monde
Le repos sacré du néant
Le triste monde.

En dressant cette liste, Zola avait en effet présents à son imagination des éléments concrets tirés de Bourdeau. Si nous étudions la préface et la traduction de celui-ci, nous constatons que cinq des titres sont des citations directes de Bourdeau. A la page 13, nous lisons : « Car si le monde est, comme il [= Schopenhauer] l'affirme, une si profonde *vallée de larmes* – – –. »[13] Et à la page 14 : « . . . par les voies austères de l'ascétisme chrétien, ou plutôt de l'ascétisme bouddhique, renoncement plus grandiose encore, puisqu'il mène à *l'espoir du néant.* » Et un peu plus loin, Bourdeau caractérise le philosophe allemand comme un vieux cynique : « Nul n'est plus propre que *ce vieux cynique* à déniaiser un bon jeune homme – – – » (pp. 14–15).

Ces citations émanent toutes de la préface de Bourdeau. Mais le texte traduit de Schopenhauer a, lui aussi, apporté sa contribution : « Si un Dieu a fait ce monde, je n'aimerais pas à être ce Dieu : *la misère du monde* me déchirerait le cœur » (p. 50). Et à la même page : « Comment as-tu osé interrompre *le repos sacré du* néant – – – »[14]

Si Zola ne trouva pas le titre définitif parmi les phrases qu'il notait ainsi en étudiant le livre de Bourdeau, ces exemples soulignent pourtant l'emploi méthodique qu'il faisait de ses lectures ; elles excitaient son imagination créatrice, soit au profit des grandes lignes ou des caractères des personnages, soit pour semer par-ci, par-là un détail concret, une phrase saillante ou colorée. Zola est, comme toujours, à la recherche des formules succinctes et énergiques qui résument ce qui l'intéresse dans le texte qu'il a sous les yeux. C'est le journaliste d'une promptitude méthodique, qui tient la plume.

Immédiatement après la liste des titres suivent quelques notes sur les « trois phases de la peur de Lazare ». Elles prévoient « la première peur au II », et si nous reconnaissons dans les trois phases bien des caractéristiques qui nous sont familières depuis longtemps, nous en rencontrons de nouvelles, comme par exemple dans la 1$^{ère}$ phase : « Tout l'y ramène. Un mot dans une conversation, une date dans un journal. Les temps qu'on ne verra pas, le néant derrière et le néant devant » [267].[15] Ou bien dans la 2$^{me}$ phase : « La préoccupation où il mourra, à chaque installation nouvelle, par où passer son corps » [268].[16]

Mais désirant se familiariser avec la pensée de Schopenhauer, Zola trouve que Bourdeau ne lui suffit pas. Il aurait pu recourir aux traductions de quelques ouvrages de Schopenhauer qui avaient déjà été publiées : *Essai sur le libre arbitre* (1877), *Le fondement de la morale* (1879), *Parerga et Paralipomena* (1880), *De la Quadruple racine* (1882). Selon toute vraisemblance, il n'a consulté aucun de ces ouvrages – du moins aucune note ne témoigne de ce genre d'études. Il s'est certainement contenté d'un autre ouvrage de vulgarisation sur le pessimisme de Schopenhauer : *La Philosophie de Schopenhauer* par Théodule Ribot (1874). En comparant le texte de Ribot et les notes des feuillets 264 [lire 265] et 272–278, nous pouvons établir que c'est bien le texte de Ribot qui est la source de ces notes.

Vraisemblablement, le feuillet 264 (= 265) est le résultat d'une première lecture assez hâtive du livre de Ribot, puisque les phrases notées ici seront reprises, plus amplement, aux feuillets 272–278. Voici la même technique lapidaire que dans les notes Bourdeau :

> Contre les femmes, le monde mauvais, fin du monde par la chasteté.[17]
> Horreur de l'action.
>
> – – –
>
> Tout plaisir négatif, douleur seule positive. La vie est douleur, vouloir c'est souffrir et vivre c'est vouloir.[18]

Il est possible de dater approximativement ces notes. Au revers du feuillet se retrouve le début d'une lettre portant la date de « Médan 4 juin 83 ». Zola n'a jamais achevé la lettre, mais il a fait usage du feuillet en étudiant Ribot. Par conséquent, à une époque aussi avancée que le début de juin – ou peut-être encore plus tard – il est encore plongé dans Schopenhauer et le pessimisme afin de se documenter pour le roman qui, avant tout, devait discuter les thèses de Schopenhauer, et dont il avait déjà écrit deux ou trois chapitres. On peut, de la même manière, arriver à une date approximative pour les autres notes de cette série.

Au revers du feuillet 274, nous lisons : « Médan 16 mai 83. Monsieur et cher confrère, Je vous envoie mon obole, je l'envoie. » Il s'agit d'une autre lettre inachevée, mais précieuse par sa datation.

Si nous supposons ces notes écrites d'un seul jet, elles auraient été prises au plus tôt le 16 mai. Or, rien n'indique qu'elles aient été rédigées en plusieurs étapes. Elles sont toutes écrites au crayon et, évidemment, griffonnées à la hâte, peut-être dans un compartiment, où il n'a pas été très facile d'écrire.

Même si le feuillet indépendant 264 (= 265) a été rédigé *après* la série 272–278, ce qui paraît très improbable, il est évident qu'aucune des notes n'est antérieure au 16 mai, date à laquelle il avait déjà composé au moins le premier des onze chapitres du roman. Il est vraisemblable en effet que toutes les notes ont été rédigées après le 4 juin.

Dans cette série, Zola utilise la même technique que dans les autres notes :

La religion bonne pour les vulgaires. Les doutes de Lazare revenant à la religion (30) [273]. – – – Sur la mort, la peur, très important (82) (275). – – – Savoir que tout n'est rien et par conséquence ne pas agir. La délivrance par *la science* et *l'inaction*. Très important, nos sciences commençantes [276].[19]

Les matières que nous venons d'étudier ne sont pas des notes documentaires au sens qu'on donne ordinairement au mot lorsqu'on parle de la fameuse méthode scientifique du romancier. Pourtant, comme nous l'avons déjà fait remarquer, le dossier contient aussi nombre de notes techniques de différents genres. Pour cette documentation, nous ne pouvons ici entrer dans les détails ; nous nous bornerons à certains problèmes de dates et à quelques observations sur l'usage que Zola fait de ces fiches.

Ces notes sont de tous les genres et fournissent des exemples de presque toutes les méthodes d'enquête de Zola : il étudie des livres scientifiques, il consulte les encyclopédies – parfois par l'intermédiaire d'un ami – et il écrit des lettres aux spécialistes ou du moins à des gens mieux informés que lui-même.

Il demande à Henry Céard, qui était du groupe de Médan, de lui procurer des renseignements sur les épis et les brise-lames. Céard répond par des informations puisées dans deux encyclopédies [318–321]. Zola note aussi quelques faits élémentaires sur la marée [322]. Pour ces feuillets, il n'est pas possible de fixer les dates.

Peu de temps avant d'entreprendre la rédaction du premier chapitre, le romancier écrit au savant Edmond Perrier et le prie de le renseigner sur la possibilité d'exploiter la flore sous-marine ; Perrier lui envoie, en date du 19 avril 1883, une longue lettre encourageante et pleine de renseignements profitables [324–325]. Zola complète ceux-ci par quelques faits élémentaires [326, 330, 331] et rédige en outre un résumé de la réponse de Perrier [327–329]. Les feuillets 326, 330 et 331 sont d'une date assez avancée, ce qui ressort du revers du feuillet 330, constitué par une page rejetée du manuscrit définitif du roman (deuxième moitié du chapitre II).[20] Les notes du feuillet 330 seront mises à profit dès le début du chapitre III (p. 68).

Zola reproduira presque textuellement plusieurs des descriptions fournies par Perrier. Ainsi par exemple quand Lazare enthousiaste cite son maître Herbelin, qui représente la mer comme un vaste réservoir de composés chimiques :

| *Perrier :* | *Le roman :* |
| --- | --- |
| La mer est un vaste réservoir de composés chimiques des plus importants ; les algues travaillent en quelque sorte pour nous en condensant dans leurs tissus des sels qu'on ne trouve qu'en faible proportion dans les eaux où elles vivent [324–325]. | la mer était un vaste réservoir de composés chimiques ; les algues travaillaient pour l'industrie, en condensant, dans leurs tissus, les sels que les eaux où elles vivent contiennent en faible proportion [p. 68]. |

Il y a, dans d'autres romans de Zola, des exemples de ce procédé.[21] Il n'est guère besoin de souligner que de telles citations ne doivent pas être considérées comme des plagiats ; elles sont au contraire des illustrations du soin minutieux qu'apportait Zola non seulement à l'exactitude de ses descriptions, mais aussi à celle – scrupuleuse – de ses images et de ses métaphores. Il est d'ailleurs intéressant de noter que, dans le passage que nous venons de citer, il a eu peur que cette masse de renseignements n'apparût comme le décalque d'une encyclopédie. Il a trouvé une solution heureuse : le passage est mis dans la bouche de Lazare, qui s'en réfère à « son maître Herbelin ».

Les notes réunies sous le titre de *Tutelle* [339–363] contiennent des renseignements que Zola a vraisemblablement trouvés dans quelque manuel, et deux lettres de Gabriel Thyébaut, un fonctionnaire qui fréquentait Zola et ses amis du groupe de Médan.[22] Les notes ont probablement été rédigées *avant* la première lettre, car elles ne renferment aucune idée, aucun fait qui ait été puisé dans les lettres.

Dans quel ordre faut-il lire les feuillets 339–363 ? Zola, pensons-nous, a commencé par les feuillets 360–362, puisqu'ils contiennent des renseignements élémentaires sur les deux points centraux qui l'intéressent : « la création d'un conseil de famille, pour nommer le subrogé-tuteur », et « l'émancipation ». Ensuite, ces notes servent de base aux feuillets 354–359, qui ne présentent pas une documentation au sens propre du mot, mais plutôt un plan pour les pages du premier chapitre où seront traités le voyage à Paris de madame Chanteau, sa présence à la convocation du conseil de famille et son acceptation, de la part de Chanteau, de la tutelle de Pauline. Mais peu de temps avant de rédiger le premier chapitre, Zola a évidemment voulu contrôler sa documentation, et il écrit à ce sujet une lettre à Thyébaut. La réponse de celui-ci, en date du 25 avril, est riche d'informations, et il donne son approbation.

Le feuillet 340, indépendant des autres, ainsi que les feuillets 349–350 ne paraissent avoir aucun rapport direct avec les lettres ; ils contiennent, comme les feuillets 360–362, quelques faits élémentaires. Les feuillets 351–353, qui sont écrits au crayon, ont vraisemblablement été rédigés lorsque Zola préparait le chapitre III, puisqu'ils traitent de l'émancipation, thème principal de ce chapitre. Zola trouve pourtant que sa documentation n'est pas encore suffisante, et il écrit – ou parle – une seconde fois à Thyébaut et reçoit une lettre datée du 13 juin, qui enrichira son chapitre. Thyébaut indique les articles qu'il faudrait consulter – les articles 478 et 480 du code civil – et Zola les fait lire attentivement à madame Chanteau, qui les explique à son mari. Thyébaut répond sans doute à une question directe de Zola en indiquant comment les titres sont donnés à la pupille : « les titres passent simplement de l'armoire du tuteur au chiffonier de la jeune fille qui pourra dès lors être l'objet des sollicitations continuelles des intéressés » [343]. Et Zola ne trouve pas difficile d'utiliser ces informations dans la scène qu'il est justement en train de préparer :

Elle [= Madame Ch.] sortit les titres, elle força la jeune fille à les compter. Il y en avait pour soixante-quinze mille francs, un petit paquet d'or, plié dans un morceau de journal, faisait l'appoint.
– Mais où vais-je mettre ça ? demandait Pauline, dont le maniement de cette grosse somme colorait les joues.
– Enferme-le dans ta commode, répondit la tante. Tu es assez grande fille pour veiller sur ton argent. Moi, je ne veux plus même le voir . . . (p. 101).



6—802357

La souffrance physique joue un rôle central dans le roman sur Pauline. Nous sommes témoins de l'effrayant mal de gorge de Pauline, qui la menace de suffocation, de l'épouvantable agonie de madame Chanteau, de la maladie chronique qui brise lentement son mari, en le clouant à jamais à son fauteuil de malade ; et nous assistons à l'accouchement de Louise, anormal et terrible. Il est donc tout naturel que nous trouvions, dans le dossier, nombre de notes médicales.

Quelques-unes ont été systématiquement ordonnées alors que d'autres ont été éparpillées de ci, de là. On trouve ainsi, aux feuillets 42–44 et 76–77, c'est-à-dire parmi les plans par chapitres, quelques notes sur l'angine gutturale, sur la « maladie du cœur » et sur la méningite – notes qui ont sans doute été rédigées d'après quelque manuel ou d'après des renseignements que Zola s'est procurés auprès d'un ami ou d'un spécialiste. Les notes sur la méningite n'ont d'ailleurs pas été employées.

Madame Chanteau meurt d'une maladie de cœur. Nous apprenons dans le chapitre VI que Lazare, terrifié, étudie *Bouillaud* pendant la grave maladie de la mère. Celui-ci fut un célèbre clinicien qui publiait, dans la première moitié du dix-neuvième siècle, nombre d'ouvrages, entre autres un *Traité clinique des maladies du cœur* (1835). Un autre ouvrage, *Recherches cliniques sur les maladies du cœur,* paru en 1856, est un recueil de conférences de Bouillaud publiées par le docteur Auburtin. Cependant, il ne semble pas que Zola ait utilisé ces ouvrages, encore qu'il les fasse étudier par Lazare. Les notes assez brèves dont nous venons de faire mention s'appuient sans doute sur des renseignements oraux ou ont été puisées dans quelque manuel. Elles ne contiennent pas de renvois, ce qui est une preuve à peu près certaine qu'elles n'émanent pas d'ouvrages spéciaux.[23] Dans le texte du roman, Zola a naturellement évoqué de cruels souvenirs personnels de la maladie et de la mort de sa mère deux ans et demi auparavant.

La même confusion qui caractérise la pagination des notes médicales, règne parmi les notes auxquelles Zola a donné le titre de « Chirurgien-major – Accouchement – La Goutte » [286]. La série commence, au f. 287, par trois feuillets consacrés à l'accouchement ; suit un feuillet qui est arraché à la série de notes sur la goutte ; suivent ensuite quelques renseignements sur les livres d'études nécessaires à un étudiant en médecine, la première année ; un feuillet avec des notes sur la puberté ; encore un traitant les études de médecine ; trois sur « Chirurgien-major » ; quatre pages du manuscrit définitif non utilisées ; à la fin, les notes sur la goutte. Nous étudierons les feuillets à peu près dans cet ordre.

Nous avons vu que, dès ses premiers projets, Zola avait l'intention de décrire un accouchement. Finalement, ce fut Louise, et non Pauline, qui donna la vie à un enfant, mais encore dans les plans il arrive que Zola écrive par erreur Pauline au lieu de Louise lorsqu'il traite de l'accouchement. Nous avons de même pu constater que c'est seulement à une phase bien avancée qu'il s'est procuré les renseignements dont il a besoin. Les feuillets dont il est question [287–289] sont cependant étonnamment maigres en renseignements, et il est bien facile d'établir que ces faits n'ont point pu suffire aux besoins de Zola. Il commence par constater que « Louise ne veut pas d'homme », elle « ne veut qu'une sage-femme, par honte de femme » [287]. Mais la sage-femme, devant « la présentation par l'épaule », qui est une complication très grave, ne veut pas agir seule, elle réclame un médecin, ce qui est d'ailleurs prescrit par la loi. Suivent quelques mots sur l'opération qui sera nécessaire, la version, et sur les risques qu'elle implique et pour la mère, et pour l'enfant. Deux détails très importants dans ce qui suit, sont la main de l'enfant non encore délivré, petite main « qui s'agite et qui se cramponne à la vie » [289], et les insufflations par Pauline pour ramener le nouveau-né à la vie. Ici, Zola a été frappé par quelques détails qu'il devait, d'une manière tout à fait naturelle, introduire dans son récit. Pauline souffle littéralement la vie dans la bouche du petit enfant [288]. Cette méthode est recommandée dans des ouvrages d'obstétrique de l'époque. On peut aisément se figurer la satisfaction qu'éprouvait Zola en découvrant cette possibilité de se servir d'un détail qui, dans le contexte, devait revêtir une profonde portée symbolique.

Ces quelques renseignements, Zola les a probablement obtenus de quelque médecin de sa connaissance, ou, ce qui nous paraît encore plus plausible, de son ami Henry Céard, qui avait fait deux années de médecine et qui portait encore un grand intérêt à la science médicale.[24] Cependant, en rédigeant le texte du chapitre, Zola a sans doute consulté un manuel d'obstétrique, car « la petite main » est évidemment un détail visuellement inspiré des dessins de cette main qui se retrouvent dans tous les manuels. De ces manuels, il a tiré des informations qui ne sont pas conservées dans le dossier, ou bien il s'est reporté, en rédigeant son chapitre, directement à son manuel, sans l'entremise de notes. Cette dernière méthode ne lui était pas étrangère.[25]

Les notes sur les livres « que les étudiants en médecine possèdent » [291] et celles sur les examens, etc. [293] ont trait aux années d'université que passe Lazare à Paris. Elles s'appuient sur des renseignements fournis à Zola par Céard, auquel Zola écrivit une lettre à ce sujet, le 29 avril 1883.[26] Les quelques renseignements sur la puberté [292] doivent avoir la même origine, ou bien Zola les a puisées dans une encyclopédie ou un manuel. Au revers du feuillet, il y a encore une date, « Médan 20 mai 83 », d'où il résulte que les notes n'ont pas été rédigées avant cette date. C'est sans doute un peu tard, car à cette époque il devait être en train de rédiger le chapitre II, pour lequel il avait besoin des informations sur la puberté.

La documentation que se procure Zola au sujet de la profession du docteur Cazenove, celle de chirurgien-major, n'est sans doute pas puisée dans un manuel. Au contraire, quelques formules indiquent nettement que Zola a posé à quelqu'un – Céard, sans doute – des questions précises auxquelles on a répondu :

> Il y a sept ou huit ans, (donc du temps de mon médecin), les chirurgiens de marine ne passaient pas leur doctorat en médecine. – – – Or, on ne leur demandait pas, dans leurs examens, la spécialité des accouchements. (Maintenant, ils passent le doctorat, où se trouve l'accouchement) [295].

Les notes d'ordre médical que nous avons étudiées jusqu'ici sont, en effet, assez maigres en comparaison des notes sur la goutte. Zola a apporté un très grand soin à étudier ce sujet lugubre. Il n'indique pas sa source. Cependant, si l'on consulte la littérature contemporaine sur la goutte, il en résulte qu'il s'est servi d'un grand ouvrage du professeur anglais Alfred Baring Garrod, dont une traduction française fut publiée en 1867, avec des commentaires de Charcot. Le volume a pour titre *La Goutte. Sa nature, son traitement, et Le Rhumatisme goutteux.*

La goutte de Chanteau est toujours présente dans le roman, elle est comme un long cri de souffrance, une plainte continuelle qui effraie par sa monotonie écrasante. Cette goutte, cette souffrance si « bête », a un rôle important pour la philosophie du roman. Il est donc naturel que Zola ait éprouvé le besoin d'une documentation détaillée, ce qui n'empêche pas qu'il se soit inspiré de certains souvenirs de la maladie de Tourguéniev.[27] Il n'est pas surprenant non plus que, pour compléter sa documentation, il ait eu recours à Garrod au cours de la rédaction du manuscrit définitif.

Il s'agit ici des feuillets 290 et 301–314. Par lesquels a-t-il commencé, et à quelle époque ? Tout d'abord, on peut constater que les feuillets 301–311 forment un tout ; ils ont d'ailleurs été paginés par Zola. Ils sont écrits au crayon, leur texte coule sans interruption, et les renvois à Garrod se rangent ensuite, de 20 à 547. Dès le premier feuillet, Zola décrit un accès de goutte, qui a sans doute servi de base pour le passage du début de chapitre II, où la goutte de Chanteau est présentée pour la première fois (p. 35 sq.). Deux feuillets plus loin [303], il indique en note dans la marge d'un des paragraphes : « fin du chapitre ». Les détails qu'il marque ici ont été utilisés justement à la fin du chapitre II (p. 64).

Au feuillet 308, il note : « Chanteau champ d'épreuve ». Dans le chapitre II du roman, nous lisons : « son triste corps finissait par être un champ d'expériences » (p. 36). Rien n'indique que les feuillets 309–311 aient été rédigés à une autre occasion, plus tard, que les feuillets 301–308. La note « fin du chapitre » permet sans doute de conclure que ces feuillets ont été écrits en rapport direct avec la rédaction du chapitre II. Si Zola avait rédigé ces notes plus tôt, il aurait sans doute nettement indiqué de *quel chapitre* il parlait ; rédigeant les notes en même temps que le chapitre II, il trouvait suffisant d'écrire « chapitre ». Nous pouvons donc conclure que ces notes furent rédigées quelques semaines après le 25 avril, date où Zola se mit à la rédaction du manuscrit définitif.

Il est à remarquer qu'on ne saurait guère dater plus exactement les notes par un examen scientifique des différentes sortes de papier des feuillets, puisqu'il arrive souvent que des notes qui forment évidemment une série soient écrites sur des feuillets de papier de différentes qualités. C'est ainsi que Zola se sert parfois de feuillets qui ont traîné deux ou trois ans dans ses tiroirs.[28]

Il semble que le feuillet 290 ait été écrit pour compléter les feuillets 301–311. Les informations qui s'y trouvent ont été utilisées dans le chapitre V. Zola parle au feuillet 290 de « La perle de l'oreille », d' « Une ankylose », et il cite d'après Garrod cette image expressive : « Rongé par un animal ! » Tout cela se retrouve dans le texte du roman (pp. 149–150). Nous pouvons conclure qu'il a pris ces notes immédiatement avant de rédiger son cinquième chapitre.

Le feuillet 312 contient certains renseignements pour lesquels il n'y a pas de renvois à Garrod. Ces notes sont postérieures à la rédaction du premier chapitre, puisqu'elles sont écrites au revers d'un feuillet rejeté du manuscrit définitif, où se trouvent quelques phrases à peu près identiques à deux périodes de l'avant-dernière page du premier chapitre.[29]

Malgré la documentation abondante qu'il a déjà recueillie, Zola éprouve, beaucoup plus tard, le besoin de compléter encore ses informations ; c'est alors qu'il écrit les feuillets 313–314. Il est on ne peut plus en retard, ce qui ressort de quelques mots écrits au revers du feuillet 313, lequel permet de dater assez exactement ces notes. Il s'agit, encore une fois, d'une lettre qu'il n'a guère fait que commencer : « Médan 7 nov. 83. » La dernière phase du travail documentaire a donc eu lieu juste avant ou même pendant la rédaction du dernier chapitre. Le manuscrit du roman fut terminé le 23 novembre 1883.[30]

Les notes qu'il a rédigées ici sont brèves et d'un style lapidaire. C'est comme si, avant la dernière description effrayante de la misère de Chanteau, il eût désiré fixer aussi éloquemment que possible les terribles symptômes du pauvre malade. En étudiant l'accouchement, il pouvait regarder, sur les planches, « la petite main qui s'agite et qui se cramponne à la vie ». Ici, il s'est penché de nouveau sur des planches – mais ce qu'il regarde maintenant, ce sont des mains et des pieds horriblement déformés : « La main déformée (76) . . . Autre main (95) . . . Pieds contrefaits 109 . . . [313]. Main et pied (106) » [314].

L'étude de ces planches et la notation concise de ces faits caractérisent en effet la méthode de Zola *in nuce*. Dans le texte du roman, il insérera ces faits, il les éparpillera dans l'action, il les utilisera dans les dialogues, dans les scènes, dans les descriptions minutieuses des souffrances de Chanteau. Et parfois, comme pour s'approcher encore plus brutalement de la vérité, il emprunte à sa source une métaphore que nous serions peut-être enclins à regarder comme une manifestation de sa propension à raidir et à aggrandir les effets jusqu'au grotesque : « Les membres craquent comme un sac de billes » [290]. Et la même note se retrouve au feuillet 313. Or, ce n'est pas le romancier qui invente, c'est le clinicien expérimenté qui décrit. Nous lisons en effet chez Garrod, qui relate un cas réel de goutte : « Lorsqu'elle étendait ou qu'elle fléchissait la jambe on percevait un bruit tout à fait semblable à celui qu'on ferait en secouant un sac de billes. »[31]

Dans le roman, cette métaphore est ainsi exprimée : « les quelques jointures qui jouaient encore à demi, craquaient comme si on avait secoué un sac de billes » (p. 334). C'est la même métaphore, un peu prolixe chez Garrod, mais chez Zola ramassée, succincte et presque choquante.

Les notes groupées sous la rubrique « La maison et le pays » [333–337] présentent un curieux mélange de documentation et d'imagination. Zola ajoutait souvent à quelques considérations sur le milieu concret, une ou deux esquisses à la plume.[32] Ici, il dessine la maison et donne nombre de détails sur les pièces : « Salle à manger. Meuble en chêne blanc. Table ronde au milieu, buffet en face de la porte. – – – Les deux chambres meublées d'acajou. Pour celle de Mme Chanteau une armoire à glace en palissandre. » Au feuillet 335 il y a un dessin de la cour et du jardin, et Zola fait la remarque suivante, qui, de quelques traits de plume, résume tout ce milieu maigre et aride :

Jardin potager et jardin de fleurs ravagés par la mer. Véronique les cultive et un peu un jardinier venu de Verchemont. Tout cela mal entretenu, brûlé, échevelé par le vent de mer. A peine quelque volaille, pas de chevaux dans l'écurie, cheval vendu,[33] une chèvre, quelques poules. Plus tard peut-être un âne. Qui le soignerait ? Véronique.

Zola dessine aussi les environs, surtout la plage [336]. Ici, nous trouvons quelques remarques sur les occupations imposées à Chanteau par sa qualité de maire – occupations qui figurent souvent dans l'Ebauche mais qui ne jouent aucun rôle dans le roman. Le feuillet 337 contient quelques informations sur Caen, Bayeux et Arromanches et sur Bonneville, qui est un produit de l'imagination de Zola et dont le site est ainsi fixé : « A dix kil. d'Arromanches, à 12 kil. de Port-en-Bessin ». Combien soigneusement sont combinées ici les cartes géographiques et la fiction ! On s'en rend compte « si l'on veut bien se souvenir qu'il n'y a qu'une dizaine de kilomètres d'Arromanches à Port-en-Bessin », comme le remarque Pierre Cogny.[34]

Le milieu que Zola crée ici a sans doute certains rapports concrets à la réalité. Dans un article – auquel est empruntée la phrase que nous venons de citer – Pierre Cogny révèle qu'à Bernières-sur-Mer, qui est situé dans cette partie de la côte, on vota, en 1857, 8 000 francs « pour une buse à clapet et 180 mètres de digue ». Douze ans plus tard, au mois de février 1868, « la mairie pouvait signaler que la mer avait été contenue par les travaux exécutés à la dune ». Pierre Cogny signale aussi un autre trait commun à Bonneville et à Bernières : « la présence d'une quantité de varech assez importante pour que Lazare ait pu, logiquement, songer à construire une usine de transformation industrielle de la végétation sous-marine ».[35]

Le projet reçut un début d'exécution et il serait intéressant à cet égard de consulter les Archives de la Préfecture du Calvados autour des années 80.

# 5

# Les seconds plans détaillés

Les premiers plans détaillés sont, pour ainsi dire, une table des matières. Il est vrai que ces matières sont réparties en douze chapitres, conformément aux intentions exprimées dans le plan sommaire, mais nous avons aussi pu constater que le romancier se contente, en principe, dans ces plans d'indiquer le canevas du chapitre.

Nous avons relaté plus haut par quel procédé et à quelle phase du travail les seconds plans détaillés sont rédigés. Les matériaux que Zola possède maintenant pour son roman, sont, on le sait, très amples. Il a l'Ebauche, le plan sommaire, les premiers plans détaillés, les *Personnages,* et, peut-être, une partie de la documentation. En poursuivant maintenant son travail, il a pour cadre, pour point de départ, pour ossature, les premiers plans détaillés, qui contiennent sans doute beaucoup de choses, alors que d'autres éléments importants, par exemple une grande partie de la documentation, n'y figurent que sous forme de renvois à des notes qui n'existent peut-être pas encore.

Les conclusions qu'on pourrait tirer d'une étude minutieuse de chaque plan de chapitre, nous entraîneraient trop loin de cette étude. Nous nous bornerons donc, pour chaque plan, à un ou deux aspects importants et d'une portée aussi générale que possible, pour obtenir ainsi une vue d'ensemble des procédés qui caractérisent cette étape du travail créateur. Dans cette étude, nous serons souvent amenés à comparer les seconds plans détaillés à la fois avec les premiers plans, et avec le chapitre correspondant du roman.

Guy Robert souligne que, comme la méthode du romancier le conduit à « poser les idées générales et les effets à obtenir avant d'établir l'intrigue, il arrive fréquemment que dans les premiers plans détaillés les divers épisodes sont encore mal mis en ordre ou se trouvent plus juxtaposés que fondus en un seul ensemble ». Il constate en outre que les seconds plans détaillés « offrent plutôt un travail d'organisation que de création ».[1]

Naturellement, les notions d'« organisation » et de « création » ne peuvent pas être très exactement définies, mais il n'en reste pas moins vraisemblable que l'utilité des seconds plans détaillés est l'organisation des matériaux. Nous verrons également que ces plans permettent parfois de pénétrer le mystère de la création chez un romancier dont l'imagination trouve toujours de nouvelles possibilités et de nouvelles combinaisons, souvent du plus haut intérêt.

## *Chapitre I [f. 4—9]*

(Pour le plan sommaire et le premier plan détaillé, voir pp. 48–50.)

Nous avons déjà souligné que le premier plan détaillé de ce chapitre diffère des autres de la série et que nous devons plutôt le regarder comme un « second premier » ou, si l'on veut, un « premier second », mais nous avons aussi fait observer que le *début* de ce plan est assez représentatif des premiers plans détaillés.

Nous commencerons notre étude de la seconde série par une citation significative qui montre bien comment les épisodes peu développés et encore mal ordonnés du plan détaillé précédent sont ici amplifiés et fondus en un ensemble épique cohérent :

Commencer par Chanteau attendant. L'heure du train passé[e]. Le poser, goutteux. Il échange un mot avec Véronique qui sort[2] (la poser), à propos du retard et se risque sur la terrasse. Elles ont dû s'arrêter quelques heures à Caen.[3] Dire pourquoi Mme Quenu [sic !] est à Paris, et depuis combien de temps. Pauline, etc. – Dire que Lazare est allé à la rencontre. Une ondée est tombée. La nuit va tomber. La mer basse, l'heure, le vent d'ouest.[4] – Puis, quand Chanteau est sur la terrasse, un mot de la maison, du jardin, de l'église, du pays. La grange pour mairie.[5] Il échange un mot avec le curé, qui passe sous la terrasse. – Véronique rentre, et elle parle des crainte[s] du village, si le vent était nord, danger. Nommer quelques habitants, la maison qui doit y rester.[6] Un grand ciel gris où les nuages courent ; la mer à l'horizon comme une ligne blanche, les roches et les algues découvertes, des galets et très peu de sable ; mauvais pour les baigneurs. Le vent passant sur cela, le ciel livide. – Véronique fait rentrer Chanteau, qui s'étonne que Lazare ne revienne pas. Le désordre, l'aigreur de la maison[7] [4].

Une comparaison détaillée entre ce plan et le chapitre correspondant, permet de remarquer avec quelle rigueur et quelle minutie Zola a suivi le plan qu'il s'est proposé. Il en sera toujours de même. Dans certains cas, le texte du chapitre présentera un changement dans l'ordre prévu. Ainsi, par exemple, les deux indications du milieu – « La mer basse, l'heure, le vent d'ouest » et, quelques lignes plus bas, « Un grand ciel gris . . . » etc. – seront fondues ensemble dans le chapitre (p. 9). Chaque chapitre présente des exemples de pareils changements ou regroupements, mais l'impression d'ensemble est très nette : les seconds plans détaillés organisent définitivement les matériaux.[8]

On dirait presque que l'imagination créatrice est en pleine activité lorsque Zola dresse le plan, et l'on supposerait volontiers que, derrière les quelques mots consacrés à chaque épisode, il y a déjà, dans l'esprit du romancier, des tableaux assez achevés, des descriptions et des peintures bien développées et qui n'attendent que d'être fixés tels quels sur le papier.

## *Chapitre II [f. 17—21]*

(Pour le plan sommaire et le premier plan détaillé, voir pp. 50–51.)

Il arrive qu'un épisode important et prévu de bonne heure soit soumis à des modifications répétées, pour devenir dans le texte définitif, un tableau ou une analyse dont l'apparente spontanéité ne le cède en rien à la force artistique. Voici un exemple de ce genre de développement. Depuis longtemps, Zola avait décidé de consacrer ce chapitre à l'enfance et à la puberté de Pauline. Un élément capital du récit devait être fourni par les premières règles de Pauline. Selon le premier plan détaillé, elle devait faire bonne contenance, puisque la nature elle-même lui avait donné un enseignement franc et sain : « Ce qu'elle voit, les bêtes, les petits de Minouche l'ont instruite » [28]. Mais dans le second plan détaillé, ce sont les livres et madame Chanteau que se chargent de cette initiation. Pourtant, le romancier hésite encore : est-ce que Pauline doit d'abord lire les livres, et, en conséquence, être avertie de ce qui va arriver, ou est-ce qu'elle ne sera pas avertie, ce qui aura pour résultat un choc, après lequel elle s'instruira elle-même ? Et la tante, quel rôle jouera-t-elle? Zola écrit : « Elle apprend tout. La puberté, sa tante qui l'avertit, [raturé : voir] savoir si elle le sait déjà, ou si c'est cela qui la jette dans l'étude » [20].

Il se décide pour la première solution : Pauline se renseignera d'avance. Il écrit, en rédigeant le chapitre, quelques feuillets [297, 299 et 300], où le docteur Cazenove exhorte madame Chanteau à parler à Pauline. Le médecin donne quelques exemples effrayants de ce qui peut arriver si, par pruderie, on se dérobe au devoir d'instruire les jeunes filles. Madame Chanteau entreprend, sans enthousiasme, cette tâche, elle parle à Pauline, qui, cependant, de l'air le plus naturel du monde, lui dit qu'elle sait tout, puisqu'elle a lu des livres.

Mais Zola se rend compte que ce serait un affaiblissement de sa pensée. Mieux vaut faire de Pauline un exemple de la nécessité d'une honnête éducation sexuelle. Il condamne donc les pages déjà écrites – chose très rare dans sa rédaction du manuscrit définitif – et compose une nouvelle scène, celle que l'on retrouvera dans le roman, où il fait éprouver le choc à Pauline. Cazenove a conseillé à madame Chanteau d'avertir sa nièce, mais elle se défend, puis promet de parler, et remet cela de jour en jour, jusqu'à ce qu'il soit trop tard (p. 56). Et c'est après ce choc que Pauline étudiera les livres – le *Traité de physiologie*, l'*Anatomie descriptive*. Cette solution est sans doute un progrès au point de vue pédagogique et artistique.

Zola apporte, dans le roman, un complément au second plan détaillé de ce chapitre : une peinture intensive, lyrique de Pauline devenant femme. On dirait un hymne destiné à mettre en relief les intentions de la scène dramatique dont nous venons de parler : « C'était la vie acceptée, la vie aimée dans ses fonctions, sans dégout ni peur, et saluée par la chanson triomphante de la santé » (p. 60).

## *Chapitre III [f. 29—35]*

(Pour le plan sommaire et le premier plan détaillé, voir pp. 52–53.)

Ce chapitre est le point de rencontre de nombreux thèmes importants. Les idées et les épisodes qui, dans le premier plan détaillé, n'étaient que juxtaposés, s'organisent dans le second, soit en se hiérarchisant, soit en s'opposant. Il faut donc s'attendre à ce qu'une comparaison entre les deux plans permette d'approfondir la connaissance des procédés de composition de l'auteur.

D'abord quelques mots sur l'Ebauche et la documentation. Zola constate qu'il est obligé de disserter, et avec précision, sur les algues ; il se demande même s'il ne faut pas indiquer les procédés et la méthode d'exploitation des plantes sous-marines [29]. Il ne cite encore aucune documentation – en rédigeant le chapitre, il puisera dans la lettre de Perrier, et les autres notes que nous avons vues.

Il en est de même de la tutelle. Après avoir terminé les premiers plans détaillés, il s'est procuré les renseignements nécessaires, et ces renseignements sont utilisés pour certains épisodes [33, 35], sans que le plan mentionne les notes documentaires. En entamant dans le plan la peinture de la névrose de Lazare, il renvoie aux feuillets 29, 30 et 31 de l'Ebauche [= 172–174], il parle du «premier degré de Lazare » [34] et de la conversation de Pauline avec Lazare sur la science, avec un renvoi au f. 32 de l'Ebauche [= 175].

Il se décide à commencer le chapitre par les études et les expériences enthousiastes de Pauline et de Lazare – prévues déjà dans le premier plan détaillé. Ce commencement se présente en effet comme le seul naturel, puisque le chapitre précédent se termine par la décision de la famille de réaliser le grand projet des algues :

> Les études et les expériences dans la grande chambre. Microscope. Instruments. Algues prises aux grandes marées, et rapportées. Les bocaux dont on encombre l'armoire, le piano couvert, la chambre envahie. Et Pauline s'occupant de tout cela, gaîment. « Mon associé. » Elle devient son préparateur. L'illustre Herbelin.[9] (Tout le détail sur les algues donné, voir même s'il ne faut pas indiquer les procédés, la méthode) [29].

Un autre épisode important sera, selon le premier plan détaillé, l'amour qui s'éveille entre Pauline et Lazare. Rien de plus naturel que l'enchaînement épique qui se présente maintenant : la prochaine phase du récit doit être la transformation toute naturelle de l'ancienne amitié en amour à partir de ce travail entre camarades et de rêves communs :

> Et attaquer alors l'analyse de l'amour chez Pauline et Lazare. Analyse délicate de cet amour, entre deux camarades, jusque là frère et sœur. Chez lui, pas de désir ; il continue à la traiter en sœur ; mais avec une vive affection, de la reconnaissance pour l'argent, de l'estime, presque du respect pour sa raison, son courage, sa bonté. Il l'aimera profondément, lorsque l'échec le rejettera sur elle ; et un trouble aussi, lors du mariage décidé. Donc, c'est chez elle qu'est l'étude du désir ; elle sait tout, elle lui a avoué ses lectures, ce qui a augmenté leur camaraderie – – – cela est à poser avant tout pour que rien ne reste secret entre eux, comme deux camarades. – Puis l'analyse de l'amour, du désir, soit qu'elle se trouble peu à peu. L'affection y est depuis longtemps, c'est le sexe, c'est la puberté qui agit – – – Mais tout cela honnête, tranquille, pondéré encore. – – –
>
> Le bain peut-être pour l'aveu muet [29–31].

Jusqu'ici, le récit sera empreint d'optimisme, éclairé de belles espérances et d'un bel amour de jeunesse. Mais le premier plan détaillé du chapitre prévoyait aussi des épisodes plus sombres, des contrastes annonçant déjà le cruel drame de famille. L'idylle sera peu à peu brisée.

Un premier revers nécessite de nouveaux apports, et c'est Pauline seule qui a de l'argent. Le mariage est décidé, madame Chanteau se dit : « Maintenant, qu'ils sont fiancés, on peut prendre la monnaie » [31]. Deux ans se passent. L'exploitation va mal, la fortune de Pauline est gaspillée.

Tout le travail de madame Chanteau, d'abord elle consulte Pauline avant de donner à Lazare, puis elle se cache, elle donne d'elle-même. Des sommes de plus en plus petites. Et elle finit même par prendre pour la maison – – – Alors l'analyse de la haine de Mme Chanteau pour Pauline, qu'elle dépouille ; se cache d'elle, trouver les phases.[10] Le secrétaire, cet argent qui avait fait le bonheur de la maison, qui semblait la rendre plus riche, et qui la ravage maintenant [32].

Par ce passage, un autre thème principal du chapitre est indiqué, conformément aux intentions exprimées dans le premier plan détaillé : « l'émiettement » moral de madame Chanteau. Elle remet le mariage, bien que Pauline ait dix-huit ans accomplis et que, par conséquent, elle puisse se marier, sans que le conseil de famille ait à demander de comptes.

Restent encore deux thèmes. Le premier était prévu dès le premier plan détaillé : « la première phase » de l' « émiettement » de Lazare, un des mots-clefs du roman. Elle se place logiquement ici :

Et toute l'analyse reprise (29, 30, 31 ébauche) du pessimisme.[11] Premier degré de Lazare. Ce qu'il perd, la gaîté.[12] Reprendre sa vie à Paris, philosophie de Schopenhauer, ses lectures, ses fréquentations. Le malade de nos sciences commençantes. Conversation avec Pauline contre la science (32).[13] Un garçon intelligent, qui a touché à tout. Mathieu repris, traits.[14] Oisiveté, ennui, de leur vie. La mer aimée ou détestée.[15] Et les reprendre tous les deux dans la grande chambre. Embarrassés des bocaux, ou non.[16] La musique reprise, où en est la symphonie [34].

L'autre thème principal est « le réveil du conseil de famille », qui demande des comptes, et la riposte de madame Chanteau, qui fait accepter au conseil le docteur Cazenove comme curateur. Devant lui, la reddition des comptes est faite, et par cette manœuvre les Chanteau se tirent d'affaire. Cette scène, telle qu'elle se présente dans le plan, et telle qu'elle se présentera dans le chapitre – est sans doute influencée par la partie de la documentation qui n'existait pas lorsque Zola rédigeait le premier plan détaillé du chapitre. Ici, à une phase assez avancée du travail, la documentation a donc sensiblement agi sur l'intrigue.

Le plan ne dit rien de la « cartouche colossale » qui, cent ans avant la bombe H, fut l'*ultima ratio* des pessimistes pour en finir avec cette

« vallée de larmes ». Zola se souvient de cette cartouche en rédigeant son chapitre ; elle y est bien placée, au milieu du raisonnement incohérent de Lazare de la banqueroute de la science et du suicide universel :

> Et, chaque fois, il partait de là, il concluait, les lèvres pincées d'un mauvais rire, que la science aurait seulement une utilité certaine, si elle donnait jamais le moyen de faire sauter l'univers d'un coup, à l'aide de quelque cartouche colossale (p. 90).

On ne trouve pas non plus dans le plan d'allusion au toast « A vos cent ans ! » que porte le docteur Cazenove, sans se douter que ce toast cordial éveille en Lazare toute sa peur de la mort et de l'anéantissement. L'émotion que provoque cet épisode vient en partie du rôle que joue Pauline dans ce contexte, mais surtout du contraste entre ce passage et ce qui précède. Le docteur Cazenove, le nouveau curateur, a approuvé les comptes, on a déjeuné, tout n'est que confort et bien-être, et sans qu'un mot soit dit, on songe au mariage des jeunes :

> – A vos cent ans ! continuait le docteur, qui avait pour théorie que cent ans sont le bel âge de l'homme.
>
> Lazare, à son tour, pâlissait. Ce chiffre jeté le traversait d'un frisson, évoquait les temps où il aurait cessé d'être, et dont l'éternelle peur veillait au fond de sa chair. Dans cent ans, que serait-il ? quel inconnu boirait à cette place, devant cette table ? Il vida son verre d'une main tremblante, pendant que Pauline, qui lui avait repris l'autre main, la serrait de nouveau, maternellement, comme si elle voyait passer, sur ce visage blême, le souffle glacé du jamais plus (p. 99).[17]

## *Chapitre IV [f. 45—49]*

(Pour le plan sommaire et le premier plan détaillé, voir pp. 53–54.)

L'épisode dominant de ce chapitre est la grave maladie de Pauline. De plus, dans le premier plan détaillé, Zola avait prévu pour ce chapitre la description des travaux de Lazare aux épis et de son amour pour Pauline. Dans le second plan détaillé du chapitre, il n'y a pas de détails sur la maladie. Les notes sur « l'angine gutturale » [42–44] dont nous avons fait mention plus haut, ne rendront service à Zola qu'au moment de la rédaction.

L'aspect le plus intéressant de ce second plan est l'organisation en faisceau de certaines idées qui étaient dispersées dans les différents plans précédents. Depuis longtemps, il a médité une promenade, pendant laquelle Pauline contracte une maladie. (Dans la quatrième esquisse de l'ancien plan : « Dans une promenade ensemble Pauline prend une maladie » [f. 390]). Or, en développant cette scène, dans le second plan détaillé, Zola la joint à une autre scène, qui a aussi des racines profondes dans l'ancien plan. Nous pensons à « la pose de la première pierre » – épisode sans doute disparu depuis longtemps, mais dont la signification est évidemment conservée dans un autre épisode d'une grande portée antithétique. A la première pierre est substituée « la première estacade posée » [47]. Après l'échec terrible de l'exploitation sur les algues, Lazare s'avise de protéger le village contre les ravages de la mer, nouvelle entreprise financée par Pauline. Lorsque, enfin, une équipe de charpentiers achève de poser un premier épi, Lazare, Pauline et Louise, par un matin sombre, vont assister « à la victoire des planches et des poutres, sous l'attaque des grandes eaux » (p. 117). Mais Lazare s'est déjà un peu épris de Louise, et en s'apercevant qu'il protège la jeune fille contre l'averse et qu'il y a beaucoup d'amour encore inconscient dans leurs attitudes Pauline est « prise d'une rage sombre, croyant recevoir au visage la chaleur de leur étreinte » (p. 119). Dans sa jalousie, elle s'expose au vent et à l'averse et contracte ainsi une grave maladie de la gorge. Ce qui devrait être pour Pauline un moment de profond bonheur, se transforme en une amère défaite personnelle.[18]

Mais le second plan détaillé présente encore un nouveau regroupement. Dans le premier plan détaillé, Zola constatait qu'il « faudrait ici poser le dernier fait qui va achever de ruiner Pauline » [53]. Il trouve maintenant la solution du problème : Pauline avance l'argent dont Lazare a besoin pour ses épis [46]. Ayant ces motifs : l'argent, « la première estacade posée », la promenade, l'amère découverte de Pauline, sa maladie – Zola les combine tous dans son plan définitif. Tous les motifs épars sont attirés dans le champ de force de l'imagination créatrice, où ils se disposent dans un parfait ordre psychologique et épique.

## *Chapitre V [f. 61—65]*

(Pour le plan sommaire et le premier plan détaillé, voir pp. 55–56.)

Dans ce chapitre, il est raconté comment madame Chanteau pousse Lazare et Louise dans les bras l'un de l'autre. Ensuite, la jalousie de Pauline est longuement dépeinte, alors que, d'un autre côté, Chanteau a une de ses terribles crises : « La crise de Chanteau continue, il hurle jusqu'à la fin du chapitre » [64]. Une des notes sur la goutte se retrouve d'ailleurs dans ce plan : « Seconde phase, les matières tophacées perçant partout » [63]. Mais c'est là plutôt une exception ; généralement, les notes documentaires ne sont pas transportées dans le plan. Zola, en rédigeant le chapitre, puise directement dans la documentation.

Aucun renvoi, dans ce plan, à l'Ebauche ou aux *Personnages.* Le plan se rattache assez intimement au premier plan détaillé ; ce que le romancier ajoute ici, ce sont des arrangements naturels, des développements de détails déjà indiqués.

... Puis reprendre en haut la convalescence, que je prolongerai par des fièvres intermittentes. Lazare restant à son devoir, mais fatigué, plus de goût, indifférent. Pauline s'apercevant de l'ennui avec lequel il la soigne. (Il couche dans sa chambre, laisse la porte ouverte.) – – – Enfin, Pauline va mieux. Mais dès qu'elle pourrait sortir (on travaille aux épis), une crise terrible de Chanteau. – – – Et là encore un cancan de Véronique, plus clair, dénonçant l'intrigue entre Lazare et Louise – – –. La surprise de Lazare et de Louise, en haut, dans la grande chambre sans doute. Il faut que Mme Chanteau empêche presque Pauline de monter pour prendre un médicament pour Chanteau, dans l'armoire. (Elle pousse Louise à Lazare). Donc Pauline les trouve, et presque en flagrant délit, sans qu'ils puissent nier. – – – Et elle chasse Louise, la poursuit jusque dans sa chambre : Allez-vous-en, allez-vous-en ! [62–64].

Mais nous pouvons aussi constater que ce plan détaillé ne résout pas la difficulté d'ordre psychologique : comment madame Chanteau poussera-t-elle Louise vers Lazare ? Le plan dit seulement qu'elle le fera, sans préciser comment. Dans le chapitre, la solution sera en effet aussi simple que naturelle et logique : madame Chanteau devient à demi-hystérique en entendant toujours les « hurlements » de son mari, et après avoir avalé son déjeuner « dans une exaspération nerveuse », elle se sauve, en disant : « Je ne peux pas, je me mettrais à hurler aussi. Si l'on me demande, je suis chez moi, à écrire ... Et toi, Lazare, emmène vite Louise dans ta chambre. Enfermez-vous bien, tâche de l'égayer, car elle a vraiment du plaisir ici, cette pauvre Louisette ! » (p. 154).

## *Chapitre VI [f. 71—75]*

(Pour le plan sommaire et le premier plan détaillé, voir pp. 56–58.)

Le plan, comme le chapitre, est entièrement consacré à la mort et à la maladie de madame Chanteau et aux réactions de Lazare. Evidemment, Zola n'a pas trouvé difficile d'entrelacer les deux thèmes, il y a dans [illegible] Marguerite ou Pauline (?)

Chapitre VII 83

Le retour, deux jours à Caen, et tout de suite une tempête. Même
[illegible]mps, plus violent même, que le jour de l'arrivée de
[illegible]auline. Les épis emportés, courte description, le néces-
[illegible]re pour l'effet. Les pêcheurs, ricanant d'abord, heu-
[illegible]ux de la victoire de la mer, qu'ils redoutent, mais qu'il[illegible]
[illegible]ment, contre ce petit bourgeois. — Elle se moque bien
[illegible] lui. — Puis, la mer emporte la moitié du
[illegible]llage. — Pauline et Lazare, avant même d'autres
[illegible]avant descendre (Véronique regarde, Chanteau aussi)
[illegible] comprendre la joie des pêcheurs devant le désastre,
[illegible] mots. — En vent et en conversation — Le village
[illegible]porté.

La rentrée, le premier soir. La maison vide.
[illegible] (?) Véronique troublée par la mort [illegible]
[illegible] Peut-être une nuit [illegible]
[illegible] pas encore. [illegible] La tempête [illegible]
[illegible] Pauline « dit-ce que je savais ! » [illegible] la lumière chez
[illegible], la première nuit, de la lumière [illegible]
[illegible] toute la nuit, Pauline la guette. La [illegible]
[illegible] du vide au premier étage.

Tout de suite la grande analyse de Lazare.
[illegible]abord, sur sa mère. Il s'éveille de son cauchemar

[illegible]trait du second plan détaillé du chapitre VII.



7—802357

le plan un équilibre qui est peut-être le résultat du caractère à peu près unique de ce chapitre. Zola y évoque maints cruels souvenirs personnels, qui semblent vibrer dans les formules :

> Et brusquement la maladie. Pas de brusquerie. Des irritations, des malaises. Puis elle garde le lit un matin, pas de souffrances, excepté à la fin. [Raturé : des souffrances la prennent, pas vives, seulement à la fin.] Et Lazare disant tout de suite : Elle est perdue, lors que personne n'est inquiet autour de lui. Le docteur n'a rien prévu.
>
> La scène où Lazare ne peut pas rester auprès de sa mère. Il ne peut pas la voir souffrir. Il a soigné Pauline, et il ne peut pas soigner sa mère : insister sur ce point. C'est Pauline qui s'installe aidée de Véronique.
>
> Alors journal d'une maladie [72].

Suivent alors nombre d'épisodes concrets qui ne figuraient pas dans le premier plan détaillé mais qui, sans doute, existaient déjà dans l'esprit du romancier, puisqu'il s'agit de souvenirs personnels très douloureux. Il y a, par contre, dans le texte du chapitre un épisode brutal qui n'est pas noté dans le second plan détaillé : la scène où madame Chanteau accuse Pauline de vouloir la déchirer avec les ciseaux.

Nous avons déjà fait remarquer de quelle manière Zola dans ce chapitre regarde Chanteau et ses réactions. A cet égard, il n'a rien à ajouter ici. L'attitude de Zola vis-à-vis de Chanteau se manifeste nettement dans ces mots : « Chanteau en bas, que fait-il ? » [73]. La réponse est donnée dans le chapitre, et l'on ne saurait guère se figurer une scène plus grotesque, mais qui – la chose doit être soulignée – n'est nullement ridicule : tandis que la maladie de madame Chanteau marche inexorablement vers son terrible aboutissement, le mari, au rez-de-chaussée, qu'il ne quitte d'ailleurs jamais, joue à un jeu innocent avec la chatte :

> Le médecin et le prêtre avaient trouvé Chanteau en train de pousser sur la table une boule de papier, faite avec un prospectus, encarté dans son journal. La Minouche, couchée près de lui, regardait de ses yeux verts (p. 184).

## *Chapitre VII [f. 83—89]*

(Pour le plan sommaire et le premier plan détaillé, voir pp. 58–59.)

Comme dans le premier plan détaillé, nous trouvons ici nombre de renvois à l'Ebauche et aux « phases » de la névrose de Lazare, procédé tout naturel puisque c'est dans ce chapitre que Zola rendra si brutalement compte de tous les symptômes de ses propres angoisses qu'il a décrits dans l'Ebauche et dans les notes sur Lazare. Aussi trouvons-nous ici plusieurs des formules fixes que nous connaissons depuis longtemps, ainsi par exemple au feuillet 84 : « Le fait tangible de la mort (Eb. 29). – – – Plus que trois, le trou creusé. – – – Là, le plus jamais – – – » Et quelques feuillets plus loin [88], sont mentionnés à nouveau l'ennui et le désespoir : « L'ennui au fond de Lazare – – – A quoi bon ? » Mais il y a aussi un nouveau détail assez important [87], et, comme tous les autres symptômes, de nature autobiographique : « La peur du mal héréditaire, il écoute les rouages de la machine, s'entend vivre, entend fonctionner chaque organe, et l'idée que tout va craquer – – – ».[19]

A Pauline aussi sont appliquées de pareilles formules fixes, véritables « épithètes homériques » :

Elle est tout pour les autres [86]. La joie de vivre, malgré les catastrophes ; elle se relève et relève les autres. La bonté gaie, toujours gaie, dans le bonheur de l'habitude, dans l'espoir du lendemain [87].[20]

## *Chapitre VIII [f. 94—98]*

(Pour le plan sommaire et le premier plan détaillé, voir pp. 59–61.)

Après la grande analyse consacrée à Lazare dans le chapitre précédent, Zola envisage maintenant d'exposer surtout les réflexions de Pauline, qui, après une lutte amère avec elle-même, se décide à abandonner Lazare à Louise :

Et alors analyse de Pauline. Le mariage dont on ne parle pas. – – – L'échec définitif de sa bonté. Sans force contre l'ennui de Lazare. Ce qu'elle pense de lui, tout en contraste, vague et flottant. Mais elle l'aime quand-même. Lui l'aime-t-il encore ? – – – Le plus tôt possible la pensée de rappeler Louise. Mais elle la repousse encore violemment, jalousement. Non ! non ! Et toute la lutte, la nuit, en face de la mer. Mettre cela s'il est possible *dans le train-train de la maison.* Certaines nuits, elle se vainc, elle fera écrire le lendemain à Chanteau. Puis, le jour, quand elle revoit Lazare, elle ne parle plus, elle repousse l'idée. Des journées s'écoulent. Et finir sur cette idée que Lazare ne l'aime plus peut-être (laisser un doute), qu'elle n'a pas le droit de faire son malheur, qu'il est strictement juste qu'elle rappelle Louise pour qu'il choisisse. – – – Enfin, c'est l'idée de l'argent qui la décide. Pour les projets d'avenir de Lazare, il faudrait de l'argent, et elle n'en a plus. La médiocrité, la gêne qu'elle lui imposerait. Il vaut mieux qu'il épouse Louise, d'autant plus que le père de Louise doit faire une situation à son gendre (elle le sait), une place à Paris, dans une maison d'assurances [95–97].

Les rapports psychologiques entre les trois jeunes gens sont exposés et analysés avec une grande sûreté dans le plan, que le texte du chapitre suivra de très près. Mais pour une des scènes les plus importantes – celle où Pauline révèle sa décision à Lazare – Zola remet à plus tard le canevas définitif : « Avec Lazare, autre scène (la trouver) », constatet-il, et il donne ensuite quelques détails [98], mais très peu, vu l'importance capitale de la scène. Cependant, il la « trouvera », et elle sera en effet ce qu'il rêve ici de réaliser : « Une scène simple et très poignante » [98]. Les pages où Pauline et Lazare rompent définitivement avec leur passé commun appartiennent sans doute aux passages les plus saisissants du roman (pp. 256–259). L'épisode aurait pu devenir sentimental, car il illustre le triomphe de la noblesse, de la magnanimité.

L'autre grande scène du chapitre, les réactions de Pauline pendant la nuit de noces de Lazare et de Louise, n'est que brièvement indiquée dans le plan, mais Zola l'a auparavant qualifiée de « pivot de tout le livre » [105], et il en voit les détails avec une si nette évidence qu'il ne se soucie pas de les formuler ici.

## *Chapitre IX [f. 106—112]*

(Pour le plan sommaire et le premier plan détaillé, voir pp. 61–63.)

Nous pouvons faire ici la même constatation qu'au chapitre précédent : Zola s'efforce d'obtenir un balancement rythmique entre récit et analyse. Le chapitre IX est un des plus importants ; l'analyse de la névrose de Lazare y est reprise avec de nouveaux aspects. Mais si Zola envisage une si profonde analyse, il est néanmoins évident qu'il désire continuer à mettre en lumière la psychologie de Lazare autant que possible au moyen de situations concrètes, de dialogues et de scènes. Comme toujours, il arrange maintenant les épisodes du premier plan détaillé de façon que le récit se déroule avec une logique irréprochable et que l'émotion épique et dramatique se maintienne tout le temps.

Au début du premier plan détaillé, il établit que tout le chapitre devait être l'analyse de l'émiettement de Lazare, mais d'un autre côté, le chapitre devait commencer par « le plat calme du village ». Ce sera le cas ici, comme dans le chapitre du roman. Le nouveau plan expose les renseignements à donner dès le début du chapitre pour peindre ce « plat calme » pendant les mois où Pauline, pleine d'abnégation, reste chez Chanteau. Puis, d'un coup, Lazare réapparaît :

> Une lettre brusque datée de Caen[21] annonçant l'arrivée de Lazare. Emotion de Pauline, elle ne sait même pas si Louise vient. Sa décision ferme de partir, mais elle ne veut pas avoir l'air de fuir.
>
> Arrivée de Lazare, en scène. Pauline lui demandant tout de suite : Et Louise ? Mais elle n'est pas avec lui, souffrante du septième mois de sa grossesse [106–107].

Dans ce qui suit, Zola ébauche les scènes où Lazare raconte à Pauline ses souffrances psychiques. Les courtes indications données au début du premier plan détaillé sont ici complétées par des notes puisées dans l'Ebauche et dans les *Personnages*. Le second plan détaillé prévoit qu'à partir de ces divers épisodes se développera la grande scène dramatique où l'amour entre Pauline et Lazare se rallume. Le premier plan détaillé connaissait déjà le cadre psychologique de cette scène, les impulsions qui devaient rapprocher les deux jeunes gens : « Lazare se reprend à aimer Pauline, parce qu'il recommence avec elle ses habitudes d'autrefois, reprendre les premiers chapitres, les revivre, et la perte qui les remet aux bras l'un de l'autre » [117]. Zola entre maintenant dans les détails de cette partie du chapitre :

Traiter tout ce passage le plus possible en scènes, en mettre trois ou quatre, se suivant logiquement et en progressant. – – – Enfance. Jeunesse. Une sera Boutigny[22] rencontré, en voiture, avec sa femme, la créature qu'il a épousée et dont il a des enfants. Riche, grosse fortune. Lazare et Louise [lire : Pauline] rentrent silencieux. – Une autre sera un grand trait de courage de Lazare qui sauve une petite fille, incendie ou autre, mort certaine [110].

Nous voyons donc comment Zola imagine différentes scènes qui découleront logiquement de certaines données extérieures et intérieures et qui, aussi logiquement, se développeront avec une intensité grandissante, pour aboutir finalement à un sommet de toute beauté. Une de ces scènes qui préparent « le point culminant du livre », est un incendie, où Lazare témoigne d'un très grand courage. Cet épisode remonte à l'ancien plan : « la pensée de la mort continuelle – – – arrêtant l'effort – – – puis du sang-froid dans le danger » [374], et l'épisode est là pour montrer que l'activité altruiste seule peut chasser la crainte de la mort.

Vient ensuite la grande scène, « le point culminant » :

Enfin arriver à l'amour, ils s'adorent, ils se désirent. Lui plus gai, avec plus de sang. Et une scène, un soir, dans la chambre. Ils ont pu veiller, enfin les mettre ensemble, pendant que toute la maison dort. Chanteau, Véronique. Et Pauline, à demi dévêtue doit se trouver dans ses bras. Elle s'abandonne, elle l'adore. Un baiser sur les lèvres.[23] Au bord de la faute. Son réveil brusque, elle se sauve dans sa chambre, à moitié déshabillée par lui [110–111].

La suite de la scène est développée avec la même ampleur. Cependant, dans le passage que nous venons de citer, Zola ne sait pas au juste *comment* « les mettre ensemble », mais le chapitre du roman offrira une heureuse solution. Lazare ouvre son cœur à Pauline, confessant qu'il a manqué sa vie ; si la littérature, à laquelle il voue maintenant son activité, craque sous ses pieds, il se retirera dans un coin, pour vivre en ermite. Mieux vaudrait s'expatrier, vivre la vie des sauvages, en Océanie.[24] Lazare et Pauline se plaisent à ce jeu, les souvenirs d'enfance et de jeunesse se réveillent, et, d'un coup, ce n'est plus un jeu ; un éclat de passion les mène « au bord de la faute ». Ce qui, dans les brèves indications du plan, semble un peu brutal – « Pauline, à demi dévêtue » – sera en effet raconté avec une grande tendresse, avec cette douloureuse compassion dont Zola colore si souvent la vérité psychologique de ses analyses. Cette scène se prête aussi à une autre conclusion : un épisode que Zola a depuis longtemps regardé comme capital, semble par là même l'inciter à faire appel à toutes ses forces d'imagination.

## *Chapitre X [f. 119—124]*

(Pour le plan sommaire et le premier plan détaillé, voir pp. 63–64.)

Ce chapitre est entièrement consacré à l'accouchement de Louise. Le plan, comme le chapitre, est un bel exemple des résultats fructueux qui peuvent provenir de la collaboration intime entre les faits et l'imagination – résultats qui sont en parfaite harmonie avec l'ensemble du récit et avec les données et les intentions dominantes du romancier. Les renseignements de nature technique qu'il s'est procurés lui suggèrent des idées qu'il développera dans le chapitre ; ils se glissent souplement dans l'action ou se rattachent facilement aux caractères des personnages. Nous avons déjà mentionné les effets que Zola tire des renseignements techniques concernant l'insufflation, et le sens symbolique qu'il prête à ce geste (f. 124 et p. 327). De même, le romancier aura l'occasion de montrer les réactions de Lazare dans une situation qui lui est sans doute fournie par ses lectures : le docteur Cazenove a besoin de lumière pour son opération, Lazare tient le bougeoir derrière lui, mais tremble si fort qu'il lui faut poser le bougeoir sur la table de nuit (f. 123, p. 321).

Comme c'est souvent le cas, certains épisodes assez importants du chapitre ne figurent pas dans le plan correspondant. Ainsi, le docteur Cazenove demande à Louise la permission « d'agir », c'est-à-dire d'effectuer la terrible version. « Votre vie nous est chère à tous, et si le pauvre petit est menacé, nous ne pouvons vous laisser ainsi davantage ... » Comme Louise ne répond pas, le médecin répète sa question, et reçoit cette réponse : « Tuez-moi, tuez-moi tout de suite. » Alors, le médecin fait obtenir par Lazare la permission d'agir (pp. 319–320). Toute cette scène semble inspirée par un passage d'un *Guide pratique* de Lucien Pénard.[25]

En traitant des sujets comme la naissance et la mort, Zola est toujours enclin aux antithèses symboliques. Le plan en prévoit quelques-unes. Au f. 124 : « La Minouche est-elle là, elle dont on jette les petits ». Au même feuillet, il est raconté comment Pauline emporte le nouveau-né à côté pour le ramener à la vie – ce qu'elle fait « dans cette chambre où sa [= de Lazare] mère est morte et où son enfant vient de renaître ». Dans le plan, Zola se demande s'il pourrait mettre ici « la révolte dernière de Pauline, la maternité qui saigne ... Amour maternel avant l'enfant, la joie d'être femme » [124]. Dans le chapitre, les deux scènes se suivront immédiatement (pp. 328–329).

Moins intenses mais tendant à peu près aussi manifestement au contraste sont les descriptions de Chanteau et du curé pendant ces heures. Le plan n'est pas très développé, mais dans le chapitre, Zola reproduira avec attention les attitudes de Chanteau, qui dort, qui somnole, qui s'éveille, qui tourne ses pouces. Lorsque, après la crise, l'abbé Horteur fera son entrée, il représentera l'indifférence ou plutôt l'impuissance de l'église devant les questions vitales : il arrive trop tard, mais au fond, nous comprenons que c'est par pruderie ou par préjugé qu'il s'est caché.

## *Chapitre XI [f. 129—134]*

(Pour le plan sommaire et le premier plan détaillé, voir pp. 64–65.)

Le second plan détaillé contient à peu près tous les détails qui se retrouvent dans le chapitre. Cependant, les notes sur la goutte, qui jouent ici un grand rôle, ne sont pas reportées dans le plan. L'atmosphère de la scène finale du livre est évoquée dès les premières lignes du plan :

> Finir par une scène, un samedi, dix-huit mois après. Le premier jour chaud de l'année. Le beau soleil, la mer en face, après un temps abominable, qui a fait beaucoup de sinistre[s] en mer.
>
> Donc, Pauline seule sur la terrasse avec Chanteau et le petit. Chanteau dans son fauteuil, le petit sur une couverture au soleil, *dormant*. (Pauline est sa marraine. Paul.)[26] La Minouche sur une fenêtre qui se lèche, Loulou au soleil.

Description de la goutte de Chanteau. Absolument ankylosé et contrefait. Ne peut plus faire un mouvement. Souffre sans arrêt. Sa plainte continue, sans qu'il s'en aperçoive. – – –

Et là, Louise à la fenêtre de l'ancienne chambre de Mme Chanteau où le ménage habite. Elle s'habille pour le soir, dîner du samedi avec le docteur et le curé, elle lit, se traîne paresseuse, ennui de la femme coquette devenue *mauvaise*. – – – [129–130].

Zola prévoit une scène de valeur symbolique : « Puis montrer les trois âges, le grand-père hurlant toujours, le père mangé, le fils qui est l'avenir, soigné par Pauline qui est l'espérance » [133]. Il trouvera, dans le chapitre, une heureuse expression épique pour cette pensée : le petit garçon de Lazare apprend justement à marcher, et Pauline le pousse d'abord vers Lazare, puis vers Chanteau :

Elle, vibrante de gaîté et de santé, le lançait toujours de l'un à l'autre, du grand-père obstiné dans la douleur, au père déjà mangé par l'épouvante du lendemain (p. 356).

Résumons les principales étapes du travail préparatoire de Zola. Dans l'*Ebauche,* il cherche à déterminer et déjà à coordonner les données fondamentales de son œuvre. A partir de la première idée de base déjà notée dans l'ancien plan – au sujet d'un roman qui traiterait de la bonté et de la douleur et dont le personnage central serait Pauline Quenu –, Zola élabore lentement une intrigue, esquisse les grands traits de ses personnages principaux et secondaires, constitue un milieu qui ne servira pas seulement de cadre extérieur mais jouera un rôle capital pour la philosophie de l'ouvrage.

Ensuite, tout en conservant l'Ebauche comme une sorte de grand « magasin » où il viendra souvent puiser, il compose un *plan sommaire* extrêmement bref des 12 chapitres qu'il projette (et qui seront plus tard ramenés à 11). Ce plan sommaire, comme nous l'avons vu, se borne à indiquer en quelques lignes le thème principal de chacun des chapitres.

Viennent alors les *premiers plans détaillés.* Chaque chapitre a le sien. Zola les compose à partir du plan sommaire et en utilisant les matériaux assemblés dans l'Ebauche : visions d'épopée, esquisses des personnages, suggestions concernant certaines analyses psychologiques, etc. A cette troisième étape le but de Zola est surtout de préciser le contenu de chaque chapitre, non d'ordonner ses matériaux en une unité épique. Souvent il lui arrive de noter un épisode possible – mais sans entrer dans le moindre détail : « Une promenade, ou un autre cadre simple »

[24], « des scènes simples et puissantes » [38], « un bain de mer peut-être » [51]. Ailleurs il laisse une question pendante : «Chasse-t-elle Louise, ou exige-t-elle qu'elle parte » [67].

Ces plans ont en commun des formules brèves concernant les personnages, leur psychologie et leur fonction symbolique : « Pauline toujours gaie » [15], « Rôle du chien et du chat, voir portraits » [passim], « Pauline est la joie de vivre » [26], « L'ennui est au fond de Lazare » [93]. Non moins caractéristiques sont les annexes qui se retrouvent à la fin de chacun de ces plans ; elles ont évidemment été rédigées une fois tous ces plans terminés, et elles forment pour ainsi dire la transition entre les premiers plans détaillés et les seconds.

Les annotations intitulées *Personnages* résument et précisent quelque peu certains traits physiques ou moraux que Zola avait déjà imaginés dans l'Ebauche et dans les premiers plans détaillés. En écrivant le manuscrit définitif du roman, Zola reviendra à ces annotations et les reproduira, parfois mot à mot, dans son texte.

La *documentation* est, comme nous l'avons signalé, de nature variable. Elle est souvent assez tardive et, contrairement aux théories professées par Zola, elle ne constitue aucunement le point de départ des personnages et de l'intrigue. Certains des faits recueillis sont directement intégrés dans le texte ; d'autres sont utilisés par l'auteur pour assurer l'exactitude des détails de la narration. Souvent les citations extraites des livres consultés sont textuellement reproduites.

Enfin, dernière étape, les *seconds plans détaillés*. Chacun d'eux correspond exactement à un chapitre du roman. Les matériaux déjà dégrossis dans l'Ebauche et dans les premiers plans détaillés s'enrichissent ici, chapitre après chapitre, de nombreux détails et, en règle générale, Zola choisit entre les possibilités qu'il avait simplement juxtaposées dans le premier plan. Mais, ce qui est le plus remarquable, c'est la façon dont ces seconds plans détaillés ordonnent les matériaux : le principe organisateur est d'ordre épique, dramatique ou psychologique. Chaque chapitre du roman suit de très près le second plan qui lui correspond, et la plupart des épisodes se succèdent dans le même ordre.

Grâce à ces plans l'inspiration du romancier dispose d'un sol ferme et fécond ; leurs brèves formules sont les humbles semences d'où l'imagination créatrice de Zola fera s'épanouir, comme une végétation luxuriante, le texte définitif du roman.

# 6
# La rédaction du manuscrit

Zola a toujours attaché un grand prix à l'architecture de ses œuvres. Rien de surprenant à cela, puisqu'il est resté toute sa vie romancier feuilletoniste, en ce sens que ses romans ont été écrits pour des journaux. Dans une lettre datée du 10 septembre 1897, il donne à son éditeur suédois des renseignements sur *Paris,* roman qui, dit-il, « aura vingt-cinq chapitres, de longueur à peu près égale ». Dans une autre lettre au même destinataire et datée du 28 octobre 1900, il donne quelques précisions sur *Travail,* qui se composera « de trois livres, de cinq chapitres chacun, en tout quinze chapitres, et il sera un peu plus court que *'Fécondité'* ».[1] Ce ne sont pas là seulement des constatations de faits ; écrivant pour les journaux, Zola était habitué à tirer à la ligne, ce qui ne l'empêchait pas d'avoir le souci de son art. C'est ainsi qu'il faut interpréter quelques chiffres, en apparence griffonnés un peu au hasard, au revers du feuillet 390 : dans les multiplications : 12 × 30, 12 × 20, et 12 × 25, le chiffre 12 signifie sans doute le nombre des chapitres prévus. Le résultat définitif de ces hésitations est noté au feuillet 390 : « Des chapitres de 30 pages (12). »

C'est le mercredi 25 avril, que Zola s'attaque à la rédaction du manuscrit définitif du roman sur Lazare et Pauline. Il s'y met – à s'en tenir à ses propres paroles à de Amicis – tranquillement, méthodiquement, montre en main. La corvée est exactement mesurée – trois pages d'impression par jour, ni plus, ni moins. Il travaille le matin seulement.

> J'écris presque sans ratures, parce qu'il y a des mois que je rumine tout ; et, dès que j'ai écrit, je mets les pages de côté et je ne les revois plus qu'imprimées. Je puis calculer infailliblement le jour où j'aurai fini.[2]

Le travail se poursuit à cette cadence égale et mesurée, sans ces élans d'inspiration que l'on attribue souvent à la création artistique – mais aussi sans moments trop manifestes de dépression ou de désespoir. Après deux semaines, le 10 mai, il a achevé le premier chapitre : « Rien, ici ; je travaille, j'ai déjà abattu le premier chapitre de mon bouquin », écrit-il à Huysmans.[3] A la fin de juin, sa femme et lui quittent Médan pour se rendre à Bénodet, où ils vont passer quelques semaines de repos. Dans une lettre à Céard, il se plaint du voyage extrêmement fatigant et de leur déception de ne pas trouver la mer sous les fenêtres, « mais seulement un bras de mer, quelque chose qui ressemble à Charentonneau, avec une Seine géante ». Mais après une semaine, leur impression a bien changé, ils trouvent que le pays est superbe. C'est un milieu qui ressemble à celui du roman :

A quinze minutes, nous avons une plage de sable d'une lieue, du sable à perte de vue, sans une pierre. Et une mer formidable. – – – Vous savez que je travaille partout, eh bien ! l'air est tellement autre ici, que je ne sens plus mes phrases d'aplomb.[4]

A Bénodet, il écrit deux des plus importants chapitres du roman, le sixième et le septième, c'est-à-dire la mort de madame Chanteau et la grande analyse de la névrose de Lazare.[5] De retour à Médan, il a d'autres soucis : il a promis à l'Ambigu une pièce, *Pot-Bouille,* à laquelle il travaille maintenant, au mois d'octobre, chaque soir jusqu'à deux heures du matin.

J'ai un mal de chien, je vous expliquerai cela. Et, comme je ne veux pas lâcher mon roman le matin, de façon à m'en débarrasser et à rentrer à Paris, je travaille à la pièce le soir, ce qui me prend mes journées entières.[6]

On attend avec impatience son nouveau roman. Un éditeur suédois veut bien traiter pour la traduction de la *Joie de vivre,* mais il a des inquiétudes au sujet de la morale. La réponse de Zola est d'une juste fierté lorsqu'il souligne l'intention morale du roman. Dans cette réponse, il est aussi intéressant de noter qu'il permet au traducteur de faire n'importe quelles coupures :

Médan 25 sept. 83. Monsieur, Il m'est complètement impossible de communiquer le manuscrit de la *Joie de vivre,* d'abord parce que je n'en ai pas de copie, ensuite parce que je n'ai jamais fait ça pour personne. Mon nom a suffi jusqu'à présent pour traiter ces affaires de traduction.

Dites à votre correspondant que l'œuvre, sous le rapport de la moralité, n'offrira aucun danger. Il s'agit de l'histoire fort louable d'une jeune fille qui se dévoue pour les siens et leur donne tout, son argent et son cœur. Du reste, si quelques passages déplaisaient, le traducteur pourrait les couper.

Puisque vous m'écrivez, je désire connaître vos intentions, car j'ai déjà reçu des offres pour la Suède. Veuillez me dire le plus tôt possible si vous comptez traiter avec moi, de façon à ce que je puisse me décider tout de suite. Agréez, monsieur, l'assurance de mes sentiments distingués. Emile Zola.[7]

Le 23 novembre il achève le roman, à Médan, et trois jours plus tard il rentre à Paris pour assister aux répétitions de *Pot-Bouille.*

Le *Gil Blas* a déjà fait de la réclame pour le nouveau roman, qu'il va publier en feuilletons. La publication commence dans le numéro du 29 novembre 1883 et prend fin dans le numéro du 3 février 1884.

Comme toujours, la publication en volume ne se fait pas attendre. Le 7 mars 1884, la *Joie de vivre* est annoncée dans le bulletin de la *Bibliographie de la France*.[8]

« J'écris presque sans ratures », nous informe Zola. Oui, le manuscrit corrobore sans doute cette assertion. Les hésitations et les corrections y sont rares, et la plupart d'entre elles visent à substituer un mot ou une phrase à un autre mot, à une autre tournure. D'ailleurs, il ne s'agit souvent que de corriger ou de préciser un fait : « trente → trente-cinq » [1] ; « trois mois → six mois » [4] ; « il appela le charpentier de Verchemont → d'Arromanches » [239].[9] Le chien Mathieu, qui couche d'abord « dans la cuisine » est placé « sous la table de la cuisine » [195]. On pourrait sans difficulté multiplier les exemples de ces modifications, qui ne prouvent pas un souci particulier du style chez Zola.

Pour un grand nombre de substitutions de mots ou de phrases, on essaierait en vain de trouver des raisons artistiques absolument évidentes. Pour d'autres, il s'agit tout simplement de corrections d'ordre grammatical : « j'ai craint qu'il était → qu'il ne fût » [12], ou d'une incertitude de temps : « Il s'était approché pourtant, il avait mis un baiser sur le front en sueur de sa femme, qui ne paraissait → semblait → paraissait → parut même pas avoir conscience de cette caresse encourageante » [501]. Pour d'autres corrections encore, il apparaît que le romancier a voulu éviter une construction peu euphonique : « la musique qui les *em*portait *en*semble → soulevait ensemble » [148] ; et, au feuillet 208, pour éviter sans doute une fâcheuse répétition de verbes réfléchis : « Lazare, un matin, *comme le jour se levait,* s'étonna » → Lazare, un matin, *au lever du soleil,* s'étonna ».

Plus intéressants peut-être sont les efforts de Zola pour obtenir autant de concision et de pittoresque que possible. Il est toujours à la recherche des détails qui peignent le personnage, la situation, le milieu. Dans le premier chapitre, où nous faisons la connaissance de Chanteau, celui-ci est « gros et court », ce qui est changé en « court et ventru » [4], expression plus colorée. La petite Pauline, que Chanteau attend avec une si grande impatience, « avait de la fortune », dit Zola d'abord ; puis, il précise : « héritait de la charcuterie » [4]. Le cocher qui conduit madame Chanteau et Pauline à Bonneville, un vieil homme à jambe de bois, est d'abord un « ancien marin », mais Zola précise sa position sociale : « ancien matelot » [10]. Lorsque ce bonhomme est arrivé avec madame Chanteau et Pauline, la jeune fille dit à Véronique de « donner un verre de vin » à Martin, phrase que Zola change en : « tu vas monter une bouteille de vin pour Martin » [12]. Quand on s'est mis à table, Chanteau, très gourmand, touche à peine au bouilli, « se réservant pour la viande ». Zola précise : « se réservant pour le gigot » [19]. Et pour communiquer au lecteur l'impression d'immensité que donne sans doute le gros chien à la petite Pauline, ce n'est plus « sa grosse tête », comme l'écrit Zola d'abord, que pose Mathieu sur le petit genou de l'enfant, mais « sa tête énorme » [21] ; puis, après avoir « bu le morceau de biscuit » que Pauline lui tendait, il « en demandait encore », phrase que Zola rature, pour préciser : « il demandait un autre morceau » [22].

Pour indiquer l'infirmité de Chanteau, qui, au chapitre III, n'est pas encore cloué définitivement sur son fauteuil, Zola dit d'abord qu'il « monta derrière elle, péniblement ». Une légère modification rend le tableau vivant, comme plein de la souffrance du goutteux : « monta derrière elle, en s'aidant de la rampe » [155]. Le même souci de l'impression visuelle se manifeste dans la modification opérée dans l'exemple suivant, où il s'agit de la convalescence de Pauline : « Son grand plaisir lorsqu'elle put se tenir à la fenêtre, fut de ... → Son grand plaisir lorsqu'elle put se tenir debout et s'accouder à la fenêtre, fut de ... » [237]. La préoccupation du style se fait aussi remarquer dans la recherche du mot propre : *mettre,* comme trop anodin, est remplacé par *empiler :* « Sans répondre, madame Bouland [= la sage-femme] tapait les oreillers, les mettait l'un sur l'autre → les empilait l'un sur l'autre » [501]. Et lorsque Lazare a eu une de ses premières explosions de pessimisme et de misogynie, Pauline songe, la nuit, à ce qui s'est passé : « un soir, à table, il s'était écrié qu'il allait partir pour l'Australie ». Mais le verbe, trop fade dans ce contexte, est remplacé : « il s'était écrié qu'il allait filer en Australie » [176].

Le resserrement et la concision de la phrase préoccupent toujours Zola, et il s'agit tout d'abord de la suppression d'adjectifs et d'autres qualificatifs dont il se sent embarrassé. Aux seize premiers feuillets, on peut signaler, entre autres, les suppressions suivantes : « fureur froide → colère » [2] ; « une déchirure étroite → une déchirure » [6] ; « très blanche → blanche » [10] ; « la main glacée brusquement → la main glacée » [10] ; « la bonne grâce de Pauline → la grâce de Pauline » [11] ; « les regardait avec pitié → les regardait » [12] ; « une succession pressée de nappes → une succession de nappes » [16]. – Mais il y a aussi le soin d'abréger les phrases, soit pour obtenir plus de force, soit pour rendre la phrase plus coulante, plus souple. « Du reste, ce jour-là, elle paraissait très oppressée, prise d'étouffements → elle suffoquait, prise d'étouffements » [265] ; « Aussi, malgré ses efforts, Pauline souffrait-elle beaucoup pendant le séjour de Louise → Aussi, malgré ses efforts, Pauline souffrait-elle beaucoup de la présence de Louise » [69]. L'abrègement peut se réduire à changer « on donnerait la signature » en « on signerait » [155] ; « semblait se laisser convaincre par ses bonnes raisons » devient « semblait convaincu par » [555] ; « mais, en vérité, cela finissait par être immoral, d'encourager ainsi le vice » devient « mais, en vérité, cela devenait immoral, d'encourager ainsi le vice » [171]. Parfois, on peut constater trois étapes : « lorsque le dessert fut servi → lorsque le dessert parut sur la table → lorsque le dessert parut » [21]. La première version est correcte et abstraite ; la deuxième vise à la concrétisation ; la troisième au resserrement, en gardant la concrétisation.[10]

Comme les épreuves corrigées du *Gil Blas* n'ont pas été conservées, il faut comparer le manuscrit et le texte imprimé dans ce journal pour se rendre compte à quel point Zola poursuit les intentions stylistiques qui se manifestent dans le manuscrit. Bien plus, il n'y a pas que cette transition du manuscrit à la première publication qui soit à cet égard riche d'enseignements : pour la publication en volume, Zola corrigea à nouveau le texte du *Gil Blas*. Ces corrections sur épreuves ont été étudiées par Robert J. Niess, qui, dans une étude publiée dans « Modern Language Notes », donne quelques bons exemples de corrections et de modifications faites par Zola.[11]

Le texte de la première édition (P. E.) est à peu près identique à celui de l'édition Bernouard (E. B.). Les quelques petites différences que l'on peut constater entre ces deux éditions peuvent se répartir en quatre catégories :

1) Des modifications d'ordre purement formel. Ainsi, les « monsieur », les « madame », les « gaiement » de la P. E. deviennent, dans l'E. B., « M. », « M^me » et « gaîment ».

2) Des inadvertances ou des fautes d'impression, très peu, de la P. E., corrigées dans l'E. B.

3) Des inadvertances ou des fautes d'impression propres à l'E. B.

4) Des modifications rédactionelles, très peu, opérées par Zola ou par quelqu'un d'autre après 1896. (De toutes les éditions parues du vivant

de Zola, celle de cette année, identique à celle de 1884, est la plus récente que nous ayons pu consulter.)[12]

Revenons aux revisions et aux corrections faites par Zola lui-même pour le *Gil Blas* et, plus tard, pour la première édition. L'étude de ces deux phases de revisions et de corrections permet de conclure que les soucis de Zola sont toujours, d'étape en étape, orientés vers les mêmes buts.

Il y a lieu de souligner d'abord que presque toutes les corrections portent sur des détails. Ce sont les dernières phases de l'effort artistique : il s'agit soit de préciser ou de fortifier les expressions par une touche de couleur plus vive ou par une notation plus exacte, soit de supprimer ou de resserrer tout ce qui lui paraît long ou prolixe. Ainsi, dans le manuscrit, Véronique accuse madame Chanteau de « dire du mal des autres », ce qui est changé, dans le *Gil Blas,* en « cracher sur les autres ».[13] Dans le manuscrit, Lazare étreint Louise « dans ses bras » – mais Zola qui veut suggérer la jalousie éveillée en Pauline par l'amour de Lazare pour Louise, fortifie l'expression : « Lazare étreignait Louise défaillante ».[14] La première édition du roman révèle le même souci d'expressivité, comme le souligne M. Niess. La peur de Saccard qui « prenait » Chanteau, devient : « La peur de Saccard [qui] travaillait Chanteau » ; et Véronique, qui, dans le *Gil Blas,* « prenait » le plumeau, le *brandit* ici : « Et Véronique – – – brandissait le plumeau pour achever le ménage ».[15]

Pourtant, la plupart des corrections sont des suppressions de mots ou de phrases. Il est très rare que Zola biffe des périodes entières, comme il le fait pour le *Gil Blas* dans le chapitre IX : « Lui, ne pouvait même formuler des accusations nettes, ce n'était que des irritations inexplicables, une rancune entre eux. »[16] Plus significative paraît, dans la scène finale du manuscrit, la suppression du passage suivant lequel ne se retrouve pas dans le feuilleton du *Gil Blas :* « mais, si le monde était douleur, elle qui apportait la charité, s'entêtait à aimer la vie, car elle se disait trop bien portante pour être triste ».[17] Sans doute, Zola, en corrigeant les épreuves, a-t-il trouvé la phrase emphatique.

La méfiance des adjectifs et des autres qualificatifs se manifeste à toutes les étapes ; ainsi, pour les colonnes du *Gil Blas,* ses corrections vont dans le même sens que celles du manuscrit : « les sauts brusques de son caractère → les sauts de son caractère » ; « elle avait l'immense besoin d'être très bonne → elle avait le besoin d'être très bonne » ;

« petite maison → maison » ; « toutes ses forces s'en allaient → ses forces s'en allaient ».[18] Il expulse des expressions comme : « d'un pâle sourire » et « frappé au cœur ».[19] Les mêmes tendances se retrouvent dans la première édition : il supprime des adjectifs : « d'un effort nerveux → d'un effort » ; « au milieu de ses plaintes continues → au milieu de ses plaintes » ; « se trouva brusquement en face d'elle → se trouva en face d'elle » ; « d'un malaise nerveux → d'un malaise ».[20] Et, comme dans le *Gil Blas,* il est sévère pour les expressions qui peignent les états d'âme des personnages : « le regard fuyant, l'air gêné → le regard fuyant » ; « Pauline désespérée, le cœur meurtri → Pauline désespérée » ; « il y avait la sourde terreur du passé → il y avait la terreur du passé » ; « très pâle encore, désespérée et le cœur saignant → très pâle encore, désespérée » ; « il s'était levé, dans un besoin nerveux de mouvement → il s'était levé ».[21]

Les observations précédentes sur la nature des préoccupations stylistiques de Zola sont confirmées par l'étude de M. Niess. Quand Zola compose un roman, le texte prend dès l'abord, pour l'essentiel, sa forme définitive. Selon M. Niess : « no extended revision is attempted and no re-arrangement of a chapter or even of a full page is evident ».[22] Ce qui vient s'y ajouter par la suite est une refonte minutieuse des détails stylistiques, refonte que l'auteur ne considère jamais comme définitive. Il a voulu réaliser l'idéal qu'il s'était proposé dès l'ancien plan. Comme Niess le rappelle justement, Zola était « primarily interested in the creation of a simple, logical prose which should have as its principal aim the exact expression of his thought ».[23]

DEUXIÈME PARTIE

# *Les personnages du Roman*

8—802357

# 1

# Description extérieure et analyse intérieure des personnages

Il est généralement admis que Zola n'a guère su créer de personnages comparables, par exemple à Anna Karenine, à Madame Bovary ou à Mr Micawber. Même les plus vivants, les plus individualisés d'entre eux souffrent d'une certaine lourdeur et demeurent un peu abstraits. Il serait naturellement faux de voir là le résultat des théories générales de l'auteur : aucune théorie, si bizarre soit-elle, n'a jamais empêché l'éclosion d'une grande œuvre d'art. Bornons-nous à constater que Zola n'avait pas le même don que Tolstoï, Flaubert ou Dickens pour animer des personnages jusqu'à leur donner une existence irréductible et quasi autonome.

Dans son étude sur la *Terre,* Guy Robert souligne que « pas plus dans ce roman que dans ses autres œuvres, Zola n'est un grand créateur d'êtres vivants. Son domaine propre se trouve dans la représentation de la vie collective ou dans l'évocation des forces profondes qui animent son univers de poète . . . »[1]

Sans doute, il est peu problable qu'un lecteur de l'*Assommoir* oublie jamais la blanchisseuse Gervaise. Mais ce qui reste dans notre mémoire, c'est vraisemblablement plutôt son histoire, sa tragédie, que la sensation tangible de sa personne, de sa manière d'être, de penser, de sentir. Elle est devenue une sorte de précipité d'un collectif de misère, et c'est à ce collectif qu'elle semble à jamais associée. On peut en dire autant de ses enfants Nana et Etienne. Leur individualité est soumise à leur milieu, à leur monde. Peut-être quelques lecteurs de l'*Œuvre* trouveraient-ils pourtant que le fils aîné de Gervaise, Claude, possède plus de vérité, plus de vie nuancée que son frère et sa sœur.

Pourtant, la valeur d'un romancier ne se mesure peut-être pas seulement à sa capacité de créer des types inoubliables. Elle dépend tout autant de ses dons d'observation et de pénétration psychologique, où excellent tant de romanciers français qui bénéficient de leur héritage classique.

On a souvent affirmé que Zola n'est pas sans faiblesse, même à cet égard. Lanson trouve que « la psychologie des romans de M. Zola est bien courte. – – – Persuadé qu'il tenait tout l'homme, il n'a rien cherché dans la vie humaine au delà des accidents de la névrose et des phénomènes de la nutrition. »[2] C'est là un jugement assez curieux. La plupart des romans de la série des Rougon–Macquart manifestent en effet une connaissance peu ordinaire du jeu des instincts et des sentiments, une pénétration psychologique des plus puissantes et une aptitude incontestable à juger les actions humaines. Il est vrai que certains de ses personnages sont absolument dominés par leur *faculté maîtresse* – procédé poussé parfois jusqu'au grotesque ou du moins au monotone. Nous trouvons dans la *Bête humaine* des exemples de ce procédé un peu fatigant. Mais, en fin de compte, il n'y a rien d'illégitime dans cette tendance à peindre des gens qui, d'une manière ou d'une autre, s'écartent de la moyenne normale – surtout quand le procédé est appliqué avec logique, comme c'est le cas pour Lazare.

En face des personnages de la *Joie de vivre,* Zola apparaît comme un auteur omniscient. En principe, rien ne lui est caché, c'est lui qui sait, lui qui voit, lui qui dirige. Il conduit lui-même ses lecteurs de scène en scène, d'homme à homme, sans s'imposer par des commentaires subjectifs. Il décrit, rapporte, analyse avec une exactitude rigoureuse. Le texte est presque entièrement présenté par l'auteur comme pourrait le faire un chroniqueur. La psychologie est celle de l'auteur. Il y a cependant quelques rares exceptions à cette règle : lorsque Zola a quelque chose à raconter sur les pêcheurs du village, les faits sont souvent présentés par les personnages principaux. Il en est de même du jugement porté sur les pêcheurs et de l'interprétation de leur rôle moral ; ce sont alors généralement les opinions subjectives et partiales des Chanteau, de l'abbé, et de Véronique qui sont présentées au lecteur. Il y a là une autre psychologie que celle de l'auteur.

Mais, pour l'essentiel, la *Joie de vivre* est un bel exemple de roman réaliste et naturaliste où tout le récit et toutes les analyses émanent de la perspective strictement objective de l'auteur-rapporteur.

En présentant un personnage, Zola se rapproche toujours de lui d'une manière très simple et directe. Il commence le plus souvent par un court portrait physique, il esquisse quelques caractéristiques souvent assez banales, puis, le cas échéant, nous laisse pénétrer dans sa psychologie. Par la suite, il se tiendra peut-être exclusivement à l'extérieur. Il arrive que Zola n'entre jamais dans la conscience d'un personnage ; il reste tout le temps un spectateur et se borne en conséquence à décrire les gestes, les mots, les actions. Mais il arrive aussi que, sans abandonner la description extérieure, il signale ou même analyse les pensées et les sentiments de ses personnages. Par le mot *analyse,* nous désignerons exclusivement par la suite les descriptions assez détaillées et nuancées des sentiments qui animent un personnage. Il ne s'agira donc pas d'analyse quand Zola, simple spectateur, nous apprend par exemple qu'un personnage s'irrite ou se réjouit.

Dans la *Joie de vivre* l'auteur se sert des deux méthodes – la description du comportement et l'analyse psychologique. Il y a là trois personnages qui, certes, sont caractérisés par leur réactions extérieures, leurs gestes et leurs paroles, mais qui, en même temps, sont l'objet d'analyses souvent très pénétrantes. Ces trois personnages sont Lazare, Pauline et madame Chanteau. Mais il y a aussi cinq personnages entièrement décrits par leur extérieur, c'est-à-dire que tout ce qui nous renseigne sur leur vie intellectuelle et sentimentale est manifesté par leurs réactions visibles, par leurs manières d'agir, de réagir, de parler. Ces cinq sont Chanteau, Louise, Véronique, le médecin et l'abbé. Tous les personnages secondaires sont traités de la même manière.

Reste à savoir comment Zola parvient à unir, sans heurt, ces deux méthodes.

Nous avons déjà fait remarquer que *la présentation* d'un personnage est toujours simple et directe. L'auteur nous donne ses impressions visuelles, formulées en quelques traits caractéristiques, lesquels étaient déjà fixés, pour l'essentiel, dans les notes sur les *Personnages.* Dès le premier chapitre sont ainsi présentés Chanteau, Véronique, madame Chanteau, Lazare, l'abbé Horteur et Pauline. Caractéristique de ce mode de présentation directe est le passage suivant, qui se réfère à Lazare :

> Mais, à ce moment, un grand garçon de dix-neuf ans franchit d'une enjambée les trois marches du perron. Il avait un front large, des yeux très clairs, avec un fin duvet de barbe châtaine, qui encadrait sa face longue (p. 11).

Par là est fixé l'extérieur de Lazare, et Zola ne revient plus guère par la suite sur les descriptions de ce genre, sauf s'il veut insister sur un changement direct des dehors d'un personnage. C'est le cas pour Lazare, au IXe chapitre, quand le jeune homme rentre à Bonneville après plus d'une année d'absence. C'est alors par les yeux de Pauline que nous constatons que Lazare a vieilli :

Du reste, dans sa gaîté, il y avait une tristesse, celle de retrouver Lazare vieilli, l'œil éteint, la bouche amère. Elle connaissait bien ces plis qui lui coupaient le front et les joues ; mais les rides s'étaient creusées, elle y devinait un redoublement d'ennui et d'épouvante (p. 271).

Dans la première description de Lazare, aucune indication n'est donnée sur son rôle futur dans le roman. Ce rôle prend forme peu à peu, à l'aide des deux méthodes susdites. Le portrait de Chanteau, par contre, est fixé dès le premier chapitre. Aucune analyse ne lui est réservée, il est entièrement vu du dehors, et il reste toujours le même. Le roman commence par ces mots :

Comme six heures sonnaient au coucou de la salle à manger, Chanteau perdit tout espoir. Il se leva péniblement du fauteuil où il chauffait ses lourdes jambes de goutteux, devant un feu de coke (p. 7).

Dans la suite, Chanteau est presque littéralement cloué à son fauteuil. Là, il est l'objet de l'attention de l'auteur, attention pareille à celle du médecin, et il ne nous est jamais permis de pénétrer dans la vie intérieure du malade.

C'est à peu près la même immobilité qui caractérise l'abbé Horteur. Il est vrai que, si le bon abbé est « mobile », dans le sens ordinaire du mot, sa mobilité physique est presque aussi restreinte et limitée que celle de son esprit. Il n'a guère, dans tout le roman, que trois occupations: cultiver son pauvre jardin, jouer aux dames avec Chanteau, ou partager le dîner de son partenaire. Ce sont toujours des situations fixes, monotones, et le portrait se tient toujours aux indications d'ordre extérieur.

S'il est vrai que les apparences des personnages n'occupent guère l'auteur après la première présentation, il est également vrai qu'il aime attacher certaines attitudes, certaines répliques ou formules caractéristiques aux personnages qui sont vus seulement du dehors. La goutte de Chanteau est constamment manifestée par les gémissements, qui, aux heures de crise, se transforment en hurlements. Pour bien des lecteurs Chanteau est sans doute à jamais associé à cette plainte ininterrompue. La monotonie de cette souffrance perpétuelle est fortement relevée par le commentaire également monotone de la bonne, Véronique, qui, pendant les crises de Chanteau, répète toujours à peu près le même refrain :

« Le voilà qui gueule. » Autre geste de Véronique que l'auteur signale avec une monotonie préméditée : elle bouscule ses casseroles, pour montrer son mécontentement ou sa fureur.

L'abbé Horteur est inséparable de sa pipe, son péché mignon, qui lui cause quelque remords. Il essaie donc toujours de cacher sa faiblesse à son entourage, sauf aux Chanteau. Le docteur Cazenove est, lui aussi, caractérisé par l'attitude qu'il prend dès qu'il entend quelque chose de stupide ou de déraisonnable : il lève les bras au ciel. Louise est à plusieurs reprises comparée à une chatte, elle est « comme la Minouche », et Zola parle de ses « langueurs câlines de jeune chatte ».

Ces personnages ont un trait commun important : ils sont à peu près statiques. Deux dizaines d'années s'écoulent, et le temps les marque tous, mais Chanteau, Véronique, Horteur et Cazenove sont au fond exactement les mêmes au début et à la fin du roman. Louise, seule, a changé totalement en cours de route : malgré sa jeunesse, elle a perdu toute sa séduction. Cependant, cette immobilité, cette absence d'évolution ne sont pas le résultat du manque d'imagination psychologique que l'on a reproché à Zola. Le portrait moral de Louise est suffisamment dessiné par la description de son comportement, et l'évolution qu'elle subit après son mariage avec Lazare est tout à fait vraisemblable : jeune femme câline, charmante poupée, elle ne pourra jamais devenir le soutien dont Lazare a besoin. Zola n'a pas trouvé nécessaire de nous exposer ce qui s'agite dans son for intérieur. Tout le jeu des sentiments se reflète dans sa manière d'être, dans ses paroles, dans des commentaires qu'auraient pu faire les autres personnages aussi bien que l'auteur parce que ces commentaires s'imposent en quelque sorte aux yeux de tous.

Pour Véronique, il nous arrive de pouvoir suivre ses sentiments et ses réflexions, grâce au *style indirect libre* balançant entre parole et pensée. Ce procédé ne se développe jamais jusqu'à devenir une analyse. En principe, il s'agit tout le temps d'une description de la conduite extérieure qui laisse au lecteur le soin de remonter jusqu'au caractère. Il en est de même de l'abbé et du médecin. Quant à Chanteau, la méthode basée sur la description extérieure est poussée à l'extrême ; on le remarque d'autant plus aisément que Chanteau est peut-être le personnage le plus important après Lazare et Pauline. Sa personnalité est de n'en avoir aucune, comme le souhaitait Zola, qui a voulu peindre un homme tout à fait ordinaire durement atteint d'une maladie incurable.

Ce qui rend le portrait mémorable est ce lent délabrement, rapporté avec une exactitude aussi cruelle que celle, impassible, de la science. Nous verrons plus tard avec quelle sévère objectivité Zola a poursuivi l'établissement du « dossier Chanteau ».

Comme nous l'avons déjà fait remarquer, ce n'est qu'à Lazare, à Pauline et à madame Chanteau que Zola consacre des analyses proprement dites. Ce procédé n'est pourtant pas employé dès le début du roman. Tant que Pauline est une enfant, elle est exclusivement vue du dehors. Voici un passage significatif, dans lequel Zola se réfère à l'hérédité des Macquart :

> Pourtant, elle ne se corrigea pas, c'était une poussée intérieure qui lui jetait tout le sang de ses veines au cerveau. Il semblait que ces violences jalouses lui vinssent de loin, de quelque aïeul maternel, par dessus le bel équilibre de sa mère et de son père, dont elle était la vivante image. Comme elle avait beaucoup de raison pour ses dix ans, elle expliquait elle-même qu'elle faisait tout au monde afin de lutter contre ces colères, mais qu'elle ne pouvait pas. Ensuite, elle en restait triste, ainsi que d'un mal dont on a honte (p. 48).

C'est là une accentuation de tout ce qui nous semble mystérieux, hors d'atteinte, chez un enfant. On ne peut guère savoir exactement ce que pense, ce que sent une enfant de dix ans ; le romancier ou rapporteur choisit donc la position d'observation des autres personnages, d'où l'honnêteté de la présentation : « Il *semblait* que ces violences jalouses lui vinssent de loin. » *On* a constaté une crise chez la jeune fille, et on se demande d'où viennent ces agitations, ces violences jusqu'alors cachées.

Lazare est également décrit exclusivement du dehors dans les deux premiers chapitres du roman. C'est seulement après l'échec désastreux de sa grande exploitation d'algues marines qu'il devient l'objet de l'analyse du romancier. Pour madame Chanteau, l'analyse n'est guère visible avant la maladie fatale qui achève son détraquement moral. Avant cet ultime moment, seules des descriptions extérieures ont permis de suivre cette lente destruction qui se manifeste par une malhonnêteté toujours grandissante.

Comment Zola dans la *Joie de vivre* façonne-t-il ses descriptions intérieures ou analyses ? Nous pouvons d'abord constater un procédé simple et direct : il raconte ou décrit, exactement comme il le fait lorsqu'il s'agit d'un épisode ou d'une maison. La psychologie est celle de l'auteur. Il est objectif, il ne loue ni ne condamne. Il n'emploie pas le *style indirect libre.* Qu'on en juge par deux exemples. Il s'agit d'abord de l'hérédité de Pauline :

Pauline écoutait, plus pâle, en proie à une lutte intérieure. Il y avait en elle une hérédité d'avarice, l'amour de Quenu et de Lisa pour la grosse monnaie de leur comptoir, toute une première éducation reçue autrefois dans la boutique de charcuterie, le respect de l'argent, la peur d'en manquer, un inconnu honteux, une vilenie secrète qui s'éveillait au fond de son bon cœur (p. 63).

Quand Pauline et Lazare commencent à se rendre compte de leur amour, Lazare caresse bientôt le beau rêve de devenir un grand artiste. Cette situation psychologique est précisée dans le passage suivant :

Mais son amour augmentait de cette lutte soutenue contre lui-même. Tout en avait soufflé l'ardeur, l'inaction des premières semaines, son prétendu renoncement, son dégoût de la vie où repoussait la furieuse envie de vivre, d'aimer, de combler l'ennui des heures vides par des souffrances nouvelles. Et la musique achevait maintenant de l'exalter, la musique qui les soulevait ensemble au pays du rêve, sur les ailes sans cesse élargies du rythme. Alors, il crut tenir une grande passion, il se jura d'y cultiver son génie. Cela ne faisait plus aucun doute : il serait un musicien illustre, car il lui suffirait de puiser dans son cœur (pp. 94–95).

Mais les descriptions de psychologie objective sont souvent peu satisfaisantes lorsque le récit doit être conduit graduellement vers un sommet ou dès que le jeu des passions s'aiguise. Le romancier semble se rendre compte qu'il faut davantage pour suggérer l'ardeur et l'intensité des passions qu'il a l'intention de peindre. Il recourt alors au *style indirect libre,* dont nous avons déjà parlé et qui, dans plusieurs analyses, sert à interpréter les pensées et les sentiments des personnages.[3] Le passage suivant illustre un procédé souvent employé dans le roman. D'abord une description psychologique ; puis, subitement, quelques questions, quelques exclamations qui ramènent l'analyse au plan subjectif. Il s'agit de l'impuissance désespérée de Lazare devant la grave maladie de Pauline :

Et c'était surtout la douleur qui le jetait hors de lui, dans une révolte nerveuse, une protestation affolée contre l'existence. Pourquoi cette abomination de la douleur ? n'était-ce pas monstrueusement inutile, ce tenaillement des chairs, ces muscles brûlés et tordus, lorsque le mal s'attaquait à un pauvre corps de fille, d'une blancheur si délicate ? (p. 129).

Cet exemple est caractéristique de l'emploi que fait Zola du style indirect libre pour préciser ce que pensent et ce que sentent les personnages. Il s'agit généralement de situations d'une grande intensité dramatique et qui renferment, comme dans le passage cité, une protestation contre la cruauté et l'absurdité de l'existence, contre toutes les bassesses qui souillent les relations humaines. Le même ton d'intense émotion se fait sentir dans le passage suivant, où, d'ailleurs, nous pouvons noter un certain glissement entre la relation directe de l'auteur et l'emportement subjectif du personnage. Après la description objective, nous venons presque insensiblement au style indirect libre, pour revenir finalement à la relation directe :

> Puis, devant l'immensité noire, au-dessus de la mer, dont elle entendait la plainte, elle demeurait accoudée des heures, sans pouvoir dormir, la gorge brûlante aux souffles du large. Non, jamais elle ne serait assez misérable pour tolérer le retour de cette fille. Ne les avait-elle pas surpris aux bras l'un de l'autre ? N'était-ce pas la trahison la plus basse, près d'elle, dans une chambre voisine, dans cette demeure qu'elle regardait comme sienne ? Cette vilenie restait sans pardon, ce serait être complice que de les remettre l'un en face de l'autre. Sa rancune jalouse s'enfiévrait aux spectacles qu'elle évoquait ainsi, elle étouffait des sanglots en cachant sa face contre ses bras nus, les lèvres collées à sa chair (pp. 239–240).

Ensuite, l'analyse des émotions de Pauline aboutit à un vrai dialogue :

> Une voix de douceur, qui lui était alors comme étrangère, s'entêtait à parler très bas en elle des joies de l'aumône, du bonheur de se donner aux autres. Elle voulait la faire taire : c'était imbécile, cette abnégation de soi poussée jusqu'à la lâcheté ; et, tout de même, elle l'écoutait, car il lui devenait bientôt impossible de s'en défendre. Peu à peu elle reconnaissait sa propre voix, elle se raisonnait : qu'importait sa souffrance, pourvu que les êtres aimés fussent heureux ! (p. 240).

Une des analyses les plus importantes est d'une composition assez déconcertante. Elle fait partie du IXe chapitre, où le romancier raconte ce qui est arrivé à Lazare pendant sa longue absence de Bonneville. Sa névrose a empiré, sa peur de la mort a pris des traits presque pathologiques. Cette évolution survenue à Paris inquiétait Zola dès le premier plan détaillé.[4] Il ne voulait pas quitter Bonneville, qui, avec son petit monde, devrait être le cadre de tout le roman. Mais comment, alors, intégrer cette évolution à la vie du village ? La solution de ce problème de temps et de milieu n'est pas tout à fait satisfaisante. Fidèle au milieu choisi, le romancier doit présenter les événements dans un récit rétrospectif. En même temps, ce récit doit être lié aussi intimement que possible à ce milieu, c'est-à-dire à Pauline, la seule personne présente qui puisse s'intéresser aux malheurs de Lazare. Pauline soupçonne que l'amour conjugal n'a pu délivrer Lazare de son angoisse de la mort :

Plusieurs jours, elle douta ; puis, sans qu'il se fût confessé devantage, elle lut dans ses yeux la vérité, un soir où il descendit de sa chambre, sans lumière, bouleversé, comme s'il fuyait devant des spectres.

A Paris, au milieu de sa fièvre d'amour, Lazare avait oublié la mort. Il se réfugiait éperdument dans les bras de Louise, si brisé ensuite de lassitude, qu'il s'endormait d'un sommeil d'enfant. Elle aussi l'aimait en amante, avec ses grâces voluptueuses de chatte, faite uniquement pour ce culte de l'homme, tout de suite malheureuse et perdue, s'il cessait une heure de s'occuper d'elle (p. 274).

Après cette exposition, le romancier raconte comment Lazare s'est consumé en idées fixes. Sa maladie a même infecté Louise. Le passage que nous venons de citer semble indiquer que c'est Pauline qui a lu dans les yeux de son ami toute la vérité, c'est-à-dire le détail des malheurs du couple. La réalité est évidemment différente. Le long récit mené à sa fin, le romancier écrit :

Le soir où Pauline connut enfin l'histoire entière des dix-huit mois écoulés, elle resta un instant sans voix, étourdie par ce désastre. C'était dans la salle à manger, elle avait couché Chanteau, et Lazare venait d'achever sa confession, en face de la théière refroidie, sous la lampe qui charbonnait.

Après un silence, elle finit par dire :

– Mais vous ne vous aimez plus, grand Dieu ! (p. 280).

Y a-t-il eu un seul ou deux rendez-vous différents entre Lazare et Pauline ? Il est difficile de le préciser. Et « l'histoire entière des dix-huit mois écoulés » ? Est-bien exactement ce que Zola nous a raconté sur le ménage de Lazare et Louise, avec ses détails extrêmement intimes ? Evidemment non. Mais, selon une technique que le cinéma a rendue familière, nous assistons à un véritable dédoublement, et, par plans successifs, par séquences, pourrait-on dire, apparaissent le « moi » inconscient et le « moi » conscient, la cause et la conséquence. Ce n'est pas à Lazare de dire : « Il avait l'ennui sceptique de toute sa génération – – – l'ennui des nouveaux héros du doute, des jeunes chimistes qui se fâchent et déclarent le monde impossible, parce qu'ils n'ont pas d'un coup trouvé la vie au fond de leurs cornues » (p. 278).

Il s'opère en effet dans ces passages un glissement entre le discours indirect, la relation rétrospective du « moi » du romancier et le « moi » subjectif de Lazare. Les procédés sont mêlés, et le lecteur en est légèrement désorienté.

# 2
# Lazare

Le portrait de Lazare est celui d'un *raté,* et même d'un raté prêt à sombrer dans la folie.

Au début du roman, aucune indication ne permet de prévoir le délabrement de sa personnalité auquel nous assisterons au cours du récit. Ce jeune homme est plein de rêves et de projets. Il veut être un grand médecin, un grand constructeur, un grand musicien. Il a de l'enthousiasme, il s'enflamme vite et se fatigue aussi vite. Tous ses projets échouent misérablement. Dans son ardeur juvénile se cache le germe fatal : une instabilité qui annonce déjà ses inquiétudes et ses obsessions – en un mot sa *névrose,* dont le trait dominant sera la peur constante de la mort. A la fin du roman, c'est à peine si nous reconnaissons le jeune homme vif et alerte que voyait pour la première fois Pauline. Il n'a que quarante ans, mais ce n'est plus un homme, c'est un mort vivant.

Ce Lazare du roman n'a, en principe, rien de nouveau à nous dire en sus de ce que nous savons déjà par l'Ebauche et les différents plans. Nous connaissons depuis longtemps ce détraquement dont Zola a signalé presque toutes les phases dans son dossier. Il est donc inutile de reprendre ici l'analyse du personnage. Mais dans le roman, aussi bien que dans le dossier, Zola se tait sur un aspect très important : celui des rapports entre Lazare et Zola lui-même.

Dans ce qui suit, nous nous occuperons de ces traits autobiographiques, ainsi que de quelques autres questions qui concernent la genèse de ce singulier caractère.

A s'en tenir à l'extérieur, nulle ressemblance entre Lazare et Zola. Les œuvres du romancier se caractérisent avant tout par la force, l'énergie, la solidité de la composition, du style et des procédés. Sa méthode lourde et massive, la structure même de ses romans témoignent d'une volonté énergique et d'une ténacité peu ordinaire. Dans ses œuvres critiques ou polémiques il manifeste une forte conscience de sa propre valeur et une humeur belliqueuse qui lui font perdre assez souvent le sens de la mesure. C'est, en apparence, un homme robuste et posé, un bœuf de labour, qui poursuit avec une volonté de fer la grande tâche qu'il s'est donnée de peindre la société du second Empire, et de le faire à l'aide d'une « méthode » qui demande des recherches historiques minutieuses.

Mais ce portrait a pu être retouché, fait assez rare, du vivant même de Zola. En 1896, le docteur Edouard Toulouse publia le premier volume d'une série d'études intitulée *Enquête médico-psychologique sur les rapports de la supériorité intellectuelle avec la névropathie.*[1] Ce premier volume de la série est consacré à Zola. Il est le résultat d'une enquête très minutieuse, un *test,* de la personnalité de l'auteur. C'est, sinon un ouvrage remarquable, au moins un bon témoignage de « nos sciences commençantes » dont parle Zola à propos de Lazare et de Pauline. Les résultats de cette enquête sont parfaitement confirmés dans la lettre-préface que Zola a adressée au docteur Toulouse et que Niess a relevée :

Ah ! le pauvre écorché que je suis, frémissant et souffrant au moindre souffle d'air, ne s'asseyant chaque matin à sa tâche quotidienne que dans l'angoisse, ne parvenant à faire son œuvre que dans le continuel combat de sa volonté sur son doute ! Qu'il m'a fait rire et pleurer des fois, le fameux bœuf de labour ![2]

Il suffit de parcourir rapidement l'ouvrage du médecin pour constater qu'un grand nombre des traits psychologiques qui caractérisent Lazare, remontent en effet à la personnalité de Zola. De pareilles observations ont été faites par plusieurs savants, et nous nous arrêterons bientôt à leurs conclusions. Mais d'abord, nous signalerons que Zola lui-même a insisté sur les liens autobiographiques entre Lazare et lui.

En 1883, dans une lettre à Goncourt déjà citée, Zola confesse : « je voulais mettre dans l'œuvre beaucoup de moi et des miens » et il ajoute que, sous le coup récent de la perte de sa mère, il ne se sentait pas le courage d'écrire le roman. Et dans une lettre à van Santen Kolff, de 1889, il déclare avoir longtemps eu l'idée d'écrire un poème en prose sur la Douleur, et que ce sont les débris de ce poème qui se trouvent dans la *Joie de vivre,* notamment dans la symphonie de Lazare.[3]

En 1901, Zola fit encore une déclaration qui indique l'origine de certains aspects de Lazare. Pour la revue américaine *Bookman* il écrit un article, qui paraît dans le numéro de décembre, « In the Days of my Youth ».[4]

You wish me to tell you something about my earlier years. I doubt, however, whether there be anything of interest remaining to be told in that respect, for in one way or another I have put a great deal about my youth into my books – in writing which I have drawn, I think, as largely on my personal experiences, and even feelings, as any novelist has ever done. I have gone so far as to ascribe failings, whims, fads of my own to some of my personages when I have wished them to appear more or less ridiculous.

Et pour donner des exemples de cette introspection, il se réfère au roman sur Lazare et à *L'Œuvre* :

> You will find some of my early foibles, some of my early restlessness, ascribed to Lazare Chanteau in *La Joie de Vivre,* and I will admit that I have penned a somewhat overflattering portrait of myself in my yonger days in *L'Œuvre,* in which I figure under the name of Sandoz, and in which I have also sketched some of my personal friends.

Il est intéressant de noter que Zola ne parle ici que de sa jeunesse : c'est le jeune Zola qui a des traits communs avec Lazare. Ses lettres de cette époque témoignent aussi, comme Niess le fait remarquer, de maintes particularités qui distingueront le jeune Lazare. « Car, te le dirai-je, si je suis malade de corps, ce n'est qu'une suite de ma maladie morale, de l'ennui, du désespoir que je ressens », écrit-il dans une lettre à Cézanne, datée du 5 mai 1860. Maladie réelle ou maladie romantique ? Les deux, sans doute. On retrouve le même mélange de sincérité et de formules à la mode dans une lettre à Baille, en date du 10 juin 1861 :

> « Je subis depuis quelques jours une rude attaque de spleen. Cette maladie offre chez moi des caractères singuliers ; abattement mêlé d'inquiétude, souffrance physique et morale. – – – Et enfin un ennui immense décolorant et déflorant toutes mes sensations ; un ennui qui me suit partout, changeant ma vie en fardeau, annulant le passé et souillant l'avenir. »[5]

Les liens qui unissent Zola et Lazare sont exposés par Robert Judson Niess et F. W. J. Hemmings dans les articles dont j'ai déjà fait mention, et par Marcel Girard dans *Æsculape,* « Emile Zola ou la joie de vivre ».[6] Voici un résumé de leurs observations, qui, à bien des égards, s'accordent et se complètent.

Robert J. Niess fait remarquer que la maladie et la mort de la mère ne sont pas les seuls événements autobiographiques qui aient laissé des traces dans le roman. La jeunesse instable et nerveuse de Lazare a bien des points communs avec l'experience du jeune Zola. Après avoir quitté l'école, il passe une année de « Bohemian idleness », il fait des vers, il écrit de longues lettres à ses amis. Les tâtonnements poétiques de Lazare rappellent clairement et nettement les essais littéraires de Zola vers 1860. Comme Zola, Lazare est sensible à la musique de Berlioz et de Wagner, il rêve de composer une grande symphonie « sur le Paradis terrestre ». Un mouvement de cette symphonie a déjà pris forme : « Adam et Ève chassés par les Anges ». Le jeune Zola rêvait d'un grand poème, La Genèse, une trilogie dont la première partie devait peindre « la naissance du monde ». L'idée de Lazare se transforme, elle devient sa « symphonie de la Douleur ». C'est là un autre élément autobiographique, comme il ressort de la lettre à van Santen Kolff que nous venons de citer.

La mère de Lazare n'aime pas beaucoup les rêves auxquels se livre son fils. Elle veut qu'il fasse son droit. La mère de Zola nourrissait le même espoir pour son fils. Lazare veut fonder un journal. Niess rappelle que Zola, avec Marius Roux, fonda, pendant la guerre de 1870–71, un quotidien, *La Marseillaise,* et que, en 1880, il fut l'un des fondateurs de la *Comédie humaine,* journal d'ailleurs « mort-né ».[7]

L'attitude de Lazare vis-à-vis de sa mère est un bel exemple de ce que les psychanalystes appellent la fixation à la mère. Lazare reste toute sa vie l'enfant gâté par sa mère. Même s'il n'est pas un fils exemplaire, il est asservi à son écrasante personnalité. Il y a beaucoup de vérité psychologique dans la représentation de cet amour entre mère et fils, et il est légitime d'y voir les reflets de certains aspects des rapports entre Zola et sa mère.[8]

Les réactions de Lazare à la maladie et à la mort de sa mère comportent, comme nous l'avons déjà fait remarquer, une grande part d'autobiographie. Niess et Hemmings en donnent d'autres exemples. Le 6 mars 1882, Goncourt note dans son *Journal* que Zola a parlé de l'enterrement de sa mère. L'escalier étant trop petit, il fallut descendre le cercueil par une fenêtre ; et jamais Zola n'aperçoit cette fenêtre sans se demander qui va en descendre, de lui ou de sa femme. Et, d'après Goncourt, Zola poursuit :

> « Oui, la mort depuis ce jour, elle est toujours au fond de notre pensée, et bien souvent, – nous avons maintenant une veilleuse dans notre chambre à coucher – bien souvent la nuit, regardant ma femme qui ne dort pas, je sens qu'elle pense comme moi à cela, et nous restons ainsi, sans jamais faire allusion à quoi nous pensons, tous les deux... par pudeur, oui, par une certaine pudeur. Oh ! c'est terrible cette pensée – et de la terreur vient à ses yeux. – Il y a des nuits, où je saute tout à coup sur mes deux pieds, au bas de mon lit, et je reste, une seconde, dans un état d'épouvante indicible. »[9]

L'épisode du cercueil revient, avec des détails un peu modifiés, dans la description de l'enterrement de madame Chanteau. Et les réactions de Lazare sont exactement les mêmes que celles de Zola : « il ne montait pas une fois l'escalier, sans se dire qu'un jour, fatalement, son cercueil passerait là ».[10] Lequel s'en ira le premier – de lui ou d'elle ? Cette question qui torturait Zola, revient dans le chapitre IX du roman.

Et les angoisses de Zola et de sa femme ont des aspects qui rappellent tout à fait celles de Lazare et de Louise.

Ces observations sont à coup sûr très frappantes. Elles prouvent que Zola, en racontant les malheurs de Lazare, expose dans une large mesure sa propre vie. Mais de tels parallèles entre un auteur et les personnages qu'il crée sont fréquents et normaux. Beaucoup plus importants sont les rapports psychologiques très intimes qu'on a pu établir entre Zola et Lazare. Niess, Hemmings et Girard insistent sur nombre de particularités de Zola, qui présentent, presque sous forme caricaturale, les éléments les plus importants de la névrose de Lazare.

Que la peur déraisonnable de Lazare remonte à des expériences intérieures de Zola, nous le savons déjà par les passages que nous venons de rappeler. Le docteur Toulouse en fournit encore un autre exemple : « Il a peur de mourir subitement, et cette crainte le reprend par crises. »[11]

Les « obsessions » qui caractérisent Lazare correspondent sur bien des points à des bizarreries et à des idées fixes de Zola. Niess cite le passage suivant du rapport du docteur Toulouse :

> L'arithmomanie ou le besoin de compter est aussi une de ses idées morbides. M. Zola dit que ce besoin est chez lui une manifestation de ses instincts d'ordre. Dans tous les cas ces idées sont très proches. Il compte donc, dans la rue, les becs de gaz, les numéros des portes et surtout les numéros des fiacres dont il additionne tous les chiffres comme des unités. Chez lui, il compte les marches de l'escalier, les objets placés sur son bureau. Il faut encore qu'il touche, un certain nombre de fois avant de se coucher, les mêmes meubles ou qu'il ouvre les mêmes tiroirs. Il est aussi poussé à toucher certains objets ou à fermer une porte plusieurs fois de file. En outre, sur ce besoin de compter se sont greffées d'autres idées morbides, et notamment des superstitions. – – – Ainsi, dans la nuit, il lui est arrivé souvent de rouvrir 7 fois les yeux pour se prouver qu'il n'allait pas mourir. Par contre, le chiffre 17, qui lui rappelle une date douloureuse, lui semble mauvais ; et le hasard a voulu qu'il ait pu constater la coïncidence de certains événements malheureux avec cette date.[12]

Niess et Girard signalent de ces manies et idées fixes chez Lazare. Il y a un bel exemple de ces bizarreries dans le chapitre VII du roman, qui renferme une des grandes analyses de la névrose de Lazare :

> Cela se mêlait à des idées de symétrie : trois pas à gauche et trois pas à droite ; les meubles, aux deux côtés d'une cheminée ou d'une porte, touchés chacun un nombre égal de fois ; sans compter qu'il y avait, au fond, l'idée superstitieuse qu'un certain nombre d'attouchements, cinq et sept par exemple, distribués d'une façon particulière, empêchaient l'adieu d'être définitif. Mal-

gré sa vive intelligence, sa négation du surnaturel, il pratiquait avec une docilité de brute cette religion imbécile, qu'il dissimulait comme une maladie honteuse (p. 216).

Un des symptomes les plus curieux de Lazare est sans doute celui raconté dans le même chapitre : « Et, à toute minute, il s'écoutait vivre, dans une telle excitation nerveuse, qu'il entendait marcher les rouages de la machine – – – S'il posait le coude sur une table, son cœur battait dans son coude » (p. 214). Un des biographes de Zola, Matthew Josephson, remarque – sans dire d'ailleurs sur quoi il s'appuie – que Zola pouvait avoir la même sensation, « his heart had moved into his armpit – that he could hear it there » ![13]

A ces observations nous pouvons ajouter que Zola, dès l'ancien plan, prête à Lazare « la peur des dates ». Certaines dates l'épouvantent parce qu'elles lui donnent certaines associations d'idées. Le chiffre 17, qui, d'après Toulouse, rappelle à Zola une date douloureuse, se réfère sans doute à la mort de sa mère, qui survint, on le sait, le 17 octobre 1880.

Y a-t-il, dans le roman sur Lazare et Pauline, d'autres détails, d'autres traits plus ou moins autobiographiques que ceux relevés par les critiques cités ? Nous le tenons pour très vraisemblable. Ayant constaté que la mère de Zola joue évidemment un rôle si central dans ce roman, on est immédiatement frappé par le fait curieux qu'il n'y a aucun lien psychologique entre Lazare et son père : Lazare, en effet, qui est possédé de sa peur de souffrir et de mourir, a, en son propre père, un effrayant exemple de perpétuelles souffrances physiques – exemple qui est, de plus, toujours présent. Sa crainte de souffrir, ses attitudes d'hypocondre et de pessimiste ne sont jamais influencées par le spectacle de son père – confrontation qui eût sans doute été toute naturelle. C'est en effet comme si le père, pour lui, n'existait pas. Il nous paraît vraisemblable que se reflètent ici d'autres aspects de l'enfance et de la jeunesse de Zola : il n'a dû conserver que très peu de souvenirs de son père, François Zola, qui n'a guère pu exister dans sa mémoire comme un être vraiment vivant, puisqu'il n'avait que sept ans quand il le perdit.

Et, pourtant, il nous semble probable que le créateur du canal d'Aix a prêté quelques traits à Lazare – non pas à Chanteau. Deux des superbes projets de Lazare rappellent les grands plans de construction de François Zola, dont le fils a donné quelques détails à ses biographes Paul Alexis et R. H. Sherard. Une des ambitions de l'actif et infatigable

François Zola était de doter Marseille d'un nouveau port. Il fit des cartes et des desseins, et se rendit à Paris pour présenter son idée aux autorités compétentes. Il dut éprouver le chagrin de se voir supplanté par un concurrent plus favorisé.

Construire un port, cela veut dire aussi lutter contre les éléments, cela comporte la grande tâche de protéger les navires contre le mistral, « ce terrible vent du nord-ouest, si glacial et aux rafales si violentes, [qui est] le fléau de la Provence ».[14] Les mêmes soucis se retrouvent chez Lazare, qui veut protéger le petit village contre les attaques impitoyables de la mer.

François Zola dirigea bientôt son énergie vers un autre projet. Il s'agissait cette fois de faire creuser un canal de Marseille à Aix. Mais les bons Aixois ne s'intéressaient que médiocrement à son entreprise : ils s'étaient bien arrangés, pendant des siècles, avec leurs vieilles fontaines, et cela leur suffisait. Ce n'est qu'après de longues négociations, après bien des voyages et des visites aux autorités, que François Zola put commencer les travaux. Mais il ne devait pas vivre assez longtemps pour voir l'achèvement de sa grande œuvre. Il assista à l'inauguration des travaux du canal, « la main de l'enfant dans la sienne », mais trois mois plus tard, il était mort. En surveillant ses ouvriers, par un matin de mistral, il attrappa une pleurésie et, peu de temps après, mourut dans une chambre d'hôtel à Marseille.[15]

R. H. Sherard, qui, comme Alexis, a reçu ses informations de Zola, insiste sur l'énergie infatigable de François Zola. Comment, dès lors, ne pas associer ces qualités aux activités fébriles de Lazare ? Ses deux grands projets, l'exploitation des algues marines et la construction des épis, font presque l'effet d'être des caricatures des plans de François Zola. Comme celui-ci, Lazare est supplanté par un concurrent plus favorisé, ou plutôt un compagnon, Boutigny, qui s'enrichit en mettant à exécution les idées de Lazare. Et lorsque celui-ci veut rendre heureux les habitants de Bonneville avec ses épis et ses estacades, il trouve la même incompréhension que François Zola à Aix. Comme celui-ci encore il se donne une peine immense pour convaincre les autorités de l'excellence de son plan.

Sans doute, le jeune Zola a-t-il entendu sa mère proférer bien des paroles amères sur l'attitude des autorités et des Aixois vis-à-vis des grands projets du père défunt. C'est peut-être un écho de cette amertume qui se fait sentir dans la description de la stupide inertie négative, de la joie maligne et ricanante des pêcheurs quand la tempête remporte brutalement les épis de Lazare. C'est une peinture méprisante de la stérile bêtise de la masse.

La dernière inspection que fit François Zola des travaux du canal a vraisemblablement laissé des traces dans le roman. Le souvenir que le fils a pu garder de cet événement a sans doute été ravivé par les soins de la mère. Aussi l'événement renfermait-il un sombre élément dramatique qui a pu agir sur l'imagination d'Emile Zola : à l'heure même du triomphe si longtemps rêvé, la mort frappe par « la main glacée du mistral traître ».[16] Les faits, on le sait, sont simples : le père contracte une pleurésie en inspectant les travaux. Comment ne pas penser à Pauline, qui, en « inaugurant » avec Lazare et Louise les travaux des épis, attrappe une maladie qui manque lui coûter la vie ? Ce qui devait être pour Pauline un moment de triomphe et de joie se transforme en une grande amertume, annonçant déjà la grande perte de l'amour de Lazare. L'épisode tient un rôle central dans l'action, et il date de l'ancien plan.

Il est impossible et, au fond, sans intérêt de savoir si Zola a vraiment pensé à son père en profitant de ces événements de sa vie. Mais il est certain, en revanche, qu'il n'a pas eu la moindre intention de formuler une critique contre son père. Il est d'ailleurs à remarquer que, primitivement, ces éléments n'ont rien de ridicule, puisqu'ils s'appliquent tout d'abord à Charles, le jeune homme « qui sera la vie, la protestation de la vie » [194]. Au reste Zola a toujours honoré la mémoire de son père. L'utilisation, l'exploitation si l'on veut des expériences paternelles prouve seulement, une fois de plus, que tout romancier refond et transforme ce qu'il a vécu et observé, de manière à en tirer les « faits » ou les conclusions dont il a besoin.

Mais en créant son Lazare, Zola se sert encore d'autres matériaux. « Il prend son bien où il le trouve. » Nous avons déjà constaté qu'il a lu Bouillier, Richet, Ribot et Bourdeau. Il a profité de leurs réflexions sur la souffrance, la douleur et la peur, et il s'est un peu familiarisé avec les sombres maximes de Schopenhauer. Mais ces études ne lui fournissent pas seulement une armature philosophique. Elles lui donnent aussi des formules caractéristiques, des répliques, des détails concrets qu'il pourra appliquer à ses personnages. Voici quelques exemples typiques de ces procédés.

Chez Richet, il s'est arrêté à la réflexion que « plus on est intelligent, plus on souffre » [270], réflexion assez familière à la philosophie de l'époque. Il fait usage de cette pensée lorsque le pauvre abbé Horteur un jour « s'était montré d'un si pauvre esprit » que Chanteau lui-même déclare qu'il y a des jours où l'abbé n'est pas fort. Mais Lazare dit brutalement : « Je voudrais être à sa place – – – Il est plus heureux que nous » (p. 210).

Chez Bouillier il a été frappé par quelques réflexions sur la peur de la mort, qu'il formule dans les notes suivantes :

La stupeur d'apprendre une mort d'ami. Puis on se tâte soi-même. Chicane au mort, mort par sa faute. Est-il plus âgé ? [f. 279].

Le raisonnement revient dans le passage suivant, qui est par conséquent un « emprunt » direct de Bouillier :

Puis, il voyait mourir autour de lui, et chaque fois qu'il apprenait le décès d'un camarade, il recevait un coup. Etait-ce possible, celui-ci venait de partir ? mais il avait trois ans de moins, il était bâti pour durer cent ans ! et celui-là encore, comment avait-il pu faire son compte ? un homme si prudent, qui pesait jusqu'à sa nourriture ? Pendant deux jours, il ne pensait pas à autre chose, stupéfait de la catastrophe, se tâtant lui-même, interrogeant ses maladies, finissant par chercher querelle aux pauvres morts. Il éprouvait le besoin de se rassurer, il les accusait d'être morts par leur faute (p. 277).

Il est à supposer que des associations d'idées de ce genre ont été faites par Zola, indépendamment de ce qu'il a lu chez Bouillier. Mais Bouillier les a exprimées et précisées, Zola a lu ses formules, et c'est par l'intermédiaire de Bouillier que ces réflexions et ces attitudes vis-à-vis de la mort sont attribuées à Lazare.

Dans la même analyse, il a prêté à Lazare quelques-unes des caractéristiques personnelles de Schopenhauer, telles que Bourdeau les a décrites dans la préface à sa traduction du philosophe allemand. Du portrait de l'homme Schopenhauer, Zola tire les notes suivantes : « La peur, quand il reçoit une lettre. Peur d'incendie, au premier étage – – – Cache son argent, écrit ses notes en grec » [f. 260].

Cette méfiance morbide chez Schopenhauer est directement transférée à Lazare dans le passage suivant :

Un moment, la peur du feu le ravagea, au point qu'il déménagea d'un troisième étage pour descendre habiter un premier, de façon à pouvoir se sauver plus facilement, lorsque la maison brûlerait. Le souci continuel du lendemain lui gâtait l'heure présente. Il vivait dans l'attente du malheur, sursautant à chaque porte ouverte trop fort, pris d'un battement de cœur violent à la réception d'une lettre. Puis, c'était une méfiance de tous, son argent caché par petites sommes, en plusieurs endroits différents, ses projets les plus simples tenus secrets (p. 278).

Dans l'exemple suivant, nous pouvons observer comment une pensée chemine de sa version originale dans le texte de Bourdeau, en passant par la note sommaire de Zola, jusqu'aux phrases définitives du roman. Nous lisons chez Bourdeau :

Tandis que la première moitié de la vie n'est qu'une infatigable aspiration vers le bonheur, la seconde moitié, au contraire, est dominée par un douloureux sentiment de crainte – – –.[17]

Zola fait ici cette note brève :

Première moitié de la vie appartient au bonheur, seconde regret et peur [261].

A la fin, la réflexion de Schopenhauer rendue par Bourdeau, se formule ainsi dans l'esprit de Lazare :

Ne passait-on pas la première moitié de ses jours à rêver le bonheur, et la seconde à regretter et à trembler ? (p. 278).

Il n'est guère nécessaire de souligner que les maximes de Schopenhauer sur le bonheur, la souffrance, la volonté de vivre, les femmes, sont semées par-ci par-là dans les réflexions et dans les propos de Lazare.

Certes, il n'est pas tellement commun qu'un romancier prête, de la façon que nous avons essayé d'établir, à son personnage principal un grand nombre de traits autobiographiques qui tiennent de la charge, de la caricature, et qu'il y ajoute d'autres traits de même nature, puisés dans les livres. Ce procédé ne peut guère indiquer qu'une seule chose : le romancier veut faire le point avec lui-même. Il veut s'examiner pour s'affranchir. Ce qu'il voulait combattre, nous le savons déjà par ses notes de travail, et le texte du roman est on ne peut plus explicite à cet égard : c'est le pessimisme destructeur et pernicieux, le subjectivisme exagéré, la maladive absorption égoïste. C'est le romantisme survivant, qui répand encore ses fumées séduisantes, derrière lesquelles Lazare rêve d'une grande symphonie dans le style de Berlioz et de Wagner ; c'est le refus du faible et impuissant rêveur d'accepter la vie telle qu'elle est, sombre et triste, mais également forte et lumineuse. C'est le refus de reconnaître les forces positives et créatrices de la vie parce que la souffrance est dans le monde.

Lazare est « un malade de nos sciences commençantes », il représente « le caractère moderne du pessimisme », il est un de ces jeunes gens qui ont perdu toute espérance en la science, qui perdent leur foi et se jettent dans un Schopenhauérisme mal digéré.

Il avait l'ennui sceptique de toute sa génération, non plus cet ennui romantique des Werther et des René, pleurant le regret des anciennes croyances, mais l'ennui des nouveaux héros du doute, des jeunes chimistes qui se fâchent et déclarent le monde impossible, parce qu'ils n'ont pas d'un coup trouvé la vie au fond de leurs cornues (p. 278).

Le résultat est une catastrophe qui est aussi amenée par les qualités innées de la victime.

Derrière ce portrait, nous entrevoyons donc un conflit intérieur de l'auteur. Quelles sont les origines personnelles et philosophiques de ce conflit ? Nous avons déjà effleuré cette question, mais elle ne peut être plus amplement éclairée que par une étude d'ensemble des idées du roman et des attitudes du romancier vis-à-vis de quelques courants philosophiques de l'époque, problèmes qui seront ultérieurement abordés.[18]

Le portrait de Lazare renferme bien des contrastes, et même des contradictions. Pourtant, il y a une forte unité dans tous ces éléments qui peuvent paraître disparates. Les faits que Zola a puisés dans ses propres expériences extérieures et intérieures, dans les livres qu'il a étudiés et, surtout, dans sa propre imagination créatrice, sont rassemblés et groupés de façon à former un ensemble convaincant.

## 3

## Pauline

Dans les deux branches de la famille dont Zola se fit le chroniqueur, combien de malheureux, de pervertis, de maniaques, de fous ! Mais dans ce monde malade et corrompu, la santé trouve aussi sa place, et avec d'autant plus d'éclat, grâce à deux personnages qui représentent la morale et la philosophie de Zola. L'un est le docteur Pascal, l'autre est Pauline. « Etat d'honnêteté » déclare l'arbre généalogique de 1878. Oui, mais aussi, nous le savons déjà, il y a là beaucoup plus que cette honnêteté, héritée de la belle Lisa Quenu, née Macquart, « la grasse charcutière – – – d'une absolue probité, mais sans pardon », comme la caractérise le docteur Pascal dans le volume final de la série. Le docteur explique en effet :

De cette mère naissait la plus saine, la plus humaine des filles, Pauline Quenu, la pondérée, la raisonnable, la vierge qui savait et qui acceptait la vie, d'une telle passion dans son amour des autres, que, malgré la révolte de sa puberté féconde, elle donnait à une amie son fiancé Lazare, puis sauvait l'enfant du ménage désuni, devenait sa mère véritable, toujours sacrifiée, ruinée, triomphante et gaie, dans son coin de monotone solitude, en face de la grande mer, parmi tout un petit monde de souffrants qui hurlaient leur douleur et ne voulaient pas mourir.[1]

A l'époque où il composa le *Ventre de Paris,* Zola a-t-il déjà songé à ce rôle futur de la petite Pauline ? Nous ne le savons pas. Dans le roman où elle figure pour la première fois, aucune trace des qualités énumérées par le docteur. Elle est sage, elle est bien élevée, elle est jolie – c'est tout. L'importance n'est pas son caractère et son rôle très peu développés dans ce roman, mais le fait que, dans l'esprit du romancier, elle symbolise au moins dès 1880–81 la bonté et la santé. A cette première symbolisation, le roman de 1883 – ainsi que nous allons le montrer – en ajoute d'autres, plus philosophiques.

Pauline est la joie de vivre. Cette définition peut s'interpréter de bien des façons. La joie de vivre de Pauline est l'harmonie calme et rayonnante, elle est la bonté et l'altruisme qui triomphent de tout. Telle que nous la rencontrons dans le roman, elle est, pour l'essentiel, l'antithèse de Lazare. A chaque nouvelle phase du délabrement psychique et moral de Lazare, il incombe à Pauline de donner une réponse, de former antithèse. Certes, les traits principaux de son caractère étaient déjà fixés avant que le portrait de Lazare n'eût encore pris la forme que nous lui connaissons. Pourtant, il est manifeste que, en bien des cas, les réactions et les attitudes de Pauline ont été précisées et modifiées dans la mesure où elles répondaient aux réactions et aux attitudes de Lazare.

Nous connaissons déjà le caractère et la morale de Pauline. Le texte du roman suit les grandes lignes des plans, les analyses projetées sont formulées avec une grande puissance psychologique, des détails concrets sont ajoutés, d'autres sont développés, en stricte conformité avec les idées générales des plans. Dans la première partie de notre étude, nous avons déjà donné quelques exemples de cette création continuelle, et nous nous bornons donc ici à insister sur l'importance que Zola attachait à la description du sacrifice de Pauline. Son irrésolution avant sa décision de renoncer à Lazare, ses amers regrets et sa violente jalousie lorsque la résolution est déjà irrévocable, sa lutte désespérée avec elle-même lorsque Lazare veut la reconquérir – ces oscillations psychologiques sont exposées avec une précision dont les plans ne donnaient qu'une faible idée.

Zola a voulu faire de Pauline autant que de Lazare des porte-parole. Pour Pauline aussi bien que pour Lazare, il a donc dû profiter des pensées puisées dans ses études directes, avec, néanmoins, une différence. Les portraits de Lazare et de Pauline étaient déjà achevés, au moins pour l'essentiel, lorsque Zola se mit à l'étude de Ribot, de Bourdeau et de Bouillier. Pour Lazare, il trouva nombre de détails concrets utilisables. Mais ses lectures ne lui fournissent pas de matières équivalentes pour le portrait de Pauline. Ce qui l'intéresse ici est, pour ainsi dire, plus invisible, c'est moins le détail concret, la phrase exacte, que la confirmation générale de son propre programme pour Pauline. Ainsi, par exemple, lorsqu'il prend la note suivante dans le livre de Bouillier :

Le bonheur de Pauline à la fin est dans l'exercice et le développement de son être (110). – – – Avoir pitié, c'est devenir un être moral. Sympathie avec la nature entier [sic], c'est le véritable état du sage ici-bas (Schop.) 154 [281].

Mais la matière la plus importante, il l'a trouvée chez Bourdeau. Ce sont toujours la compassion et l'altruisme qui dominent :

Voir la souffrance, chez les autres et s'apitoyer sur tout ce qui souffre (56) très important, toute ma Pauline. Plus d'égoïsme (elle si, jalouse) c'est parce qu'elle ne sait pas [262].

Ce même caractère de programme et de thèse se fait sentir dans la note suivante, puisée chez Bourdeau :

Une pitié sans borne pour tous les êtres vivants. – La fin des prières hindoues : « Puissent tous les êtres vivants rester libres de douleurs » [265].

Dans le texte de Bourdeau nous trouvons ces raisonnements de Schopenhauer amplement développés. Le passage le plus important vaut bien une citation parce qu'il formule l'idéal humain que nous avons entrevu derrière le caractère de Pauline, longtemps avant les notes Bourdeau :

Quand le coin du voile de Maïa (l'illusion de la vie individuelle) s'est soulevé devant les yeux d'un homme, de telle sorte qu'il ne fait plus de différence égoïste entre sa personne et les autres hommes, et qu'il prend autant d'intérêt aux souffrances étrangères qu'aux siennes propres, et qu'il devient par là secourable jusqu'au dévouement, prêt à se sacrifier lui-même pour le salut des autres, – cet homme arrivé au point de se reconnaître lui-même dans tous les êtres, considère comme siennes les souffrances infinies de tout ce qui vit, et doit ainsi s'approprier la douleur du monde.[2]

Mais quand l'argumentation de Schopenhauer aboutit finalement à un Nirvana tant désiré, Zola ne veut plus le suivre. Il s'arrête à la compassion, qu'il veut faire active, positive, au service de l'humanité, du progrès. Elle est en effet la faculté maîtresse de Pauline. Lazare marche la main dans la main avec Schopenhauer, il maudit avec lui la vie humaine, il s'adonne au pessimisme le plus noir, et il ne sait jamais rompre les barreaux de son égoïsme. Pauline prend un tout autre chemin que Schopenhauer, mais elle le rencontre au point où Lazare le quitte. Les prémisses de Pauline diffèrent en tout de celles de Schopenhauer et de Lazare, mais ses conclusions sont celles de Schopenhauer sur un point : elle considère comme siennes les souffrances infinies de tout ce qui vit, elle a une pitié sans bornes pour tous les êtres vivants. Cela se manifeste dans son besoin continuel d'aider Lazare, Chanteau, les enfants sauvages du village.

Mais Pauline a une attache beaucoup plus forte, presque primordiale, avec un autre philosophe, dont le nom ne figure jamais ni dans le roman, ni dans les plans : Auguste Comte. Si Pauline n'eût trouvé sur son chemin un pessimiste de l'école allemande, il n'y eût eu aucune raison pour Zola de trouver des points communs entre l'évangile de Pauline et certaines idées de Schopenhauer. C'est seulement après avoir introduit la philosophie de celui-ci dans ses esquisses, que Zola juge opportun de prêter à Pauline quelques formules empruntées à Schopenhauer, formules qui ne changent guère ce qui était déjà, depuis longtemps, établi et précisé.

Aujourd'hui, Auguste Comte est surtout célèbre comme le père du positivisme, et par positivisme on entend généralement un système scientifique ou plutôt philosophique, qui fait la guerre à la métaphysique pour insister sur les principes de l'expérience et de l'observation, nécessairement préalables à toute recherche. Ce philosophe qui enseigna que la science positive remplace toute idée d'absolu par celle d'une relation nécessaire entre des faits et que, par conséquent, l'idée de loi succède à celle de causes premières ou finales,[3] a joué un grand rôle dans l'histoire du réalisme et du naturalisme. Par son souci exclusif de l'étude de la réalité, par sa condamnation de toute spéculation métaphysique, le positivisme devient sans doute une des sources de Zola lorsqu'il expose le programme littéraire du naturalisme, hypothèse en accord avec le succès du positivisme en France à l'époque.

Mais la philosophie positive fut plus qu'un programme scientifique, plus qu'un système rationaliste. Elle fut aussi une religion. Dix ans après l'achèvement du *Cours de philosophie positive* (1830–1842),

Comte publia son grand *Système de politique positive ou traité de sociologie, instituant la religion de l'humanité* (1851–1854).

Zola n'était pas philosophe et ne s'enfonça guère dans les grands ouvrages philosophiques. Nous avons déjà observé qu'il préféra les vulgarisations des idées de Schopenhauer aux œuvres originales du philosophe. Rien ne donne à supposer qu'il se soit consacré à l'étude du grand *Système* de Comte. Néanmoins, il s'est vraisemblablement familiarisé avec les écrits qui vulgarisaient la « religion de l'humanité ». Dans la *Revue Philosophique,* dans la *Philosophie Positive,* il pouvait lire un très grand nombre d'articles et de comptes rendus exposant les idées de l'époque, et, entre autres, celles du positivisme. Bien représentatif de ce genre de discussion philosophique est un grand article de G. Wyrouboff dans la *Philosophie Positive* (janvier–juin 1881), où l'auteur oppose nettement le positivisme de Comte au pessimisme de Schopenhauer, de Leopardi et de Hartmann.[4]

On peut condenser la morale pratique de Comte dans les trois mots *vivre pour autrui,* qui sont la devise de son « Invocation finale » dans la dernière partie de son grand *Système.* « La morale est la science de l'homme individuel, et l'art de trouver son bonheur en vivant pour autrui » – a pu écrire à son propos M. J. Lacroix.[5] Seul, le parfait altruisme peut amener la victoire de cette philosophie du cœur, prêchée par Comte.

> Mais aux yeux de Comte, on ne peut assurer le règne du cœur sans donner à la femme un rôle prépondérant. D'où ce *Catéchisme positiviste* qui s'adresse d'abord à la femme pour régénérer l'humanité, parce que naturellement plus altruiste elle est par là même davantage capable de comprendre, même intellectuellement, le positivisme.[6]

C'est là, pour l'essentiel, un portrait de Pauline telle que nous la rencontrons dès les premières esquisses. Pauline est, avec tout son sens pratique, même terre-à-terre, une prêtresse au service de la religion de l'Humanité.

Pauline est aussi le porte-parole d'une éducation positive. On peut s'étonner de l'intérêt extraordinaire porté par la jeune fille à l'étude des sciences naturelles, de la médecine. Elle lit des ouvrages spéciaux, elle étudie le *Traité de physiologie* et le *Manuel de pathologie et de clinique médical :*

Bien des choses lui échappaient, elle avait la seule prescience de ce qu'il faudrait savoir, pour soulager ceux qui souffrent. Son cœur se brisait de pitié, elle reprenait son ancien rêve de tout connaître, afin de tout guérir (p. 58).

Et rien de plus naturel que l'orientation de ses pensées altruistes : elles vont tout d'abord vers ceux qu'elle aime. Madame Chanteau ferme l'armoire-bibliothèque et garde la clef, mais le désir de Pauline d'aider ceux qui souffrent est tenace :

Huit jours après, la clef traînait de nouveau, et Pauline s'accordait de loin en loin, comme une récréation, de lire le chapitre des névroses, en songeant à son cousin, ou le traitement de la goutte, avec l'idée de soulager son oncle (p. 59).

Jusque là, le programme d'éducation dont Zola se fait l'interprète, est sans doute d'un modernisme assez avancé. Mais quel choc a dû être un autre cours qu'il inscrit au programme de Pauline : l'éducation sexuelle. Depuis longtemps, il attaquait, à l'exemple de Flaubert, l'éducation des jeunes filles, sans cependant indiquer ouvertement sur quel chemin on devrait, selon lui, s'engager. Dans la *Joie de vivre,* il laisse entendre, aussi nettement que le lui permet sa doctrine objective-naturaliste, que la seule éducation éclairée digne de ce nom, est celle d'un positivisme qui enseigne aux jeunes filles les faits élémentaires de la vie – tous les aspects physiologiques inclus. Il laisse madame Chanteau agir comme toutes les mères ignorantes ou prudes : c'est-à-dire qu'elle n'avertit pas Pauline des fonctions élémentaires physiologiques. Les premières règles deviennent donc un choc terrible pour Pauline, dont nous connaissons déjà les réactions intellectuelles : elle se met à étudier la physiologie et l'anatomie. Ces scènes ont une grande et presque gênante portée didactique.

Derrière ce programme d'éducation se laisse sans doute entrevoir un autre positiviste, Herbert Spencer, dont le livre intitulé *Education : Intellectual, Moral, and Physical* (1861), qui avait fait sensation en Angleterre, trouva en Baillière un éditeur français (1879). Zola a très vraisemblablement lu Spencer.[7] Ce qui paraît certain est, en tout cas, qu'il a lu un article dans la *Revue Philosophique* de 1877 – la même année où il avait trouvé l'étude de Richet sur *La douleur*. C'est dans la livraison de mai–juin qu'on publiait un article de G. Compayré intitulé « Les Principes de l'éducation ». Compayré appuie les idées de Spencer sur « la nécessité d'éclairer les parents et tout particulièrement les mères sur leurs devoirs », et résume ainsi l'opinion du philosophe anglais :

N'est-il pas monstrueux que le destin des générations nouvelles soit abandonné au hasard de la routine, de la fantaisie, aux inspirations des nourrices ignorantes et aux préjugés des grand-mères ? L'instruction la meilleure, même chez les privilégiés de la fortune, n'est guère, dans l'état actuel des choses, qu'une instruction de célibataires. Les parents ignorent la psychologie comme la physiologie : ils devraient connaître l'une et l'autre. On répète sans cesse que la vocation de la femme est d'élever ses enfants, et on ne lui apprend rien de ce qu'il lui faudrait savoir pour remplir dignement cette grande tâche. Ignorante, comme elle l'est, des lois de la vie et des phénomènes de l'âme, ne sachant rien de la nature des émotions morales ni des causes des désordres physiques, son intervention est souvent plus désastreuse que ne le serait son inaction absolue.[8]

Spencer est *victorian :* il ne prononce pas le mot « éducation sexuelle ». Mais Zola prête, à cet égard, au texte un sens qui n'a pu être étranger à Spencer, et nous pouvons conclure que des passages comme celui que nous venons de citer ont fortifié chez Zola les idées qu'il a nourries depuis longtemps.

Mais il y avait un texte beaucoup plus explicite et qui était de la plus proche actualité, publié seulement quelques mois avant que Zola se mît à son nouveau roman – un volume intitulé *Hygiène de la jeune fille,* par un Docteur A. Coriveaud et édité, en 1882, par Baillière. Ce manuel, destiné à être mis dans les mains des parents qui voudraient parler à leurs filles, est embarrassé et timide, « mais enfin un premier texte »,[9] qui pose aux lectrices cette question, à laquelle il répond tout de suite « oui, certainement oui » : « La mère, une mère comme vous l'êtes, doit-elle informer sa fille de ce qui l'attend bientôt, et lui expliquer la cause des troubles qui l'agitent ? »[10]

Peut-être est-ce ce volume de 1882 qui incita Zola à insérer dans son roman de 1883 un élément important qui n'était pas prévu dans l'ancien plan.[11]

Pauline est la femme idéale telle que la conçoit Zola. Il a, plusieurs années plus tard, dessiné de nouveau les contours de son portrait. Nous ne pensons pas à Clotilde, du *Docteur Pascal,* qui, à bien des égards, est sans doute une nouvelle Pauline, mais à quelques phrases qui se retrouvent dans la grande enquête du docteur Toulouse. Dans l'examen psychologique auquel Zola se soumettait, le docteur Toulouse constate que les trois choses « qui lui paraissent les plus belles, c'est la jeunesse, la santé, la bonté ». Et, un peu plus loin, Zola précise quelles sont les qualités qu'il apprécie surtout chez la femme :

Il aime la femme jeune, sans cependant comprendre le prix qu'on attache à la virginité. Ce qu'il prise le plus en elle, c'est la fraîcheur et la santé, l'harmonie physique et morale, et aussi la douceur et le charme ; il n'attache aucune importance au vêtement et il serait plutôt éloigné par l'esprit d'une femme.[12]

Avec toutes ses vertus, toute sa noblesse, tout son bel esprit de sacrifice, Pauline est un personnage vivant. Zola avait craint, nous le savons déjà, de tomber dans une fausse idéalisation, et c'est pourquoi il ajouta quelques touches sombres : la jalousie, l'avarice et la violence. Parmi ces tendances, la seule qui nous convainc est la jalousie. L'avarice et la violence paraissent un peu artificielles chez ce caractère si harmonieux et pondéré, et Zola n'en a plus guère besoin dès que Pauline a grandi. La jalousie, par contre, ressort avec une grande force artistique de l'action, des situations et des analyses. Même dans le dernier chapitre, qui est pourtant une apothéose des vertus de Pauline, jaillissent de nouveau ses violences jalouses, son amertume, son brûlant désir d'être aimée, d'être mère, et c'est comme un écho douloureux de son sourd désespoir lorsqu'elle repoussait l'amour de Lazare : « Il avait raison, elle l'adorait, pourquoi se refuser cette joie, qu'ils cacheraient tous deux au monde entier ? – – – Oh ! vivre, vivre enfin ! » (pp. 294–295).

Ainsi Pauline devient, à la fin, un paradoxe : en elle, par ce portrait, Zola a voulu rendre hommage à la santé, à l'harmonie, à la joie, aux forces indestructibles et éternellement créatrices de la vie – mais il lui refuse la conséquence la plus naturelle de toute cette saine féminité : devenir mère, porter de la vie. Pourquoi cette contradiction ? Zola a lui-même formulé la réponse à cette question. Pauline accepte la vie telle qu'elle est, mais avec un seul grand but pour ses actions : faire du bien, vivre pour autrui, rendre les autres heureux. Pour rendre heureux l'homme qu'elle aime, elle renonce à lui. Pour soigner Chanteau, et, plus tard, pour aider encore Lazare, elle renonce même à l'amour et à la maternité, qui pourraient sans doute l'attendre ailleurs. C'est l'altruisme qui lui demande ce sacrifice. Pourquoi ce suprême sacrifice ? Parce que le drame l'exigeait ? Peut-être. Mais peut-être y a-t-il aussi une autre explication, un autre drame caché derrière celui de Pauline, un drame de travail et de sacrifice.

Zola avait voué sa vie au travail. Quelle émotion – douloureuse même – et quels accents pathétiques dans les paroles qu'il prononçait dans un discours aux étudiants, en 1893 : « Le travail ! Messieurs, mais songez donc qu'il est l'unique loi du monde, le régulateur qui mène la matière organisée à sa fin inconnue ! La vie n'a pas d'autre sens, pas d'autre raison d'être, nous n'apparaissons chacun que pour donner notre somme de labeur et disparaître. »[13] Aussi s'était-il, de bonne heure, imposé un travail qui devait durer un quart de siècle. Le plan de la nouvelle *Comédie humaine* qu'il projetait fut considérable dès ses premières ébauches ; petit à petit, les contours se dessinaient avec plus de netteté, le projet grandissait, et Zola pouvait voir devant lui des années et des années de travail lourd et fatigant. « Que de fois, le matin, je me suis assis à ma table, la tête perdue, la bouche amère, torturé par quelque grande douleur physique ou morale ! »[14]

Zola et sa femme n'avaient pas d'enfants. Nous en ignorons la raison. S'il faut en croire les déclarations faites par Mme Zola après la mort de son mari, c'est Zola lui-même qui aurait voulu y renoncer ;[15] son œuvre l'aurait absorbé à tel point qu'il n'aurait pas laissé de place pour la responsabilité et les soins qu'impose l'éducation des enfants ; c'est seulement aux approches de la cinquantaine, quand la fièvre créatrice commença à se calmer, qu'il aurait compris la valeur de ce qu'il avait sacrifié sur l'autel du travail. Mais alors il était trop tard : Mme Zola était trop âgée pour être mère.[16] Une chose est certaine : quand Zola écrivit la *Joie de vivre,* le ménage ne pouvait plus guère avoir aucun espoir.[17] Qu'il se soit abstenu volontairement ou contraint par les circonstances, il peut se faire que Zola, à ce moment de sa vie, ait considéré le renoncement aux enfants comme un sacrifice pénible – lui qui, dans la *Faute de l'abbé Mouret* avait chanté la reproduction et la procréation. Qu'il s'agisse d'un libre choix ou d'une nécessité, Zola a fort bien pu idéaliser une situation extérieure et un état d'âme. Si l'on admet cette hypothèse, Pauline serait donc une projection de Zola lui-même : adorant la vie, mais se sacrifiant à une grande œuvre et par là renonçant au but final de la vie : la propagation de l'espèce.

Un parallèle s'impose. Lorsque, dix ans plus tard, Zola composait le *Docteur Pascal,* Jeanne Rozerot lui avait donné deux enfants. La Clotilde de ce roman, qui a tant de traits communs avec Pauline, donne le jour à un enfant, l'enfant de Pascal, après la mort de ce dernier. Le roman s'achève sur une évocation puissante des joies de la maternité : « Un élan de ferveur maternelle monta du cœur de Clotilde, heureuse de sentir la petite bouche vorace la boire sans fin. C'était une prière, une invocation. A l'enfant inconnu, comme au dieu inconnu ! »[18] Le temps de la stérilité, du sacrifice n'est plus. Quelques années plus tard encore, dans *Fécondité,* Zola exalte la propagation de la vie – avec un accent extatique qui n'échappe pas quelquefois au ridicule. C'est la Vie dans toute sa plénitude qui s'épanouit dans ces hymnes à la famille, à la reproduction. Ces visions ne s'expliquent que par des expériences psychologiques profondément bouleversantes. Il n'est pas déraisonnable de chercher un lien intime entre celles-ci et le sacrifice de Pauline, quinze années auparavant, lorsque Zola se croyait à jamais sans enfants.

## 4

## Les Chanteau

L'intérêt principal du portrait de madame Chanteau, vient de ce qu'il permet à l'auteur de dépeindre avec force une décomposition morale. Cette femme si active ne peut pas pardonner à son mari d'être à jamais infirme, incapable de travailler et, par conséquent, de réaliser les beaux rêves d'ambitieuse qu'elle fait pour la famille, et surtout pour Lazare. Elle est furieuse contre les souffrances de son mari parce que la goutte de celui-ci « tue l'avenir de leur fils » [f. 153–154]. Elle adore son fils, et c'est de cet amour que naît la brûlante ambition, qui la conduit implacablement jusqu'à la banqueroute morale.

Zola n'attaque jamais les traditionnelles vertus bourgeoises, et à ces vertus appartient sans doute la volonté d'avoir un capital et de faire de bons placements. Mais à ces vertus appartient aussi l'honnêteté. Madame Chanteau est honnête au fond, « sa coquinerie viendra de sa tendresse folle pour son fils » [154], et la victime innocente de cette coquinerie est Pauline, à laquelle la tante « emprunte » à peu près tout son capital, qui est ainsi successivement placé, et perdu, dans les projets plus ou moins fous du fils adoré. On admettrait peut-être, à la rigueur, certaines excuses à sa conduite, tant que Lazare devait épouser Pauline et que, par conséquent, il y avait les apparences d'une solidarité, d'une loyauté financières entre les deux jeunes gens. Mais le crime grave, impardonnable même de madame Chanteau, est celui qu'elle commet plus tard, lorsque, ayant ruiné la jeune fille, elle l'abandonne cyniquement pour se précipiter sur une autre proie, la riche Louise.

Cette étude sinistre de la ruine d'une conscience est exécutée avec beaucoup d'exactitude, avec des effets toujours bien calculés. Lorsque Pauline vient vivre avec son oncle et sa tante, celle-ci a hâte de faire preuve de la plus grande délicatesse de conscience au sujet des titres de Pauline, qu'elle conduit, très solennellement, le soir même de son arrivée, à un vieux secrétaire :

> Elle avait ouvert un des petits tiroirs, où elle plaçait en soupirant l'inventaire désastreux de Davoine. Puis, elle vida un autre tiroir au-dessus, le sortit, le secoua pour en faire tomber d'anciennes miettes ; et, s'apprêtant à y enfermer les titres, devant l'enfant qui regardait :
> – Tu vois, je les mets là, ils seront tout seuls... Veux-tu les mettre toi-même ? (p. 32).

C'est autour de ce secrétaire que le drame de l'argent de Pauline se jouera. Mais le secrétaire n'est pas seulement un objet de décor, il devient un être vivant, un puissant symbole à la fois de la richesse et de la misère de la maison, et de la conscience de madame Chanteau : « Ce secrétaire vénérable, qui – – – avait d'abord donné à la maison un air de gaîté et de richesse, la ravageait aujourd'hui, était comme la boîte empoisonnée de tous les fléaux, lâchant le malheur par ses fentes » (p. 84). Le prêt de Pauline à Lazare pour l'exploitation des algues, est en effet provoqué par madame Chanteau, qui lui laisse entendre que le père de Louise ne serait que trop heureux de prêter l'argent aux Chanteau. Les trente mille francs de Pauline mangés, l'idée d'un mariage entre Lazare et elle naît chez madame Chanteau, mais comme celle-ci veut « attendre l'âge légal de l'émancipation » pour ne pas être accusée « d'avoir opéré, à l'aide de son fils, une pression sur une enfant trop jeune », on décide que le mariage n'aura lieu que deux ans plus tard. Cette décision prise, « la question d'argent se trouva ainsi traitée d'enthousiasme » (p. 80). Pauline déclare que l'argent est maintenant à Lazare autant qu'à elle, mais madame Chanteau se récrie, et se contente, pour le moment, de dix mille francs. Petit à petit, ses hésitations cèdent au besoin constant d'argent ; elle achève de « vivre sur le tiroir du secrétaire, emportée, ne résistant plus ». C'est une obsession qui la ramène toujours là, et le meuble, le symbole et l'être vivant, « lorsqu'elle baissait le tablier, jetait un léger cri, dont elle restait énervée » (p. 84).

Il est naturel que cette malhonnêteté ait des conséquences terribles pour les relations entre madame Chanteau et sa nièce. D'abord, ce n'est peut-être qu'une rancune que madame Chanteau garde à Pauline : puis, madame Chanteau prenant de l'argent sans même en demander la permission à Pauline, c'est un « échange rapide de regards, à certaines heures : le regard fixe et inquiet de la nièce, quand elle devinait un nouvel emprunt ; le regard vacillant de la tante, irritée d'avoir à tourner la tête » (p. 83). C'est « un ferment de haine » qui germe ; ce sera, quelques années plus tard, la haine délirante de madame Chanteau agonisante.

Les ressemblances entre madame Chanteau et la mère de Zola ont, à bon droit, été relevées par Niess.[1] « Madame Chanteau is, save for her dishonesty, Emile Zola's mother almost to the life. » Elle est, comme la mère de Zola, le véritable chef de la famille. Niess établit un parallèle entre les deux femmes : elles sont toutes les deux très actives et très énergiques, et elles se sacrifient pour un seul fils adoré.[2] La dernière maladie et la mort de madame Chanteau présentent des ressemblances frappantes avec les événements qui eurent lieu, au mois d'octobre 1880, dans la maison d'Emile Zola : la maladie et les symptômes sont les mêmes, et les détails les plus terrifiants du chapitre consacré à cette maladie et à cette mort sont évidemment empruntés à la cruelle réalité. Il s'agit des accusations que porte madame Chanteau contre Pauline de vouloir l'empoisonner. Maurice Le Blond, le gendre de Zola, raconte dans ses notes et commentaires du roman :

> Sa femme Alexandrine soigna la malade avec un dévoûment admirable, d'autant plus que l'agonisante avait pris sa belle-fille en horreur, lui faisant des scènes terribles, l'accusant de vouloir l'empoisonner à chaque médicament qu'on lui présentait.[3]

Il semble que, à d'autres égards aussi, les relations entre Pauline et madame Chanteau reposent sur des faits réels. Denise Le Blond–Zola rapporte que madame François Zola « ne s'était jamais absolument entendue avec sa belle-fille ». Niess cite le passage suivant du livre de Denise le Blond–Zola sur son père :

> ... la famille Aubert [Mme François Zola was an Aubert] n'était pas éteinte, les frères s'étaient mariés et souvent ils venaient voir Mme François Zola. Devant le luxe du romancier, ceux-ci, qui étaient peu fortunés, n'hésitaient pas à faire des emprunts à sa bourse, emprunts jamais remboursés. Mme Emile Zola voulait mettre ordre à cela, mais ce fut presque la brouille entre elle et sa belle-mère. Mme François Zola, désirant vivre à sa guise, s'installa dans un petit appartement rue Ballu ...[4]

Dans les deux cas, il y avait donc des causes d'ordre pécuniaire derrière la brouille, constate Niess, bien que les circonstances extérieures soient sensiblement dissemblables.

Il y a tout lieu d'attacher une grande importance aux observations de Niess. Evidemment, il s'agit ici d'un des éléments autobiographiques



10—*802357*

essentiels du roman, puisque la ruine de Pauline est un des pivots du livre – en effet, c'est cette ruine qui façonne sa destinée. Mais cet événement réel, de nature délicate, douloureuse même, est soumis à des modifications de toutes sortes. Il n'est plus question de *documents* qui, intacts, à leur état primitif, sont transférés de la réalité au roman ; il s'agit au contraire d'une idée que la réalité donne au romancier et qu'il utilise dans une chaîne d'événements qui est bien différente de celle de la réalité et qui a par conséquent une autre couleur, d'autres fonctions, d'autres dimensions. Mais il s'agit aussi de la translation de certains sentiments, profondément éprouvés, de la réalité à la fiction. Il n'est pas difficile de se figurer l'amer chagrin qu'a dû causer à Zola la dissension entre sa mère et sa femme – dissension peut-être beaucoup plus grande que ne le laisse entendre Denise Le Blond-Zola.

Si Zola, avec son portrait de madame Chanteau, a voulu dépeindre le délabrement moral d'un être qui est « au fond honnête », Chanteau représente le délabrement physique total.

Parfois Zola nous entr'ouvre la conscience de madame Chanteau, il nous fait participer à ses pensées, à ses calculs, à ses passions. L'âme de Chanteau, au contraire, est un monde absolument clos, à jamais fermé à notre curiosité. Chanteau est le toujours-présent, nous entendons ses observations insipides lorsqu'il est passablement bien portant, et ses gémissements ou ses hurlements continuels lorsqu'il a une de ses crises, nous le voyons jouer aux dames avec l'abbé ou se régaler d'un mets défendu, nous assistons au jeu stupide qu'il joue avec la chatte pendant que sa femme agonise – mais jamais il ne nous est permis d'entrer dans l'intimité de ses pensées, de ses sentiments. Il est un des personnages principaux du roman, mais son rôle est toujours passif. Il attire notre compassion à cause de ses dures souffrances physiques, mais comme son rôle est passif, comme son corps et son âme infirmes ne sont jamais secoués par les tempêtes des passions ou des pensées, par les luttes morales ou intellectuelles, toutes ses souffrances nous sont au fond assez indifférentes. Chanteau est un phénomène purement corporel, il est un *homme-machine* dont l'auteur suit les réactions avec l'impassibilité du chimiste ou du médecin devant leur éprouvette. L'agonie du pauvre chien est infiniment plus saisissante que toutes les souffrances de Chanteau, que personne ne semble prendre vraiment au sérieux, à l'exception de Pauline.

Rien de marquant ni même d'original dans cette description à la manière naturaliste ; elle est tout à fait conforme au programme de l'école, et pourrait, à la rigueur, être la création de n'importe quel auteur de l'école de Flaubert ou de Zola. Mais la vérité psychologique d'une telle peinture ne peut pas se mesurer seulement à l'exactitude et à la précision des observations extérieures ; elle se manifeste surtout dans l'intensité des émotions que l'auteur sait inspirer au lecteur, avec sa méthode en apparence si impassible. Chanteau a-t-il le don de susciter cette émotion ? En principe, non. Mais il arrive une ou deux fois que le romancier répande sur ce débris d'homme la puissante lumière de sa compassion, et, d'un coup, nous nous rendons compte qu'il n'y a pas seulement un Chanteau *homme-machine* qui dispose de certains gestes et de certains mots automatiques, purement extérieurs, mais qu'il y a aussi un Chanteau ayant une réalité intérieure, un Chanteau qui nous émeut parfois. Nous pensons à deux scènes après la mort de madame Chanteau. Pendant sa maladie, Chanteau, à cause de son infirmité, est resté tout le temps au rez-de-chaussée, sans monter voir sa femme. Madame Chanteau morte, on discute la possibilité de le monter au premier étage, pour qu'il puisse embrasser la morte, mais on juge dangereux de lui donner l'émotion de cet adieu suprême.

Et il demeura dans la salle à manger, devant le damier en désordre, ne sachant à quoi occuper ses pauvres mains d'infirme, n'ayant pas même assez de tête, disait-il, pour lire et comprendre son journal. Quand on le coucha, des souvenirs lointains durent s'éveiller, car il pleura beaucoup (p. 195).

C'est là la peinture extérieure, objective, poussée à son point extrême. Par une seule phrase inoubliable, Zola a démontré quels effets il sait tirer de ce procédé de compte rendu d'apparence indifférente. Nous ne savons même pas exactement pourquoi Chanteau pleure : « des souvenirs lointains *durent* s'éveiller, car il pleura beaucoup ». Ce semble être la supposition de Pauline et de Lazare. Une compassion immense, une imagination dirigée par une profonde sympathie, se fait entendre en ces mots si simples.

A peu près le même ton d'objectivité rigide caractérise la peinture de Chanteau regardant s'éloigner le convoi funèbre. Chanteau, cloué à son fauteuil, « regardait toujours, regardait s'en aller quarante années de sa vie, les choses d'autrefois, les bonnes et les mauvaises, qu'il regrettait éperdument comme on regrette la jeunesse » (p. 197). Et son adieu suprême à sa femme est formulé en une seule phrase :

La cloche de l'église sonnait toujours, le corps quittait enfin la cour, suivi de Lazare et de Pauline, en noir au grand soleil. Et, de son fauteuil d'infirme, dans l'encadrement de la porte du vestibule laissée ouverte, Chanteau le regardait partir (p. 197).

Après cela, Chanteau est quelque chose d'autre, et de plus, qu'un *homme-machine.*

Chanteau a sans doute d'autres fonctions que celles qui lui sont imposées par le rôle qu'il joue dans l'intrigue du roman : il représente la constante souffrance humaine, ses cris plaintifs semblent répéter avec une monotonie furieuse que la douleur de l'existence est sans fin. Il y a, dans ce roman, des leitmotive toujours présents : l'éternel mugissement de la mer qui monte et qui se retire, les brisants qui frappent les falaises, la houle qui baigne les sables ; mais surtout les lamentations, les gémissements, les hurlements de Chanteau. Si cette ruine représente la souffrance physique, elle représente aussi la volonté de vivre, la stupide volonté de vivre que flétrit Schopenhauer. Personne sinon le grand philosophe lui-même n'eût pu formuler mieux que le pauvre Chanteau le paradoxe de la volonté de vivre, lorsque, à la nouvelle du suicide de Véronique, il s'écrie : « Faut-il être bête pour se tuer. »

## 5

## Le médecin et le curé

Les romans naturalistes s'accommodent bien de la présence d'un médecin. Mieux que personne le médecin de l'époque peut représenter la conception scientifique de l'homme, l'esprit de désillusion, la pénétration froide ou même cynique.

Le docteur Cazenove n'est point un cynique, pas même dans ses paroles. C'est un brave homme, un vrai ami ; il a bon cœur, il aime bien Pauline, dont il prend le parti, et, après la mort de madame Chanteau, il embrasse, ému, le malheureux Lazare. En s'apercevant que Pauline, âgée de dix ans, a commencé à soigner Chanteau, Cazenove la baise sur les deux joues, puis diagnostique le caractère de la jeune fille : « Voilà une gamine qui est née pour les autres » (p. 40).

Il affecte un grand scepticisme, ayant vu agoniser, pendant trente ans, tant de misérables, « sous tous les climats et dans toutes les pourritures » qu'il est devenu très modeste, c'est-à-dire qu'il veut laisser agir la vie

(p. 39). Ces expériences sont précisées plus tard, et le romancier nous apprend bientôt qu'il ne s'agit point d'un praticien quelconque ; au contraire, il y a en lui un élément mystique, assez lugubre, formé au cours de longues années d'activité sur toutes les mers, et l'impassibilité professionelle qui a résulté de cette pratique peu ordinaire, fait un contraste violent avec l'angoisse qui l'étouffe lorsqu'il se sent désarmé devant les souffrances de la jeune fille :

Pendant plus de trente années, il avait battu le monde, passant de vaisseau en vaisseau, faisant le service d'hôpital aux quatre coins de nos colonies ; il avait soigné les épidémies du bord, les maladies monstrueuses des tropiques, l'éléphantiasis à Cayenne, les piqures de serpent dans l'Inde ; il avait tué des hommes de toutes les couleurs, étudié les poisons sur des Chinois, risqué des nègres dans des expériences délicates de vivisection. Et, aujourd'hui, cette petite fille, avec son bobo à la gorge, le retournait au point qu'il ne dormait plus ; ses mains de fer tremblaient, son habitude de la mort défaillait, à la crainte d'une issue fatale (p. 128).

Il est peu philosophe, et pourtant, au point de vue philosophique il a un rôle important à jouer. Zola lui fait défendre une de ses thèses favorites, thèse qui est au fond identique aux idées de Pauline et qui vise par conséquent le pessimisme et la prostration de la jeune génération, celle qui renie la science. On s'en rend compte dans un des dialogues les plus importants du roman, entre Cazenove et Lazare, lorsque celui-ci, après la mort de sa mère, s'est abandonné à des idées sombres et même essaie de chercher l'oubli dans la religion. On parle de l'abbé Horteur, qui vient de se montrer d'un si pauvre esprit, que Chanteau lui-même doit avouer qu'il y a des jours où le curé « n'est pas fort ». Lazare répond brutalement qu'il voudrait être à sa place : « Il est plus heureux que nous. » Sur quoi le médecin se met à rire :

– Peut-être. Mais Mathieu et la Minouche sont aussi plus heureux que nous... Ah ! je reconnais là nos jeunes gens d'aujourd'hui, qui ont mordu aux sciences, et qui en sont malades, parce qu'ils n'ont pu y satisfaire les vieilles idées d'absolu, sucées avec le lait de leurs nourrices. Vous voudriez trouver dans les sciences, d'un coup et en bloc, toutes les vérités, lorsque nous les déchiffrons à peine, lorsqu'elles ne seront sans doute jamais qu'une éternelle enquête. Alors, vous les niez, vous vous rejetez dans la foi qui ne veut plus de vous, et vous tombez au pessimisme... Oui, c'est la maladie de la fin du siècle, vous êtes des Werther retournés (p. 210).

Mais Lazare n'en démord pas, il exagère même « sa croyance au mal final et universel » :

– Comment vivre, demanda-t-il, lorsque à chaque heure les choses craquent sous les pieds ?

Le vieillard eut un élan de passion juvénile.
– Mais vivez, est-ce que vivre ne suffit pas ? La joie est dans l'action (p. 211).

Ici, le vieux médecin cite en effet Aristote. Au cours de sa lecture de Bouillier, Zola s'est arrêté au passage suivant : « Aristote, auquel il faut toujours revenir dans une théorie du plaisir et de la douleur, a dit profondément : 'C'est dans l'action que semble consister le bien-être et le bonheur.' »[1] Cette pensée est condensée par Zola dans une courte formule : « Le bonheur est dans l'action » [284], prononcée par le docteur Cazenove. C'est d'ailleurs une des idées chères à Zola que seul le travail assidu peut donner à l'homme la force d'endurer l'existence.[2]

Le credo du vieux médecin tel qu'il est formulé dans le dialogue que nous venons de citer, est aussi celui de Zola. Cazenove est en effet le porte-parole des réflexions sur Lazare que Zola formulait ainsi dans l'Ebauche : « Le romantisme a fait le désespéré mélancolique qui doute, – le naturalisme fait le sceptique qui croit au néant du monde, qui nie le progrès » [174]. Cette formule noue la sympathie entre Cazenove et Zola. Cazenove est du côté de l'évolution, du positivisme, ce qui cadre bien avec son scepticisme. Mais, en même temps, la vie lui a appris qu'il n'y a pas de vérités définitives, et l'abbé le traitant d'athée, il lui coupe la parole : « Qui vous a dit que je ne croyais pas en Dieu ? . . . Dieu n'est pas impossible, on voit des choses si drôles ! . . . Après tout, qui sait ? » (p. 184).

Dans la foule qu'anime Zola à travers les vingt volumes des *Rougon-Macquart,* il y a nombre de prêtres, dont les plus remarquables sont peut-être l'abbé Serge Mouret, le père Archangias dans la *Faute de l'abbé Mouret,* et l'abbé Faujas dans la *Conquête de Plassans.* Serge Mouret soutient, on le sait, la thèse d'un romantisme ou d'un mysticisme violent et passionné : le mysticisme des sens, la révolte de la vie contre la tyrannie de la religion et de l'Eglise, le triomphe exultant mais aussi la tragédie émouvante d'une sexualité qui est à la fois pure, innocente et aveugle. Le père Archangias est l'ascétisme incarné d'une église ennemie de tous les instincts de la chair ; c'est un homme aussi fanatique que grossier et brutal, un misogyne aux passions perverties. L'abbé Faujas est l'ecclésiastique au service des forces réactionnaires, un hypocrite qui ourdit, avec beaucoup de talents sordides, les intrigues par lesquelles Plassans est mis sous le joug du second Empire et de l'Eglise.

Il est équitablement puni de ses méfaits, et meurt – d'ailleurs d'une mort très mélodramatique – victime des forces qu'il a lui-même déchaînées.

Ce sont là des portraits peints avec beaucoup de partialité, mais aussi d'intensité, et on ne saurait nier que ces personnages possèdent une certaine grandeur comme types et comme représentants d'idées. A cet égard, l'abbé Horteur ne leur ressemble pas. Il n'y a rien de grand chez lui, ni dans sa plate médiocrité, ni dans sa fidélité de chien envers les Chanteau. Il est, en tout, une personne très insignifiante, et sa psychologie est – à dessein, sans doute – très élémentaire.

Nous avons déjà fait remarquer ses fonctions à peu près statiques dans le roman : il bêche son étroit jardin, il cultive ses pauvres salades, il fume, un peu coupable, sa chère pipe, il dîne avec la famille, il joue aux dames avec Chanteau, il laisse échapper un mot qui est du dernier trivial. D'ailleurs, ce n'est pas la première fois que Zola peint le personnage ; nous le retrouvons, trait pour trait, dans la nouvelle intitulée *La Fête à Coqueville,* publiée pour la première fois en 1879 dans le *Messager de l'Europe* de Saint-Pétersbourg.[3] Voici le portrait du respectable abbé Radiguet : « Il vivait en brave homme, redevenu paysan, bêchant son étroit jardin conquis sur le roc, fumant sa pipe en regardant pousser ses salades. »[4]

L'abbé Horteur est vraiment « un curé de village qui résume les vulgarités du prêtre s'endormant dans le métier du sacerdoce », comme le dit Zola à propos du curé dans *Madame Bovary*.[5] Mais l'abbé Horteur est dépeint sans haine, c'est en effet un brave homme. Pourtant, ce serviteur de Dieu n'est pas très zélé. Il est significatif que, Lazare ayant pris l'habitude, après la mort de la mère, de venir causer avec le curé dans le cimetière, leurs conversations ne roulent guère sur les fins dernières. L'abbé n'essaie point d'influencer Lazare. Lorsque celui-ci remarque que « ce n'est pas gai, de vivre parmi ces croix », l'abbé lui répond : « Ma foi, je n'y songe jamais . . . Nous sommes tous dans la main de Dieu » – réflexion qui semble résumer sa metaphysique.[6]

Il est tolérant, ou plutôt indifférent, et il a, depuis longtemps, abandonné l'espoir de convertir les impies de Bonneville. Voici sa philosophie, exprimée dans une conversation avec Lazare :

> Lui-même apportait une pipe, tous deux fumaient, en causant des loches qui mangeaient les salades ou du fumier qui coûtait trop cher ; car le prêtre parlait rarement de Dieu, l'ayant réservé pour son salut personnel, dans sa

tolérance et son expérience de vieux confesseur. Les autres faisaient leurs affaires, lui faisait la sienne. Après trente années d'avertissements inutiles, il s'en tenait à l'exercice strict de son ministère, avec la charité bien ordonnée du paysan qui commence par lui-même (pp. 208–209).

Il parle rarement de Dieu. C'est là sans doute un trait peu caractéristique d'un prêtre, mais Zola, à ce qu'il semble, a établi sa formule sur des expériences personnelles qu'il a faites à la campagne, car dans un article écrit en 1872 pour la *Cloche,* il constate : « J'ai beaucoup vécu dans des trous perdus, où le curé, pour vivre en paix avec ses ouailles, ne leur parlait jamais du bon Dieu. »[7]

Ce n'est pas Zola l'anticlérical, mais Zola le naturaliste qui dépeint l'abbé Horteur, ce serviteur de l'Eglise, sans grandeur aucune, mais aussi sans dissimulation et sans hypocrisie – un brave homme. C'est un portrait qui s'accorde très bien avec le roman sur la douleur et sur la compassion. Même la simplicité et l'étroitesse d'esprit au service d'idées qui sont profondément étrangères à Zola, sont traitées avec respect et sympathie.[8]

# 6

# Louise et Véronique

Zola s'est bien gardé de faire de Louise une vivante antithèse de Pauline. Il lui a prêté certaines qualités qui poussent Lazare à la préférer à Pauline : son charme câlin, « toute sa personne coquette [qui se fond] en promesses de bonheur ». Elle est gâtée, elle est au fond une poupée, sans méchanceté, mais aussi sans la saine harmonie qui est le propre de Pauline. Sa grâce de chatte est si caractéristique, aux yeux de Zola, qu'elle est une fois même directement comparée avec la Minouche : « Elle était comme la Minouche, elle se caressait aux autres, sans méchanceté tant qu'on ne troublait pas son plaisir » (p. 141). C'est une sensitive, et quand la peur de Lazare prend les proportions d'un état morbide, elle est bientôt contaminée par le mal de son mari. Cet épisode, on le sait, remonte à des souvenirs personnels.

Nous ne sommes pas renseignés sur l'hérédité de Louise, mais nous connaissons un peu le milieu qui a contribué à la former : le pensionnat. Son éducation a été en tout contraire à celle de Pauline. Alors que celle-ci se crée une éducation selon l'esprit du positivisme, Louise est une victime de l'éducation bourgeoise traditionnelle que Zola combat depuis longtemps.

Dès son roman de jeunesse, *Madeleine Férat* (1868), Zola livre un assaut aux pensionnats où l'on enseigne moins le catéchisme « que les révérences et les sourires du monde ». Le résultat en est que la jeune fille, en quittant l'école, est « parfaitement ignorante, mais elle pouvait entrer dans un salon en coquette habile, armée de toutes les grâces parisiennes », car elle est devenue « une merveilleuse et adorable poupée ».[1] Mais son ignorance n'est point complète. Les jeunes filles se chuchotent des choses défendues :

Dans les coins, derrière le feuillage de quelque haie, elle surprit des groupes qui parlaient d'hommes ; elle se mêla à ces conversations, avec la curiosité ardente de la femme qui s'éveille dans l'enfant, et reçut ainsi l'éducation précoce de la vie.[2]

Tout ce qui est frais et naturel chez une jeune fille est absent dans ce milieu artificiel et mensonger : « Elle avait l'air d'un garçon bon enfant et tapageur ; on se contenta de vouloir en faire une petite fille hypocrite. »[3]

Lorsque, après *Pot-Bouille,* Zola fut l'objet d'une bordée d'injures, accusé d'avoir dénigré la femme bourgeoise, il eut l'occasion de soutenir à nouveau son opinion sur l'éducation corruptrice qu'on donnait en France à bien des jeunes filles. Il voit là une importante raison de l'infidélité de Marie Pichon :

Prenons Marie Pichon, maintenant. C'est vrai, celle-là cède à un amant. Mais est-ce que mon intention morale, – entendez-vous ! je dis « morale » – ne saute pas à tous les yeux ? Je soutiens que certaines éducations cloîtrées sont dangereuses, en supprimant la personnalité de la femme. J'ai des documents plein les mains à ce sujet.[4]

La même attitude critique transparaît dans la peinture du caractère de Louise. Des réalités de la vie, l'école ne lui a rien appris, mais ses amies l'ont initiée : « Elle était suffisamment instruite par ses longues années de pensionnat, pour ne rien ignorer de ce qui la menaçait » (p. 153). L'éducation de Louise et celle de Pauline sont en opposition directe dans un passage comme le suivant, où il s'agit de leurs attidudes vis-à-vis de la misère morale manifestée dans une des histoires des « cinq familles » :

Louise, cependant, se détournait, l'air gêné, tandis que Pauline lui racontait cette histoire, sans embarras aucun. Celle-ci, élevée librement, montrait la tranquille bravoure de la charité devant les hontes humaines, savait tout et parlait de tout, avec la franchise de son innocence. Au contraire, l'autre, rendue savante par dix années de pensionnat, rougissait aux images que les mots éveillaient dans sa tête, ravagée par les rêves du dortoir. C'étaient des choses auxquelles on pensait, mais dont il ne fallait point parler (p. 107).

C'est cette éducation hypocrite qui rend Louise si mal préparée à l'événement qui révolutionne sa vie : l'accouchement. Aux douleurs effrayantes sont ajoutées la pudeur et la honte, qui lui font refuser la présence du médecin.

Il semble que, aux yeux de Zola, le principe même du pensionnat ait été pour le moins discutable. Si le romancier n'a guère approfondi les problèmes de l'éducation des jeunes filles, il est néanmoins à noter que ces problèmes furent discutés vers 1880, année où l'on vota, le 21 décembre, une loi qui visait à la création de lycées et de collèges pour les jeunes filles. La loi admettait l'internat « comme une annexe purement municipale aux lycées de jeunes filles ». Le principe de l'internat n'étant point généralement accepté, cet article de la nouvelle loi fut critiqué, par exemple dans la *Revue des Deux Mondes,* où Emile Beaussire soutenait que, s'il était imprudent de détruire les internats de garçons qui existaient déjà, l'état ne devait pas créer de pareils établissements pour les jeunes filles.[5] Ces questions étaient donc d'actualité à l'époque où Zola préparait son roman.

Derrière le portrait de Louise – comme derrière quelques autres portraits de femmes chez Zola[6] – se laisse entrevoir un grand personnage tragique, celui de madame Bovary. Cela ne veut pas dire que Louise ait emprunté des traits concrets à l'héroïne de Flaubert ; mais, pour les deux femmes, c'est le même germe spirituel et matériel qui est attaqué, c'est la même capitulation devant la vie, qui ne peut mener qu'au malheur ou même à la catastrophe.

Le portrait de Véronique se développe conformément aux esquisses de l'Ebauche et des *Personnages.* Elle est maussade, peu polie et fort indépendante. Du point de vue psychologique, seuls ses rapports avec madame Chanteau et avec Pauline nous intéressent ici. Au début du roman, son aversion contre Pauline est fortement soulignée ; elle triomphe lorsque la petite fille, dans un accès de violente jalousie, décharge sa colère sur le chien. Mais, peu à peu, elle en vient à apprécier la jeune fille, et elle réagit avec véhémence quand elle aperçoit que madame Chanteau s'approprie l'argent de Pauline. C'est une honnêteté revêche et bourrue que Zola a voulu dépeindre en lui faisant dire :

– Ils lui en ont mangé la moitié, ma parole ! grondait-elle furieusement. Non, ce n'est pas propre... Bien sûr qu'elle n'avait pas besoin de tomber chez nous ; mais était-ce une raison pour la mettre nue comme un ver ?... Non, moi je suis juste, je finirai par l'aimer, cette enfant ! (p. 101).

Mais après la mort de madame Chanteau, l'attitude de Véronique vis-à-vis de Pauline change encore une fois. Elle est prise de remords, elle s'en décharge sur Pauline, et même ici, il y a dans ses raisonnements simplistes une certaine objectivité :

La justice avant tout, on ne devait pas tuer les gens, même quand les gens avaient des défauts. Du reste, elle s'en lavait les mains – – – Mais cette assurance ne la calmait pas, elle continuait à grogner, en se débattant contre sa faute imaginaire (p. 212).

C'est là une réaction naturelle : la vieille bonne ne peut au fond accepter la nouvelle maîtresse de la maison.

Le rôle de Véronique a une portée philosophique : elle se suicide, ce dont Lazare n'a pas le courage. On ne peut guère s'affranchir de l'idée que Zola désirait, à tout prix, faire intervenir un suicide dans le roman sur la douleur. Bien que rejeté par Schopenhauer, le suicide peut sans doute être considéré comme le seul aboutissement logique de sa philosophie. L'action de Véronique secoue fortement le lecteur, aussi bien que les personnages du roman. Cette action doit servir d'antithèse violente – antithèse à l'aveugle volonté de vivre de Chanteau, mais aussi, et surtout, à l'espoir inextinguible de Pauline. On peut en conclure que, pour Zola, même l'attitude de Chanteau, attitude en apparence si grotesque, est plus sympathique que la capitulation de Véronique.

## 7

## La mer et les pêcheurs

Lorsque, dans la première esquisse de 1883, Zola eut l'idée de choisir pour milieu ce qu'il appelle un « petit pays perché au bord de l'Océan », il vit immédiatement s'ouvrir de nouvelles et riches possibilités. En effet, ce décor se prêtait admirablement à la charité de Pauline – « la poser comme la petite bienfaitrice du pays, petit pays perché au bord de l'Océan » [f. 187] – et à l'énergie vitale de Charles, le jeune homme de la deuxième esquisse de 1883, qui devait « entrer en lutte avec l'océan, le rejeter, utiliser ses terrains, gagner une fortune, se rendre utile » [f. 198].[1] De plus, en choisissant le petit collectif limité qu'est un village de pêcheurs, le romancier pourrait réaliser l'intimité du cadre et du ton dont il rêvait dès l'ancien plan.

Cette collectivité humaine est représentée par les quelques pêcheurs et par les enfants que Pauline a pris sous sa protection. Leur milieu est pauvre, aride et brutal, la mer ne donne pas la richesse ; au contraire, elle mange sans pitié les domaines des hommes, et les vents fouettent les pauvres fruits de la terre. L'abbé Horteur lutte en vain contre les puissances de la destruction : « Pour comble de malheur, la terre ne valait rien sur ce roc, le vent lui brûlait ses salades, ce n'était vraiment pas une chance d'avoir à se battre contre les cailloux, et d'obtenir des oignons si maigres » (p. 207). C'est ce milieu âpre et inhospitalier, « ce trou de Bonneville », qui explique si bien l'ennui qui est au fond de Lazare, mais aussi ses projets grandioses, qui, si extravagants soient-ils, visent à lutter pied à pied contre l'ennemi commun.

C'est la mer qui domine ce milieu, la mer toujours présente, sinon dans les phrases du romancier, du moins dans les préoccupations que nous sentons peser sur les personnages du roman. L'auteur évoque une vision si intense de l'impérieuse immensité de la mer, que nous nous imaginons entendre, dans presque toutes les scènes du roman, le bruit éternel des vagues et la fureur ou la plainte des vents. Les mots *immense* et *immensité* résonnent sans cesse, comme si l'impassibilité de la nature et l'écrasant mémento de l'éternité devaient accentuer l'infériorité des hommes. La mer est « une immensité grise où la terre semblait fondre » ; au-dessus de la mer, dont Pauline entend la plainte, est « une immensité noire » ; Lazare fuit devant « la mer immense » qui l'irrite, il se sent écrasé entre « l'infini de l'eau et l'infini du ciel » (pp. 92, 239, 192, 206).

Mais cette immensité n'est pas toujours effrayante ; elle peut aussi offrir la tranquillité, une sorte de bonheur confiant et la sensation d'une grandeur qui est à la fois puissante et sereine : « cette joie de l'immense horizon », « cette eau immense, si pure et si douce maintenant, au clair soleil de juillet » ; et encore, c'est le recueillement poétique : « La mer, au loin, sous le ciel sans tache, n'avait pas une vague, qui rompît son bleu immense » (pp. 111, 43, 256).

Par les formules de ce genre est caractérisée la mer – bonne, avec l'horizon libre, le soleil, la lumière, les rêveries d'amour à la plage et à la pêche ; mauvaise, avec la destruction impitoyable, qui condamne les pauvres gens, dont la lutte est sans chance de succès et qui s'enfoncent de plus en plus dans l'abjection morale.

La mer est bonne, la mer est mauvaise – cela veut dire que la mer est animée, qu'elle est en quelque sorte un être vivant. Comme l'assommoir, comme la mine, la mer devient, dans ce roman, un être qui fait peur, qui menace et qui trompe les hommes, une ennemie qui ne se fatigue jamais, perfide et traîtresse. Souvent, la distinction formelle entre image et animation est respectée, ainsi par exemple lorsque Lazare est atteint de « la première peur » et que ses sentiments se confondent avec la plainte de la mer : « La mer qui montait, avait une lamentation lointaine, pareille à un désespoir de foule pleurant sa misère » (p. 46). Mais parfois, on peut observer comment les deux termes de la comparaison se fondent peu à peu l'un dans l'autre. Il y a un bel exemple de ce procédé dans la scène où Pauline et Lazare regardent les attaques des vagues contre les épis qui devaient protéger le village. La force énorme de l'assaut de la mer est d'abord illustrée par une image : les vagues sont *comme* des béliers ; mais, presque insensiblement il n'y a plus d'image, et nous assistons en effet à l'assaut d'une masse vivante, d'un régiment de cavalerie qui fait la charge :

Les vagues, de plus en plus grosses, tapaient comme des béliers, l'une après l'autre ; et l'armée en était innombrable, toujours des masses nouvelles se ruaient. De grands dos verdâtres, aux crinières d'écume, moutonnaient à l'infini, se rapprochaient sous une poussée géante ; puis, dans la rage du choc, ces monstres volaient eux-mêmes en poussières d'eau, tombaient en une bouillie blanche, que le flot paraissait boire et remporter (p. 200).

C'est cette animation, souvent très brutale, qui fait de la mer un personnage si puissant dans ce roman sur la douleur et la compassion. La mer est si vivante qu'elle a une voix, une haleine : « Et la voix de la mer continuait à monter au dehors », la mer berce avec « l'éternelle monotonie de sa voix », Pauline entend sa plainte dans la nuit, elle en aime « l'haleine âpre, le flot glacé et chaste » (pp. 25, 285, 76).

En devenant un être vivant, la mer joue aussi un rôle actif et presque mystique dans la vie sentimentale des personnages, elle reflète comme un miroir leurs sentiments et leurs états d'âme. Dans *Une Page d'amour,* il y a, de la même façon, quelques fameuses descriptions de Paris qui, pour ainsi dire, matérialisent la vie sentimentale d'Hélène. « En effet, des cinq descriptions de Paris, trois surtout font corps ensemble avec elle qui les regarde, reflètent et présagent ses états d'âme », dit Joan Yvonne Dangelzer, qui a analysé ce procédé de Zola.[2]

Les parallélismes de ce genre plus systématiquement exprimés ont tous trait à Pauline. Dès la description de l'arrivée de la jeune fille à Bonneville, il s'établit entre elle et la mer une entente secrète qui subsistera à travers le roman ; dans le cabriolet qui la mène d'Arromanches à Bonneville, elle allonge à chaque minute la tête par la portière pour voir la mer, et lorsqu'elle est arrivée chez les Chanteau, elle est heureuse que la mer soit toujours là, comme une chose à elle. « Lentement, d'un regard, elle semblait en prendre possession » (p. 17). Cet amour enfantin pour la mer grandira, il deviendra une grande amitié chaleureuse :

> Cette mer qui la berçait, était restée sa grande amie. – – – elle s'abandonnait à elle, heureuse d'en sentir le ruissellement immense contre sa chair, goûtant la joie de cet exercice violent, qui réglait les battements de son cœur (p. 76).

C'est sur ce fond psychologique que se dessine le rôle de la mer dans la grande lutte de Pauline contre elle-même, lorsqu'elle a compris que Lazare et Louise s'aiment. La mer est témoin de cette lutte – témoin qui souffre et qui se lamente avec elle :

> Des révoltes, pourtant, continuaient à la soulever. Elle quittait son lit, allait ouvrir la fenêtre, prise de suffocations. Puis, devant l'immensité noire, au-dessus de la mer, dont elle entendait la plainte, elle demeurait accoudée des heures, sans pouvoir dormir, la gorge brûlante aux souffles du large. – – – Elle sanglotait plus bas, en écoutant le flot monter du fond des ténèbres, épuisée et malade, sans être vaincue encore (pp. 239–240).

Lorsque Pauline a vaincu sa jalousie et renoncé à son amour, la mer, encore une fois, devient le témoin de ses sentiments, et la réponse de la mer est de nouveau en accord avec l'état d'âme de Pauline. Elle a annoncé à Louise sa décision ; c'est là un moment d'élévation sublime, c'est le grand sacrifice de Pauline – et la mer lui répond :

> La mer, au loin, sous le ciel sans tache, n'avait pas une vague, qui rompît son bleu immense. C'était une pureté, une simplicité où longtemps encore elles égarèrent les paroles qu'elles ne disaient plus (p. 256).

Une dernière fois, nous aurons un véritable paysage d'âme : Nous pensons à la scène où, deux ans après son mariage avec Louise, Lazare retourne, seul, à Bonneville. Lazare et Pauline se rapprochent de plus en plus, tous les souvenirs communs se réveillent en eux, tout semble les ramener à ce qu'ils ont vécu ensemble aux jours de leur jeunesse, et, à la fin c'est l'amour qui renaît dans leurs cœurs. Dans une description comme la suivante, l'identification entre l'homme et la nature est complètement réalisée, nous sommes en effet devant une assimilation parfaite du milieu et de l'état d'âme des personnages. On dirait un accord symphonique d'une grande valeur évocatrice :

> C'était tout le passé dont le flot remontait en eux, avec la douceur des vieilles tendresses endormies qui s'éveillent. Pourquoi se seraient-ils inquiétés ? ils ne résistaient même pas, la mer semblait les bercer et les alanguir de l'éternelle monotonie de sa voix (p. 285).

Mais la mer est aussi, nous le savons déjà, beaucoup plus qu'un être qui perçoit et qui reflète les sentiments des personnages. La mer *agit,* cet être vivant intervient dans le drame extérieur du roman, ses forces se mesurent avec celles des hommes dans une lutte incessante. Même Pauline peut voir la mer comme un cruel monstre qui engloutit les hommes : « Chaque secousse l'ébranlait, elle croyait entendre, à intervalles réguliers, le hurlement des misérables *mangés* par la mer » (p. 113).[3] Mais en général, et pour des raisons bien naturelles, c'est surtout dans les relations de Lazare et des pêcheurs avec la mer, que nous envisageons la mer vivante, la mer agissante.

Pour le jeune Lazare, la mer est bête, elle l'ennuie : « Dans leurs promenades, lui, maintenant, semblait s'ennuyer, trouvait la mer bête, toujours la même » (p. 54). C'est là l'inquiétude juvénile qui ne peut supporter ce qui est éternellement invariable. Mais après l'échec de l'exploitation des algues, il garde rancune à la mer. Dans son imagination, la matière morte s'est animée, il a devant lui un ennemi qu'il n'ose injurier tout haut, mais dont il jure de se venger, qu'il veut châtier comme le maître châtie celui qui a osé se soulever contre lui :

> L'espoir de vaincre la mer l'enfiévrait. Il avait conservé contre elle une rancune, depuis qu'il l'accusait sourdement de sa ruine, dans l'affaire des algues. S'il n'osait l'injurier tout haut, il nourrissait l'idée de se venger un jour. Et quelle plus belle vengeance, que de l'arrêter dans sa destruction aveugle, de lui crier en maître : « Tu n'iras pas plus loin ! » (p. 111).

Dans son besoin de se venger, de vaincre, il entraîne les autres : « Depuis ce jour, toute la maison ne rêvait plus que d'humilier la mer, de l'enchaîner au pied de la terrasse dans une obéissance de chien battu » (p. 112). Mais Lazare est le plus faible, il doit capituler devant la mer, comme devant toute autre chose dans la vie.[4]

La mer a marqué de son empreinte le peuple sans individualité qui, d'un entêtement résigné et stupide, se cramponne à son maigre lopin de terre au bord de l'océan. Entre ce peuple et la mer, il s'est formé des rapports de nature fort personnelle. Les pêcheurs sont à la merci de la mer, ils sont en effet ses serfs qui se lamentent et qui maudissent leur maître mais qui ne peuvent jamais s'affranchir du joug. Les défaites de toutes les générations précédentes leur ont appris la résignation, la soumission. Il y a même, dans leur résignation, une admiration secrète pour l'oppresseur, et voire une entente clandestine avec lui. Ils se méfient des projets de Lazare, ils savent d'avance qui sortira vainqueur du duel entre lui et la mer, et dans leur solidarité pervertie, ils se réjouissent à l'idée de la victoire de la mer :

> Puis, cette mer qui les écrasait, ils n'auraient pas voulu la voir battue par ce gringalet de bourgeois. Ils riraient bien, le jour où elle lui emporterait ses poutres comme des pailles. Ça pouvait démolir le pays, ça serait farce tout de même (p. 118).

Puis arrive ce que les pêcheurs ont prévu, et même espéré. Le jour où la mer écrase définitivement les épis de Lazare, qui ne sont plus que des allumettes tournoyant dans les brisants enragés, tout Bonneville est sur pied pour regarder. C'est un régal énorme, c'est l'extase de la destruction : « Tout Bonneville était là, les hommes, les femmes, les enfants, très amusés par les claques énormes que recevaient les épis » (p. 201). Cette joie perverse atteint son comble lorsque les pêcheurs commencent à saluer, à travers la fureur de la tempête, l'écrasement des épis par des sobriquets caressants envoyés comme des baisers à la mer :

> Ils s'appelaient. Cuche comptait les vagues.
> – Il en faut trois, vous allez voir... Une, ça le décolle ! deux, c'est balayé. Ah ! la gueuse, deux lui ont suffi !... Quelle gueuse tout de même !
> Et ce mot était une caresse. Des jurons attendris s'élevaient. La marmaille dansait, quand un paquet d'eau plus effrayant s'abattait et brisait du coup les reins d'un épi. Encore un ! encore un ! tous y resteraient, craqueraient comme des puces de mer sous le sabot d'un enfant (p. 201).

C'est seulement lorsque la mer les menace, eux aussi, qu'ils se dégrisent et, terrifiés, se réfugient derrière les murs de galets. Mais aucune catastrophe ne peut ébranler leur admiration résignée et humiliante pour la mer, *la gueuse,* admiration qui transparaît même à travers leur demande à Lazare de poursuivre ses efforts : « Et, dans leurs doléances, dans la façon dont ils le suppliaient de ne pas laisser le pays sous les vagues, il y avait une goguenardise féroce de matelots, fiers de leur mer aux gifles mortelles » (p. 234).

Il y a ici un ton de mépris et de dégoût qui contraste fort avec l'esprit d'objectivité ou de compassion qui domine dans les portraits des autres personnages. Dès la première présentation du village, cette attitude du romancier se fait sentir : « Ils n'étaient pas deux cents habitants, ils vivaient de la mer, fort mal, collés à leur rocher avec un entêtement stupide de mollusques » (p. 10). Cependant, à regarder de plus près, et dans leur contexte, quelques phrases de ce genre, il ressort que c'est peut-être plutôt Chanteau que le romancier qui les formule. Si le romancier garde, ainsi, formellement, l'objectivité qu'il s'est imposée en conformité avec la doctrine naturaliste, il n'en est pas moins vrai qu'il fait sienne l'attitude des Chanteau vis-à-vis des pêcheurs. Une fois, nous pouvons constater un glissement assez manifeste de la narration du romancier à celle d'un des personnages. Il s'agit de la scène où Pauline essaie de persuader Lazare de se remettre au travail sur les épis et où celui-ci repousse amèrement toute pensée de prêter secours aux pêcheurs ingrats. Pauline prend alors leur défense, et l'auteur (ou Pauline ?) donne quelques exemples de la misère dans laquelle vivent ces malheureux ; et tout cela est accompagné de mots d'une valeur « morale » et qui contiennent un jugement : *promiscuité, sauvages, grouiller, vice :*

> Doucement, Pauline cherchait à le calmer. Ces gens étaient si malheureux ! Depuis la marée qui avait emporté la maison des Houtelard, la plus solide de toutes et trois autres, des masures de pauvres, la misère augmentait encore. Houtelard, autrefois le riche du pays, s'était bien installé dans une vieille grange, vingt mètres en arrière ; mais les autres pêcheurs, ne sachant où s'abriter, campaient maintenant sous des sortes de huttes, construites avec des carcasses de vieux bateaux. C'était un dénûment pitoyable, une promiscuité de sauvages, où femmes et enfants grouillaient dans la vermine et le vice. – – – Seule, Pauline plaidait toujours pour eux ; le curé les abandonnait, Chanteau parlait de donner sa démission, ne voulant plus être le maîre d'une bande de pourceaux (pp. 218–219).

Ce passage reproduit-il le plaidoyer de Pauline pour les pêcheurs ? On serait tenté de le croire, mais à l'étudier de plus près, on se rend compte que Pauline ne pourrait guère apprendre à Lazare que Houtelard fut autrefois le riche du pays, ni que Chanteau parle de donner sa démission, ni qu'elle-même, seule plaide toujours pour les misérables. En effet, tout ce passage oscille entre deux « moi » narrateurs : celui du romancier et celui de Pauline, et cette incertitude ne laisse pas de



11—*802357*

nous donner l'impression d'un engagement subjectif du côté de l'auteur. Dégoûté, il ne peut manifester ouvertement son dégoût, et il se cache donc à demi derrière un de ses personnages. Tout en restant fidèle à la formule naturaliste, il ne peut s'empêcher d'exprimer, un peu indirectement, certes, ses propres sentiments et réactions. Comme toujours, quand il dépeint la misère matérielle et spirituelle de la masse, sa thèse ne prête pas à l'équivoque : la vraie morale et la vraie moralité consistent à démasquer le vice et la folie, qui ne doivent pas être condamnés ou châtiés dans le texte du roman, mais seulement exposés et analysés :

> Nous ne sommes que des savants, des analystes, des anatomistes, je le dis une fois encore et nos œuvres ont la certitude, la solidité et les applications pratiques des ouvrages de science. Je ne connais pas d'école plus morale, plus austère.[5]

Toute expression subjective d'indignation, de mépris ou même d'admiration, de la part du romancier, doit donc être bannie. Mais cette objectivité formelle – qui, malgré les observations que nous venons de faire, est en principe respectée par l'auteur – n'empêche pas les descriptions de l'*Assommoir,* ou de *Germinal,* de nous inspirer une intense pitié pour les victimes de ces milieux effroyables. Si notre compassion est moins grande pour les pêcheurs de la *Joie de vivre* que pour les masses populaires des deux autres romans, c'est que l'auteur le veut ainsi. Son intérêt pour les personnages principaux de la *Joie de vivre* est si grand, que le peuple reste à l'arrière-plan, où il sera l'objet du mépris de tous les personnages, à l'exception de Pauline. Dans l'*Assommoir* et, tout particulièrement, dans *Germinal,* la masse joue un rôle beaucoup plus important – si important, en effet, qu'elle est, dans *Germinal,* le vrai personnage principal.

Selon la formule naturaliste de Zola, le milieu devait être le point de départ même de toute création de personnages fidèles à la réalité. Mais Pauline et les Chanteau ne sont, au fond, pas du tout préparés au milieu dans lequel ils vivent. Lazare a grandi à Bonneville, mais le peuple du village n'a en rien formé ou influencé son caractère. Et ni ses parents, ni Pauline, ni le curé, ni le médecin, ne peuvent être placés dans un milieu original assez précisé pour que nous puissions dire qu'ils sont les produits d'une hérédité donnée, d'un milieu donné. A la rigueur, Louise pourrait être classée selon le système de Zola, mais le rôle du milieu n'est que schématiquement développé à son égard, et est subordonné à la thèse dont la jeune fille doit être l'illustration.

Pour ce qui est des pêcheurs, il y a, au contraire, une relation directe entre les hommes et leur milieu. Un parallèle avec les mineurs de *Germinal,* avec les paysans de la *Terre,* s'établit presque de lui-même. Ce sont la pauvreté, l'aridité, la dureté du milieu qui ont formé cette race dégénérée d'alcooliques qui vivent dans la promiscuité – c'est la reprise du thème de l'*Assommoir.* Une résignation à peu près imbécile, une soumission abrutie à *la gueuse,* voilà les traits caractéristiques des pêcheurs du village. On peut dire que Zola, en dépeignant ces misérables, a accepté et appliqué en partie les vues de Schopenhauer. Dans la présentation de ces hommes à peine civilisés, l'auteur a concrétisé, en couleurs vives, les plus amères réflexions du philosophe sur la stupide volonté de vivre : « et ils veulent vivre ».

TROISIÈME PARTIE

# *Les idées du Roman*

# 1

## La foi dans la science

La foi dans le roman scientifique et expérimental fut pour Zola le point de départ de sa grande série de romans. On peut soutenir à juste titre, comme le fait Guy Robert, que le naturalisme de Zola « est beaucoup moins sorti de Claude Bernard (le romancier ne paraît pas l'avoir lu avant 1878), du docteur Lucas et de l'hérédité, que de Balzac, de Taine, de l'influence des milieux ».[1] Comment pourrait-il en être autrement, puisque l'imagination d'un auteur ne saurait guère se nourrir d'expériences scientifiques qu'il ne peut réaliser, tandis que des réflexions sur le milieu, la race et le moment telles que les développe Taine sont infiniment plus fécondes pour un auteur qui veut peindre tous les aspects de son époque ?

Néanmoins, le fait demeure, qu'en exposant, dans le *Roman expérimental* et dans d'autres œuvres de critique, ses théories littéraires, Zola s'autorise constamment de Claude Bernard et de Prosper Lucas.

Sa naïve erreur – regarder comme équivalentes les expériences réelles du médecin ou du chimiste et la réalité inventée du romancier – a souvent été ridiculisée, et les critiques plus favorables à Zola ont jugé naturel et équitable de souligner que si Zola a été un très grand auteur, c'est non pas en vertu de ses théories, mais *malgré* elles.

Pour illustrer ces thèses curieuses, nous nous bornerons à quelques citations du *Roman expérimental* (1880), où, dès la première page, Zola rend hommage à Claude Bernard. Il constate que l'idée d'une littérature déterminée par la science, a pu surprendre, faute d'être précisée et comprise. Il souligne ensuite qu'il n'a à faire ici qu'un travail d'adaptation, car, dans son *Introduction à l'étude de la médecine expérimentale,* Claude Bernard a déjà, avec une force et une clarté merveilleuses, etabli cette méthode expérimentale :

Je trouverai là toute la question traitée, et je me bornerai, comme arguments irréfutables, à donner les citations qui me seront nécessaires. Ce ne sera donc qu'une compilation de textes ; car je compte sur tous les points, me retrancher derrière Claude Bernard. Le plus souvent, il me suffira de remplacer le mot « médecin » par le mot « romancier », pour rendre ma pensée claire et lui apporter la rigueur d'une vérité scientifique.[2]

Aux yeux d'un grand nombre, poursuit Zola, la médecine est encore un art, comme le roman. Le grand but de Claude Bernard a été de faire entrer la médecine dans une voie scientifique, et il a démontré que la méthode expérimentale, déjà appliquée en chimie et en physique, doit l'être également en physiologie et en médecine. C'est ici que Zola fait sa fameuse « culbute » :

Je vais tâcher de prouver à mon tour que, si la méthode expérimentale conduit à la connaissance de la vie physique, elle doit conduire aussi à la connaissance de la vie passionnelle et intellectuelle. Ce n'est là qu'une question de degrés dans la même voie, de la chimie à la physiologie, puis de la physiologie à l'anthropologie et à la sociologie. Le roman expérimental est au bout.[3]

L'outil du siècle est le scalpel de l'anatomiste, et le roman naturaliste devient ainsi un roman d'observation et d'expérimentation. Le romancier, comme le chimiste, se rend compte que la science est encore dans l'enfance, et, par conséquent, se garde bien de se risquer à la moindre synthèse ; il se contente d'analyser les corps. Le roman naturaliste ne veut rien devoir à l'imagination, « au grandissement mensonger des personnages, à l'arrangement habile de la fable ». Au contraire, il peint la vie telle qu'elle est. Pour le romancier, il s'agit surtout d'amasser le plus de documents humains possible.[4]

Pour des raisons bien naturelles, l'attitude de Zola vis-à-vis de la science a été surtout examinée dans ses rapports avec les théories littéraires du romancier. Mais le roman qui nous occupe montre clairement qu'il y a un autre aspect non négligeable de cette attitude : nous pensons aux opinions d'ensemble que le romancier s'est formées sur le rôle que doit jouer la science dans les grandes questions sociales et politiques du siècle.

En effet, la science expérimentale n'est pas pour Zola seulement une méthode, un moyen de réaliser un art du roman plus vrai que celui des classiques ou des romantiques. C'est là en soi un but essentiel, puisque l'étoile conductrice doit être la vérité, rien que la vérité froide et crue, et non pas les mensonges colorés et dorés du romantisme et de la rhétorique.[5] Mais, par là même, le roman naturaliste prétend être plus que la création d'une imagination travaillant pour le plaisir du lecteur ; ses visées peuvent s'identifier avec celles de la méthode expérimentale de Claude Bernard. Le but de celui-ci, dans les domaines de la physiologie et de la médecine, est d'étudier les phénomènes afin de les dominer. Zola cite Bernard : « prévoir et diriger les phénomènes ». Et il puise encore un exemple frappant dans le livre du grand physiologue :

Aujourd'hui que la cause de la gale est connue et déterminée expérimentalement, tout est devenu scientifique, et l'empirisme a disparu... On guérit toujours et sans exception, quand on se place dans les conditions expérimentales connues pour atteindre ce but.

Il en est de même du roman naturaliste. Ce rêve du physiologiste et du médecin – d'étudier les phénomènes pour s'en rendre maître – est aussi celui des romanciers naturalistes. Ils sont, en un mot, des moralistes expérimentateurs, « montrant par l'expérience de quelle façon se comporte une passion dans un milieu social ». Le jour où l'auteur tient le mécanisme de cette passion, on pourra la traiter, ou tout au moins la rendre la plus inoffensive possible. L'auteur est donc devenu sociologue, et sa besogne vient en aide aux sciences politiques et économiques.

Je ne sais pas, je le répète, de travail plus noble ni d'une application plus large. Être maître du bien et du mal, régler la vie, régler la société, résoudre à la longue tous les problèmes du socialisme, apporter surtout des bases solides à la justice en résolvant par l'expérience les questions de criminalité, n'est-ce pas là être les ouvriers les plus utiles et les plus moraux du travail humain ?[6]

Que de fois il est revenu à ce thème ! Dans l'article intitulé *Lettre à la jeunesse* (dans le *Roman expérimental),* il cite les mots de Renan sur les théories de Claude Bernard : la morale moderne recherche les causes, elle veut dominer le bien et le mal, faire naître l'un et le développer, lutter avec l'autre pour l'extirper et le détruire. « Ces paroles sont grandes », poursuit Zola, « et elles contiennent toute la haute et sévère morale du roman naturaliste contemporain, qu'on a l'imbécillité d'accuser d'ordure et de dépravation. » Si l'on élargit encore « le rôle des sciences expérimentales », si on l'étend « jusqu'à l'étude des passions et à la peinture des mœurs », on obtient les romans naturalistes,

qui recherchent les causes, – – – qui amassent les documents humains, pour qu'on puisse être le maître du milieu et de l'homme, de façon à développer les bons éléments et à exterminer les mauvais. Nous faisons une besogne identique à celle des savants. Il est impossible de baser une législation quelconque sur les mensonges des idéalistes. Au contraire sur les documents vrais que les naturalistes apportent, on pourra sans doute un jour établir une société meilleure, qui vivra par la logique et par la méthode. Du moment où nous sommes la vérité, nous sommes la morale.[7]

C'est donc un rôle extrêmement actif et positif que peut jouer le romancier pour aider à la formation d'une nouvelle société – et Zola *veut* une nouvelle société. Mais ces intentions ne doivent jamais être formulées dans le roman qu'il met sous les yeux du lecteur. Au contraire, il est le metteur en scène caché du drame, il affecte de disparaître complètement derrière l'action qu'il raconte, on ne l'entend ni rire ni pleurer avec ses personnages, il ne se permet pas de juger leurs actes.[8] Le roman qu'il écrit est sans doute un *roman à tendance.* Nous connaissons bien les intentions de Zola écrivant les Rougon–Macquart : démontrer la dissolution d'une famille et d'une société. Les dernières scènes de *Nana* et de la *Bête humaine,* chaque scène de la *Débâcle,* sont là pour illustrer les horreurs de la phase finale de cette décomposition d'une race et d'une époque. Mais ce n'est pas à l'auteur d'indiquer, dans ses romans, les voies qu'il faut suivre ; il les connaît peut-être, mais son roman ne doit que présenter les documents et en tirer des analyses. Quand on accusa Zola d'avoir, dans l'*Assommoir,* médit du prolétariat, il écrivit une lettre au *Bien public,* où il soulignait qu'il avait seulement fait ce qu'il devait faire : montré des plaies et « éclairé violemment des souffrances et des vices, que l'on peut guérir ». Et il ajoutait : « Voilà comment on vit et comment on meurt. Je ne suis qu'un greffier qui me défends de conclure. Mais je laisse aux moralistes et aux législateurs le soin de réfléchir et de trouver les remèdes. »[9]

Dans sa remarquable étude sur Flaubert, Zola reprend ce thème. Il parle du romancier naturaliste, de Flaubert, mais il parle sans doute en premier lieu de lui-même. Il insiste sur son refus absolu de toute conclusion, de toute moralité, de toute leçon quelconque tirée des faits exposés. L'auteur naturaliste n'est pas un moraliste, mais un anatomiste qui fait l'autopsie d'un cadavre. « Les lecteurs concluront, s'ils le veulent, chercheront la vraie moralité, tâcheront de tirer une leçon du livre. »[10]

La ferveur de Zola dans sa foi scientifique n'est pas douteuse. Pour lui, la science n'était pas qu'une méthode applicable avec profit à l'art du roman – elle était aussi bien un évangile, ou plutôt, elle devait le devenir. Cette manière d'évaluer la science et les progrès que pourraient réaliser les auteurs et les savants, en travaillant avec les mêmes méthodes et en étroite union, ne fut peut-être pas à l'origine de ses considérations lorsqu'il s'approchait, vers 1865, des idées de Taine. Il paraît vraisemblable qu'il ait, à cette époque, fait surtout attention aux possibilités qui se présentaient de créer un nouvel art du roman. En tout cas, il semble avant tout frappé par les rapports entre le médecin et le romancier. Celui-ci, dit-il, en 1866, « passe le tablier blanc de l'anatomiste et dissèque fibre par fibre la bête humaine étendue toute nue sur la dalle de l'amphithéâtre ».[11] Et ayant écrit son premier roman naturaliste, il admet lui-même qu'il a choisi pour *Thérèse Raquin* (1867) un cas trop exceptionnel. Dans la célèbre préface, on peut remarquer qu'il ne signale pas d'intention morale, pas de tendance positive comparables aux formules qu'il emploiera plus tard, à propos des *Rougon-Macquart* ; il se limite aux vues scientifiques-déterministes que le roman illustrera.

> J'ai choisi des personnages souverainement dominés par leurs nerfs et leur sang, dépourvus de libre arbitre, entraînés à chaque acte de leur vie par les fatalités de leur chair. Thérèse et Laurent sont des brutes humaines, rien de plus.[12]

Mais s'il est normal qu'à cette époque Zola n'insiste pas sur le rôle que peut jouer la science comme bienfaitrice de l'homme et de la société, il commence évidemment à approfondir ses vues lorsque, en 1868–69, il prépare sa grande série de romans. Le romancier élargit son horizon. Il ne s'agit plus, comme dans *Thérèse Raquin,* d'un seul cas physiologique, d'ailleurs trop exceptionnel, où le romancier dissèque et analyse minutieusement un petit coin de la réalité humaine, mais d'une vaste fresque des différents membres, des différents milieux d'une grande famille. Aucune peinture de ce genre ne peut se borner aux analyses des cas individuels ; la multiplicité des personnages et des milieux, la variété des thèmes des différents volumes, l'immense cadre même de ces tableaux d'une époque – tout cela a dû concourir à former une vue d'ensemble plus nuancée que celle que possédait Zola avant de se mettre à sa grande tâche, et a sans doute rendu ses théories littéraires et sociales moins étriquées. Il insiste toujours sur l'objectivité absolue du style. Mais dans ses « Notes générales sur la marche de l'œuvre », il établit formellement les intentions morales qui se cachent derrière le roman naturaliste : « Libre ensuite aux législateurs et aux moralistes de prendre mon œuvre, d'en tirer des conséquences et de songer à panser les plaies que je montrerai. »[13] Et dans l'Ebauche de l'*Assommoir,* quelques années plus tard, il reprend le même thème :

> Ne pas flatter l'ouvrier et ne pas le noircir. Une réalité *absolument* exacte. Au bout, la morale se dégageant elle-même. Un bon ouvrier fera l'opposition ; ou plutôt non, ne pas tomber dans le *Manuel.* Un effroyable tableau qui portera sa morale en soi.[14]

Zola est donc optimiste en ce sens qu'il croit à la possibilité de rendre meilleurs, par des réformes, les hommes et la société. Henri Massis a fort insisté sur l'unité, sur la suite logique de l'optimisme de Zola. On a tort, dit-il, de voir, à cet égard, une différence entre les *Rougon-Macquart* et les *Quatre Evangiles :*

> C'est ainsi que l'on peut pressentir dans ces pages de 1868, le Zola qui écrira un jour les *Quatre Evangiles.* Il est déjà optimiste et pour pessimiste qu'il veuille paraître, il croit au progrès, à la perfectibilité de l'humanité, à une marche constante vers le bonheur par la science, vers la justice par la vérité. Ceux qui ont soutenu qu'Emile Zola avait changé de caractère et de point de vue, à la fin de sa vie, se sont absolument trompés ; ses conceptions de 1898 sont celles de 1868 ; elles n'ont point varié. Il ne suivit pas, comme on l'a dit, une voie nouvelle, mais alla jusqu'au bout de la large route qu'il s'était tracée.[15]

Il est vrai qu'on peut constater une telle unité dans l'œuvre de Zola, et Massis a sans doute raison de signaler cette unité, dont on ne tient pas toujours compte. Mais son affirmation est par trop catégorique. On ne saurait nier que l'optimisme scientifique de Zola se précise et s'accentue au cours du grand œuvre, pour s'épanouir en apothéose dans les *Quatre Evangiles,* où, d'ailleurs, il y a des éléments de fouriérisme et de socialisme utopiques absolument étrangers à la série des Rougon-Macquart. A s'en tenir seulement à cette série, on peut constater, à ce qu'il nous paraît, une évolution qui, certes, n'est point prévisible ni logique dans toutes ses phases, mais dont les grandes lignes se détachent avec netteté. Jetons un coup d'œil rapide sur les vingt romans de la série.

Les six premiers romans sont tous, chacun à sa manière, des attaques violentes contre le second Empire, des réquisitoires contre ces vingt années de délabrement et de décadence. Le premier roman, la *Fortune des Rougon* (1871), dépeint quelques événements honteux et tragiques autour du coup d'Etat de 1851, qui assassina la liberté et porta au pouvoir les forces réactionnaires de la petite ville de Plassans. Au fond c'est un roman historique à forte tendance politique et d'une amertume acharnée. Les deux jeunes gens, Miette et Silvère, symbolisent, avec beaucoup de lyrisme et par des tableaux du plus pur romantisme, la liberté combattant, saignant et mourant sur les barricades.

Dans la *Curée* (1872) on recueille les fruits du crime de 1851. Ce roman peint une société où tous les pires instincts sont déchaînés, où les gens courent à bride abattue après les plus basses infamies, poussés par leur furieuse soif de richesse et de plaisir. Parallèlement est analysé, minutieusement, un cas d'érotomanie aux accents fort pervers.

Le troisième roman, le *Ventre de Paris* (1873), est encore un de ces procès haineux que le romancier fait au second Empire. Le pauvre Florent, déporté à Cayenne après le coup d'Etat de décembre, réussit à s'évader, et regagne Paris, où il est finalement trahi et livré à la police par sa propre belle-sœur, Lisa, la mère de Pauline Quenu. C'est la bourgeoisie « honnête » et cyniquement fidèle à la dictature, qui est ici visée par le romancier.

La même amertume marque la *Conquête de Plassans* (1874), où, encore une fois, la liberté est étranglée, et où les méthodes de la réaction sont dépeintes en gros traits. C'est un roman anticlérical en ce sens que Zola attaque ici l'attitude de l'Eglise sous le second Empire. En flagellant les sordides intrigues et les crimes dont se rendent coupables les partisans de Napoléon dans un petit coin de province, Zola monte à l'assaut de tout le système politique qui venait de s'écrouler à l'époque où le roman fut écrit.

Le roman suivant, la *Faute de l'abbé Mouret* (1875), se distingue à plusieurs égards de cette série d'attaques contre le second Empire. C'est un hymne à l'amour sensuel, une polémique véhémente contre l'ascétisme bilieux que Zola reproche à l'église catholique. Rien de plus romantique, de plus mystique même, que ces scènes d'extase où toute la nature chante des louanges à la procréation, à la révolte délirante de tous les sens, de tous les instincts.

Mais dès *Son Excellence Eugène Rougon* (1876), Zola retourne aux phénomènes plus caractéristiques de la France de Napoléon III. Ce livre est éminemment un roman historique à thèse, en ce qu'il attaque la corruption et le favoritisme sordides de la cour impériale. Eugène Rougon est un arriviste sans scrupules, dont Zola nous fait suivre en détail la carrière politique.

Il n'y a pas lieu d'hésiter sur les conclusions que le romancier veut que nous tirions de ces romans. Les conséquences d'une mauvaise hérédité et d'un mauvais milieu sont illustrées dans cette « histoire naturelle et sociale d'une famille sous le second Empire ». Mais ces romans sont, à une exception près, des œuvres éminemment historiques, rétrospectives ; ils sont, pour appliquer la terminologie de Zola, des dissections faites sur des cadavres, et non l'examen par le médecin d'un malade qu'on peut encore guérir.

Avec l'*Assommoir* (1877), nous pouvons constater un certain revirement dans les intentions générales du romancier. Le cadre est toujours le même, c'est-à-dire le second Empire, mais, au fond, Zola ne décrit pas seulement ce qui a été, ce qui s'est passé sous un régime odieux. Il est plutôt attiré vers ce qui est, vers ce qui se passe actuellement, vers ce à quoi il peut encore, si l'on veut, être remédié. Des quatorze romans, à partir de l'*Assommoir,* que Zola écrira maintenant, huit au moins peuvent incontestablement être regardés comme les déclarations du romancier sur différentes questions d'actualité. Tout d'abord, cela est vrai de l'*Assommoir,* avec ses terribles descriptions de l'alcoolisme et de la déchéance morale dans les milieux prolétariens de Paris. Aucun lecteur ne pouvait ignorer les intentions du romancier, qui, on le sait, furent vivement discutées.

*Pot-Bouille* (1882) donne l'assaut à l'immoralité et à l'hypocrisie de la bourgeoisie parisienne. Octave Mouret, petit don Juan de la caserne bourgeoise, fait de faciles conquêtes parmi les femmes parce que celles-ci, par une éducation pervertie, sont absolument incapables de pénétrer la perfidie mesquine de sa séduction. Derrière les peintures de ces tristes destinées de femmes, se font sentir, comme plus tard dans la *Joie de vivre,* les pensées de Zola sur une éducation plus saine, formée selon l'esprit de Comte et de Spencer. Aux yeux du public, ce roman fut, au plus haut degré, un document actuel, qui remuait en effet les passions et qui força de nouveau Zola à mettre au point et à préciser ses intentions morales.

*Au Bonheur des Dames* (1883) est un reportage social, dont la tendance est fortement soulignée et par l'intrigue, et par certains portraits. Octave Mouret a épousé la propriétaire du grand magasin où il a jusqu'alors été employé. Après la mort de sa femme, il s'intéresse à une jeune vendeuse, Denise Baudu, qui refuse avec fermeté de devenir sa maîtresse, mais qui finit par lui accorder sa main. Profitant de son ascendant moral sur Mouret, elle améliore grandement les conditions des employés, dont la situation matérielle et morale est dépeinte sous des couleurs très sombres. Le portrait de Denise Baudu, aussi bien que son rôle philosophique, présente une ressemblance indéniable avec celui de Pauline Quenu.

Immédiatement après la *Joie de vivre,* qui met en discussion le pessimisme alors d'actualité, Zola détourne ses regards de l'analyse intime de quelques êtres et de leurs problèmes, et s'attaque à la peinture de la masse. Avec *Germinal* (1885), le premier roman prolétarien et peut-être le chef d'œuvre de Zola, il traite la plus pressante question sociale de l'époque contemporaine, qui prend forme concrète dans des scènes d'une puissance incomparable, en révélant avec un réalisme écrasant et une sombre poésie, les misères matérielles et morales des mineurs du Nord. Mais si la tendance de l'*Assommoir* ne fut jamais ouvertement exprimée, tout en restant très nette, le roman sur les mineurs évoqua des visions poétiques d'une nouvelle société, renaissant des cendres du vieil ordre économique où le capital et le travail se mesuraient l'un avec l'autre dans une lutte perpétuelle.

Avec l'*Œuvre* (1886), Zola s'approche de nouveau d'une destinée individuelle, mais ce « roman d'artistes » ne traite pas seulement de problèmes d'art sous le second Empire, il s'attaque aussi aux questions philosophiques vitales qui, en partie avec les mêmes points de départ, avaient été discutées dans la *Joie de vivre*. Il s'agit ici des buts, des devoirs de l'art dans la société moderne, et la tendance du roman est entièrement naturaliste et antiromantique dans toute l'acception de ces mots.

La *Terre* (1887) reprend le thème de l'*Assommoir* et de *Germinal :* le vaste fresque d'une classe sociale, et les problèmes traités dans ce roman appartiennent sans doute plus au présent qu'au passé. Il en est de même de l'*Argent* (1891), tandis que la *Débâcle* (1892) clôt la série des romans qui font le procès du second Empire.

Avec le *Docteur Pascal* (1893), nous sommes ramenés à toutes les questions vitales du présent. Ce roman a voulu être et est une conclusion et une vision. Toutes les vues sociales et morales du romancier sont ordonnées et mises au point dans ce roman à la fois rétrospectif et visionnaire. Dans un des grands dialogues du livre, Zola fait dire à Pascal, qui est son *alter ego,* quelques paroles qui précisent son évangile :

> Et comme tu as raison de dire que l'unique bonheur est l'effort continu ! car, désormais, le repos dans l'ignorance est impossible. Aucune halte n'est à espérer, aucune tranquillité dans l'aveuglement volontaire. Il faut marcher, marcher quand même, avec la vie qui marche toujours. Tout ce qu'on propose, les retours en arrière, les religions mortes, les religions replâtrées, aménagées selon les besoins nouveaux, sont un leurre ... Connais donc la vie, aime-la, vis-la telle qu'elle doit être vécue : il n'y a pas d'autre sagesse.[16]

Des autres romans de la série, *Une Page d'amour* et le *Rêve* n'appartiennent ni à l'un, ni à l'autre groupe, ce sont des œuvres assez isolées, sans beaucoup de rapport intérieur avec l'ensemble de la série. Ils sont tous les deux, et surtout le premier, des romans psychologiques sans rapport avec aucune époque particulière. *Nana* (1880) est du cycle des romans qui cherchent leurs sujets dans le passé, et il en est de même, quoique à un degré moins prononcé, de la *Bête humaine* (1890), avec sa furieuse vision finale du train sans maître se précipitant à sa perte fatale avec sa charge vivante de soldats ivres, chantants, en route pour le front. Mais surtout, la *Bête humaine* marque un retour au goût des études psychopathologiques que nourrissait Zola au début de sa carrière littéraire.

Il nous paraît donc évident que dans les six premiers romans de la série, les idées sociales de Zola s'expriment surtout par une critique sévère du passé, et que si ces romans invitent à des conclusions d'ordre moral, ces conclusions n'ont pas de rapport direct avec les questions sociales et politiques des années 70. Depuis l'*Assommoir,* Zola entreprend, d'une toute autre manière, la discussion de problèmes d'une actualité manifeste, bien que le cadre général de la série soit toujours le second Empire. Mais par cette orientation vers l'actualité, son optimisme est consolidé et précisé – cet optimisme qui marche toujours la main dans la main avec la science. En même temps, il a hâte de proclamer, de développer son optimisme, sa foi au progrès par la science et par l'esprit positif. Il le fait dans la série de volumes de critique qu'il publia pendant les années 1880–1882.[17]

Sur les vingt romans, il n'y en a guère que trois qui discutent, plus explicitement, ces questions. Ce sont la *Joie de vivre,* l'*Œuvre* et le *Docteur Pascal.* Nous connaissons déjà l'hymne à la science que Zola fait chanter à Pauline et au docteur Cazenove. Lorsque Zola dit de Pauline qu'elle veut « tout connaître, afin de tout guérir », il s'en réfère sans doute aux idéaux de Comte, mais il pense aussi aux formules de Claude Bernard : « prévoir et diriger les phénomènes ». Lorsque Pauline lit les manuels de médecine auxquels Lazare ne touche plus, elle représente, d'une manière concrète et naïve, la conviction de Claude Bernard et de Zola que le médecin et l'expérimentateur donneront aux générations futures toute l'harmonie qui manque encore à la nôtre. Ce que Zola fait formuler, à cet égard, à Pauline et au docteur Cazenove, nous le retrouvons autrement formulé dans le *Roman expérimental :*

Admettons que la science ait marché, que la conquête de l'inconnu soit complète : l'âge scientifique que Claude Bernard a vu en rêve sera réalisé. Dès lors, le médecin sera maître des maladies ; il guérira à coup sûr, il agira sur les corps vivants pour le bonheur et pour la vigueur de l'espèce. On entrera dans un siècle où l'homme tout puissant aura asservi la nature et utilisera ses lois pour faire régner sur cette terre la plus grande somme de justice et de liberté possible. Il n'y a pas de but plus noble, plus haut, plus grand.[18]

Nous ne sommes pas surpris que le *Docteur Pascal* discute directement l'importance de la science pour le bonheur de l'homme et de la société, puisque ce roman est la conclusion de la grande œuvre. Mais pourquoi est-ce justement avec le roman sur Pauline que Zola tient, pour la première fois, à discuter si ouvertement ces questions dans un roman, et pourquoi le fait-il, en 1883, avec un tel acharnement ?

Afin de pouvoir éclairer ces questions, nous devons, encore une fois, remonter à la genèse du roman. Dans l'interview que Zola accordait, au mois d'avril 1880, à Fernand Xau, il déclarait qu'il s'occuperait maintenant de théâtre et de quelques volumes de critique littéraire, et que son prochain roman ne devait être publié que dix-huit mois ou deux années plus tard. Ce roman devait être « intime », avec peu de personnages, et Zola voyait en cela une sorte de réaction contre ses œuvres antérieures. « Les deux idées de la douleur et de la bonté domineront cette étude. »[19]

Lorsque, vraisemblablement au printemps de 1881, Zola se mit au plan de ce roman, il le fit selon les intentions exprimées dans l'interview que nous venons de citer. Pauline, la douleur et la bonté, tels étaient ses points de départ. Que Zola, avec cette combinaison de motifs, ait eu l'intention d'introduire dans son roman des éléments philosophiques, paraît incontestable ; en tout cas, les thèmes indiqués invitaient sans doute à des arrangements épiques et dramatiques reflétant des questions éminemment vitales. Cependant, les contours définitifs des problèmes ne se dessinent pas encore avec netteté. Lorsque le jeune homme est introduit dans la première esquisse, Zola est encore hésitant : « Ce fils aurait pu commencer des études de médecine qu'il n'aurait pu achever parce que la douleur le bouleverse. » Ce thème n'est donc que vaguement indiqué, et lorsque, dans la suite de l'ancien plan, sa peur de la mort est développée, cette peur n'est considérée que comme un facteur psychologique, se détachant sur un fond manifestement autobiographique. Une fois seulement est présagé un thème philosophique – c'est dans la troisième esquisse, où Gérard doit représenter « Le *moi* moderne, actuel » [380]. Mais Zola ne revient pas à cette idée. L'ancien plan est, à ce qu'il nous paraît, pour l'essentiel, le plan d'un roman



12—802357

purement psychologique, où Pauline représentera la bonté et Lazare la peur de la mort, et où les autres personnages principaux incarneront différentes formes de souffrances humaines.

Tout cela sera conservé et développé dans l'Ebauche de 1883 et dans le roman. Mais quelque chose d'essentiel y sera ajouté. Les portraits de Pauline et de Lazare étaient déjà esquissés dans leurs grandes lignes ; ils sont développés davantage dans l'Ebauche, ce qui est bien naturel. La nouveauté est que tous les deux revêtent des fonctions qui n'étaient pas prévues ou, du moins, n'étaient pas exposées en détail dans l'ancien plan. Cela s'applique surtout à Lazare – mais nous avons aussi pu constater que Pauline donne, pour ainsi dire, la réplique aux différentes phases du développement de Lazare ; en conséquence, son personnage à elle aussi reçoit une signification accrue.

Lazare n'est plus seulement un cas psychologique isolé. Il est de plus un enfant typique de son époque, un type contemporain, contre lequel Zola entreprend une critique à la fois amère et sympathique. Ce Lazare perd sa vie, il rôde dans ses extravagances, il tâte de tout, sans rien achever. « *Cela est très bon,* c'est le caractère moderne du pessimisme » [150]. Et à la fin vient le grand résumé de ce que représente Lazare : « L'important, le fond même de Lazare est de faire de lui un pessimiste, un malade de nos sciences commençantes » [172]. Ce jeune homme connaît les idées de son époque, il en a suivi l'évolution, il a touché à la méthode expérimentale, il a lu « notre littérature », mais il renie tout cela. Il est en plein dans le mouvement intellectuel du présent, mais il tourne le dos à la science pour se jeter dans les bras de Schopenhauer.

Cet exposé du problème, ce thème, n'étaient que vaguement indiqués dans l'ancien plan. Deux années plus tard, ils sont amplement développés et donneront au roman sur la bonté et la douleur des aspects plus profonds et plus actuels que ne l'envisageait Zola à l'époque de l'ancien plan.

Il y a, dans le *Journal* de Goncourt, une note du 20 avril 1883 qui mérite d'être citée à ce propos. Cinq jours avant que Zola ne se mît à la composition directe du roman sur Pauline et Lazare, Goncourt raconte une conversation qui a eu lieu au cours d'un dîner donné par Charpentier, l'éditeur des naturalistes :

On cause des *jeunes*. On déplore leur manque d'entrain, de gaîté, de jeunesse, et cela amène à constater la tristesse de toute la jeune génération contemporaine, et je dis que c'est tout simple : que la jeunesse ne peut être que triste, dans un pays sans gloire, et où la vie est très chère.

Là-dessus Zola enfourche son dada : « C'est la faute à la science ! » Il y a de cela, mais ce n'est pas tout.[20]

Cette réplique de Zola : « C'est la faute à la science ! » est évidemment pleine d'amère ironie. Zola n'a nullement été insensible à la déception qui était au bout des espérances trop naïves que la science avait fait naître. Cette déception, qu'il prête à Lazare, il l'a sans doute éprouvée lui-même – mais il refuse de l'accepter. Au contraire, il mobilise toutes ses forces de résistance pour livrer un rude combat aux tendances pernicieuses qui ont failli le tenter lui-même. Ces tendances sont surtout l'héritage romantique et le nouveau pessimisme.

# 2

# L'héritage romantique

Pendant les années 1858–61, Zola composa quelques poèmes, qui devaient traîner dans ses tiroirs, jusqu'à ce que Paul Alexis fût autorisé à les publier, vingt ans plus tard, dans sa biographie de Zola. Ces vers d'enfant, comme Zola les appelle, n'ont d'intérêt que dans la mesure où ils révèlent les premiers modèles du jeune poète. C'est Victor Hugo et, surtout, Alfred de Musset, qui sont les parrains spirituels de ces balbutiements. Zola y entrelace, avec toute la verve de son jeune talent, les principaux thèmes poétiques du romantisme :

> Les vents du soir jouaient, soupirs mélancoliques,
> Tièdes et languissants, dans les ormes antiques,
> Et leur souffle apportait du rivage voisin
> Par moments une odeur de lavande et de thym.
> Je suivais lentement la vision chérie,
> Perdu dans une longue et douce rêverie.
> Je sentais, sous les feux de cette nuit d'été,
> Les champs autour de moi frémir de volupté.
> Ces brises, ces parfums, cette lueur douteuse
> Que la lune épanchait, pâlissante et rêveuse,
> Cet univers entier vaguement soupirait
> Des chants mystérieux que mon cœur comprenait ; . . .[1]

Dans son étude sur Alfred de Musset, Zola raconte avec quelle passion ses camarades et lui s'abandonnaient, au temps de leur jeunesse, à la lecture de Hugo et de Musset. « Victor Hugo régna sur nous en monarque absolu. Il nous avait conquis avec ses fortes allures de géant, il nous ravissait par sa rhétorique puissante. » Puis, un matin, un des garçons apporta un volume de Musset : « La lecture de Musset fut pour nous l'éveil de notre propre cœur. Nous restâmes frissonnants. » Et Zola trouve de belles formules pour exprimer les sensations qui s'éveillaient en eux devant ce nouveau monde de beauté poétique.[2]

Plusieurs des lettres de jeunesse de Zola témoignent avec éloquence de l'atmosphère romantique et presque sentimentale des années de début à Paris, où, les études achevées sur un échec au baccalauréat, il ne restait que d'immenses espérances. Particulièrement intéressante est une lettre de 1860, d'un romantisme si exalté que Zola semble y engager une polémique avec le romancier qui, quelque dix ans plus tard, devait être attaqué violemment comme un des maîtres de la nouvelle littérature prétendue putride. Voici les formules du Zola de vingt ans :

Je détourne les yeux du fumier pour les porter sur les roses, non pas que je nie l'utilité du fumier qui fait éclore mes belles fleurs, mais parce que je préfère les roses, si peu utiles pourtant. Tel je me montre à l'égard de la réalité et de l'idéal. J'accepte l'une comme nécessaire, je m'y soumets selon la nature ; mais dès que je puis m'échapper de cette ornière commune, je cours à l'autre et je m'égare dans mes prairies bien-aimées.[3]

Pierre Martino a précisé les attitudes littéraires du jeune Zola dans quelques formules très catégoriques : « Il brûle alors tout ce qu'il devait adorer plus tard ; il est furieusement idéaliste – – – il a horreur du matérialisme – – – Mais surtout il abomine le réalisme. »[4] Martino donne des citations qui, sans doute, appuient son affirmation. Mais ce n'est point là toute la vérité, qui est en effet plus complexe. On s'en rend compte par d'autres lettres, dont bien des passages témoignent d'une certaine hésitation. Il est, comme le souligne Fernand Doucet,

romantique par tempérament et par jeunesse – – – attiré vers les conceptions réelles d'une humanité mieux étudiée sur des bases plus scientifiques, il oscille encore entre les deux courants, autrement dit n'ose se livrer ni à une école, ni à l'autre.[5]

G. Robert opine dans le même sens, en analysant un article inédit de 1861, *Du progrès dans les sciences et dans la poésie :* dès cette époque – et sans doute avant d'avoir lu Balzac, Taine, Lucas ou Bernard – Zola soutient que l'inspiration poétique est épuisée et qu'il faut donc la renouveler ; mais la seule source nouvelle d'inspiration est la science. Tout en restant indépendante de la science, la poésie doit lui emprunter, « sinon toujours des sujets, du moins quelque chose de son esprit ». Et Guy Robert termine ainsi ses commentaires : « ainsi sera-t-il permis d'atteindre la plus haute poésie ; celle de 'la vérité', 'la grandeur calme et précise de la réalité' ».[6]

Si Zola rejoignait en tâtonnant – avant même d'avoir encore débuté – d'autres idéaux littéraires que ceux du romantisme, il est néanmoins évident que c'est en premier lieu ce mouvement qui lui a donné ses premiers contacts passionnés avec la littérature. Rien de plus naturel par conséquent que la tendance romantique apparaisse longtemps dans ses propres écrits. S'il n'est pas dans nos intentions d'établir comment cette tendance se mêle dans ses romans à son naturalisme de principe, nous essaierons du moins de rappeler son attitude « officielle » vis-à-vis du romantisme, et nous trouverons qu'il porte souvent des coups féroces contre le mouvement qui pour lui, comme pour tant d'autres, avait été la première tentation. Il s'agit en effet d'une véritable campagne, menée avec beaucoup d'acharnement, autour des années 1880 particulièrement, et où, derrière les violentes attaques, il faut chercher un procès intenté par le Zola naturaliste au Zola romantique.

Il trouve un excellent prétexte à l'exposé de ses idées dans un article intitulé « Hugo et Littré », publié en 1881.[7] Victor Hugo vient de donner ses *Quatre vents de l'Esprit,* Littré vient de mourir. Il semble à Zola qu'il y ait là une rencontre voulue et que l'heure soit venue d'établir un parallèle décisif entre ces deux hommes, « pour faire, dans nos esprits encore troublés, le procès suprême au romantisme ». Les deux hommes le hantent depuis huit jours, car l'un est sa jeunesse, l'autre, son âge mûr. Littré a pris toute la place dans sa raison, alors que Hugo n'est plus à son oreille qu'une lointaine musique. « Le positivisme a scellé la pierre sous laquelle le romantisme dort à jamais. Telle est la vérité qui devrait être profondément gravée sur les murs de nos écoles. » Et plus loin : « La science et la révélation, le positivisme et le romantisme ne peuvent vivre côte à côte ; c'est pourquoi l'un est en train d'achever l'autre. Cela a tué ceci. »[8]

*Le Roman expérimental* offre d'autres exemples de la même attitude intransigeante. Ce volume contient des articles que Zola avait publiés vers la fin des années 70 dans le *Messager de l'Europe,* dans le *Bien public,* et dans le *Voltaire.* Il s'excuse des « négligences » de ces articles, « encombrés de répétitions » et qui ont « trop de simplicité dans l'allure et trop de sécheresse dans le raisonnement ». Mais il a compris qu'il devait les publier tels qu'ils lui sont revenus, « écrits dans la fougue même de l'idée, sans aucun raffinement de rhétorique ». Cette phrase est intéressante, car « rhétorique » est un mot que Zola applique bien souvent au romantisme. Il le reprend dans la dernière phrase de la préface dont nous extrayons ces citations : peut-être trouvera-t-on que les pages empreintes de simplicité et de sécheresse sont les meilleures pages de son œuvre : « car je suis plein de honte, lorsque je pense à l'énorme tas de rhétorique romantique, que j'ai déjà derrière moi ».[9]

Dans plusieurs articles du volume, il revient à la grande lutte qui s'engage entre le naturalisme et la méthode expérimentale, d'un côté, et le romantisme, de l'autre. Un trait particulièrement frappant dans ces polémiques est le « diagnostic » qu'il établit du « cas du romantisme » : c'est une maladie morale, « notre maladie romantique », et il constate avec indignation : « Nous sommes actuellement pourris de lyrisme. »[10] Dans l'article intitulé « Lettre à la jeunesse », il met la jeunesse en garde contre cette maladie pernicieuse, dont le grand porteur de germes est Victor Hugo. Il reconnaît sa grandeur car il a toujours été un rhétoricien admirable et demeurera le chef indiscuté des poètes lyriques, mais il présente des dangers :

> Si j'applaudis Victor Hugo comme poète, je le discute comme penseur, comme éducateur. Non seulement sa philosophie me paraît obscure, contradictoire, faite de sentiments et non de vérités ; mais encore je la trouve dangereuse, d'une détestable influence sur la génération, conduisant la jeunesse à tous les mensonges du lyrisme, aux détraquements cérébraux de l'exaltation romantique.[11]

La même attitude vis-à-vis du romantisme considéré comme une maladie dangereuse et détestable revient dans les *Romanciers naturalistes,* où il fait la revue des romanciers contemporains. Il consacre un long passage à Duranty, un des pionniers du naturalisme, qui, dès son début, « à l'âge de toutes les erreurs », combattait le romantisme et voyait clair dans cette crise étrange du génie français. Duranty accusait les romantiques d'avoir rompu la chaîne française, d'être « les bâtards des littératures étrangères et non les fils légitimes de leurs pères du dix-huitième siècle », il remontait à Diderot et à ses contemporains, comme aux seules sources véritables d'une littérature moderne. Puis vient le procès de moralité.

J'ai rarement rencontré un romancier plus dégagé des circonstances ambiantes. Il faut remonter à Stendhal, cet homme unique dont la personnalité est restée si tranchée, dans le coup de *folie contagieuse* du romantisme. J'ai souvent confessé que nous tous aujourd'hui, même ceux qui ont la passion de la vérité exacte, nous sommes *gangrenés* de romantisme jusqu'aux moelles ; nous avons sucé ça au collège, derrière nos pupitres, lorsque nous lisions les poëtes défendus ; nous avons respiré ça dans l'air *empoisonné* de notre jeunesse. Je n'en connais guère qu'un ayant échappé à la *contagion,* et c'est M. Duranty. – – – Nous, les premiers venus après 1830, nous sommes les plus *infectés* – – – il faudra au moins cinquante ans encore pour débarrasser notre littérature de cette *lèpre.* – – – M. Duranty n'occupe pas, dans l'admiration de nos lecteurs, la place à laquelle il a droit. – – – Cela est triste à confesser pour moi qui combats si violemment le romantisme, mais nos succès, à nous tous, sont un peu faits du lyrisme qui s'infiltre quand même dans nos œuvres. *L'époque est malade,* je l'ai dit, et elle s'est prise d'un goût pervers pour l'étrange sauce lyrique à laquelle nous lui accommodons la vérité.[12]

Dans son article « Lettre à la jeunesse », Zola parle du magnifique élan poétique de Victor Hugo, qui n'est plus qu'une musique superbe « à côté des conquêtes viriles de Claude Bernard sur le mystère de la vie ». Le poète lyrique, au contraire, « élargit l'inconnu pour y promener la folie de son imagination ». Certes, Zola connaît l'argument des lyriques : il y a la science et il y a la poésie. Mais il n'est pas question de supprimer les poètes, il s'agit simplement de les mettre à leur place et d'établir que « ce ne sont pas eux qui, marchant à la tête du siècle, ont le privilège de la morale et du patriotisme ».[13]

Non content d'attaquer la philosophie du romantisme, Zola s'en prend également à la facture, à la langue, au style de l'école romantique. Il ne fait pas toujours une distinction nette entre forme et fond, ou plutôt, il semble soutenir que la forme fait corps avec le fond, et que, par conséquent, on ne saurait distinguer. C'est la totalité qui est infectée. Impitoyablement, il relève, un à un, les indices. Ce lyrisme, ce panache de grands mots, ces épithètes retentissantes, cette musique d'orgue – qu'est-ce, sinon un coup de folie, une « démence d'esprits extatiques, à genoux devant l'idéal, tremblant qu'on ne leur ravisse le dernier coin du mystère où ils logent leurs rêves ».[14] Tous les écrivains de la seconde moitié du siècle sont, comme stylistes, les enfants des romantiques. Ceux-ci ont forgé un outil qu'ils ont légué à Zola et à ses compagnons, outil dont ils se servent journellement. Mais, il faut établir, une fois pour toutes, que le règne des rhétoriciens est fini. La forme sera ramenée à la stricte logique, la langue s'apaisera et se pondérera, et même si Zola et sa génération ne peuvent pas s'affranchir de « la fanfare superbe et folle de 1830 », même s'ils sont « condamnés à répéter cette musique », leurs fils se dégageront, et il attend le jour où ils en arriveront « à ce style scientifique dont M. Renan fait un si grand éloge ».[15]

Il a souvent l'occasion de préciser ses vues. Dans son étude sur Stendhal, il arrive, inévitablement, au style du grand romancier. Après la critique habituelle de sa propre manière, il déclare que la simplicité est indispensable, si l'on veut faire de la langue l'arme scientifique du siècle. Stendhal ne le satisfait pas, puisque, avec toute son admirable logique, il « donne ses notes au petit bonheur, il jette ses phrases au caprice de la plume ». Mais, avant de constater que Stendhal n'est pas son homme, Zola formule l'idéal qu'il eût aimé trouver réalisé par « cet esprit supérieur » : « une composition simple, une langue nette, quelque chose comme une maison de verre laissant voir les idées à l'intérieur ; je rêvais même le dédain de la rhétorique, les documents humains donnés dans leur nudité sévère ».[16]

Egalement intéressant est son raisonnement dans sa grande étude sur les romanciers contemporains. Il constate que, dans chaque période littéraire, il y a un jargon particulier qui séduit tout le monde, mais qui se démode et qui, « après avoir fait la fortune des livres, les condamne justement à l'oubli ». En songeant à ces choses, il a souvent été pris d'un petit frisson : certaines phrases qu'il lui plaît tant à écrire aujourd'hui, « feront certainement sourire dans cent ans ». Et le pis est que le jargon de la présente époque est un des plus monstrueux de la langue française. Et ce qui vieillira si vite dans ce jargon, c'est l'image – cette image qui séduit tant qu'elle est nouvelle. Après une ou deux générations, elle est « une guenille, elle est une honte ». Voyez Voltaire, avec sa langue sèche, sa phrase nerveuse – il demeure éternellement jeune. Voyez Rousseau, qui a des pages insupportables.

Veut-on savoir le style que je rêve parfois ? Je suis trop de mon temps, hélas ! j'ai trop les pieds dans le romantisme pour songer à secouer complètement certaines préoccupations de rhétorique. Nos fils se chargeront de cette besogne. Je garderais donc tous nos raffinements d'écrivains nerveux, les heureuses trouvailles, les épithètes qui peignent, les phrases qui sonnent Seulement, dans ce style si capricieusement ouvragé, si chargé d'ornements de toutes sortes, je voudrais porter la hache, ouvrir des clairières, arriver à une clarté plus large. Moins d'art et plus de solidité. Un retour à la langue si carrée et si nette du dix-septième siècle.[17]

Dans l'interview que Zola accorde à Fernand Xau, en avril 1880, il formule les mêmes mises au point. Leur conversation tombe sur certaines tendances romantiques de l'œuvre de Zola. Celui-ci n'ignore pas les contradictions qu'on peut reprocher à son programme, il sait bien qu'il pèche souvent contre les règles qu'il a établies, mais il se défend :

On dit que je ne suis pas toujours d'accord avec moi-même. Mais je ne le conteste pas, je sais fort bien que je suis empanaché. Est-ce ma faute si la puissance du romantisme a été telle que les plus résolus de ses adversaires ont tant de peine à se débarrasser de son influence pernicieuse ? J'aime la langue classique – cette langue calme et sévère, pourtant sonore et harmonieuse. Je désirerais qu'on la parlât et je voudrais l'écrire. Suis-je donc si coupable si, en dépit de mes efforts, je n'arrive pas à la parler, à l'écrire ? Et cela doit-il m'empêcher de prodiguer des conseils que je crois sages et utiles ?[18]

Il ressort de cet exposé rapide que Zola, en s'attaquant au roman sur Pauline, est en pleine campagne contre le romantisme. L'ancien plan du roman démontre nettement combien il tenait à s'affranchir de cette école qu'il détestait, et qu'il voulait le faire non seulement dans ses œuvres critiques, avec des mots d'ordre, mais aussi, plus indirectement, dans une œuvre de fiction.

Il paraît que ces intentions jouent leur rôle dès le moment où il formule les premières phrases de la première esquisse : « Pas ma symphonie habituelle. Un simple récit allant au but. – – – Et le style carré, correct, fort, sans aucun panache romantique. La langue classique que je rêve. En un mot, de l'honnêteté en tout, *pas d'emballage* » [366].[19] Dans les esquisses suivantes, il insiste sur cette simplicité. La deuxième esquisse commence par une critique de l'intrigue qu'il vient d'ébaucher : « Peut-être quelque chose de beaucoup plus simple vaudrait-il mieux » [373]. Il souligne sa poursuite du quotidien, du banal : « Rien que des petits faits de ménage » [376], et en entamant la troisième esquisse, il croit avoir trouvé une intrigue suffisamment simple : « Voici le roman. *Tout ce qu'il y a de plus simple* » [380]. Mais cette simplicité n'implique pas qu'il veut peindre « les petites misères, les petites vilenies de l'existence (en province) » ; il veut, au contraire, « peindre un large courant de vie, *la souffrance et la bonté* ». Et cela se fera – ce qui est la difficulté – « non pas avec mon procédé de poème habituel, mais avec une analyse continue des faits quotidiens » [382–383]. A la fin de la quatrième esquisse, il répète ce qu'il disait dès la première : « Aucun emballage » [393].

Le problème du style ne sera résolu que lorsqu'il se mettra à la composition du manuscrit définitif ; pour le moment, il doit se contenter de fixer, si possible, le style et le ton général qu'il désire donner à son nouveau roman. Il en est tout autrement de l'architecture de l'œuvre, dont il faut établir les principes dès le travail à l'Ebauche. Il se méfie des tendances pernicieuses qu'il se connaît, et nous avons déjà vu avec quelle vigueur il souligne l'importance de la simplicité. Derrière cette attitude se cache sa peur des antithèses romantiques, des arrangements plus ou moins mélodramatiques, dont il subissait depuis longtemps la tentation. Ces faiblesses font partie de l'héritage romantique.[20]

Dans une étude intitulée *Emile Zola als romantischer Dichter,* Carl Franke s'est attaché à ces tendances de Zola. Il fait l'examen des romans de la série des Rougon-Macquart, et souligne, entre autres choses, les traits caractéristiques que plusieurs critiques ont relevés : la nature vivante, mise en rapport intime avec les sensations et les états d'âme des personnages ; l'animation d'une matière morte qui peut ainsi se développer en des manifestations vitales énormes ; l'agrandissement jusqu'au grotesque – témoin la fameuse oie dans l'*Assommoir.*

Franke souligne que plusieurs des romans de Zola sont en fait construits sur des antithèses. Cette tendance peut aussi se manifester dans les détails : lorsque, dans la *Faute de l'abbé Mouret,* Albine est descendue dans la tombe, une victime de son amour, Désirée, la sœur hébétée de l'abbé, s'écrie rayonnante de joie, que sa vache a vêlé. Le cours éternel de la vie n'est jamais suspendu.[21]

On pourrait citer nombre d'exemples du même genre, mais nous nous contenterons de quelques-uns. Dans le *Ventre de Paris,* il y a une scène brutale où Marjolin, l'enfant sauvage des Halles, tente de violer Lisa Quenu, qui, cependant, le terrasse d'un coup bien ajusté qui faillit le tuer. « A ce moment, un chant de coq, rauque et prolongé, monta des ténèbres. »[22] Dans le *Docteur Pascal,* Adélaïde Fouque, la tante Dide, meurt folle, à l'âge de 105 ans, à peu près exactement au même moment que le petit Charles Rougon, « dernière expression de l'épuisement d'une race ».[23] Et dans la *Terre,* il y a, simultanément, un accouchement et un vêlage.

Dès l'origine, la *Joie de vivre* n'est au fond qu'une vaste antithèse. A la souffrance, à la douleur et aux forces de la destruction, Zola oppose la bonté, la compassion, les forces indestructibles de la vie. Avec certaines modifications, certaines gradations de ton, ces contrastes, qui constituaient en effet le point de départ même de Zola, resteront les puissances vraiment agissantes du drame qui se joue autour de Lazare et de Pauline. Cependant, il est à noter que, ayant une fois fixé ce thème, Zola fait tous ses efforts pour éviter, dans les grandes lignes et dans les détails, les éléments qui sentent le systématique et le fabriqué. C'est un travail continu d'épuration qui se poursuit à travers l'ancien plan.

La faiblesse du romancier pour les effets brutaux et les contrastes violents s'accuse dès le début, où il médite une grande épidémie à l'ombre de laquelle se jouera le drame de la douleur et de la bonté. Petit à petit, cette épidémie colossale se réduit à des proportions plus modestes : « Je garde une petite épidémie ; mais pas forte » [377]. En fin de compte, l'épidémie s'efface complètement, mais dans l'Ebauche de 1883, nous sommes témoins de sa dernière manifestation : « Une épidémie qui les [= les pêcheurs] tuera à la fin, et ils veulent vivre » [218]. En admettant que cette catastrophe finale ait été, dans une certaine mesure, conservée dans le dernier chapitre du roman, où la moitié du village est mangée par la mer, il est cependant évident que cet épisode n'est en rien une antithèse du même ordre que l'épidémie.

L'ancien plan présente aussi le contraste trop visible d'une naissance et d'une mort simultanées. Après une scène violente, Pauline amène une réconciliation : « Pauline alors, dans un acte de bonté suprême, rapproche tout le monde. Et c'est la nuit même que le père meurt et que Pauline accouche. Albert éclatant en sanglots, non à cause de la mort de son père, mais à la vue de l'enfant » [379].

Dans la quatrième esquisse, la mère de Gérard a remplacé Quenu. Sa mort n'est pas opposée à l'accouchement de Pauline, mais Zola, ne pouvant se dispenser d'un certain effet de contraste dans cet épisode, laisse le malheureux Gérard achever sa symphonie la nuit même que Pauline accouche de leur enfant : « Un soir Gérard achève la symphonie qu'il écrit, lorsque Pauline, qui lui a caché ses douleurs jusqu'aux derniers moments crie et le prévient ainsi » [393].

L'idée d'une construction, qui se retrouve dans les quatre esquisses, n'a pas exactement le même effet de contraste que les épisodes dont nous venons de parler, mais elle est néanmoins un bon exemple des arrangements schématiques et d'une certaine signification antithétique, auxquels Zola se plaît souvent. La construction de la maison doit d'abord symboliser les forces positives, constructives, par opposition à la terrible épidémie : « Une construction, maison. L'épidémie » [375] et « la maison qu'on bâtit, les malades soignés » [378]. Lorsque l'épidémie n'est plus d'actualité, la construction est pourtant conservée comme une sorte de leitmotiv dans l'intrigue. Le progrès de la construction est noté à travers le résumé qui achève l'esquisse : « La pose de la première pierre. – – – une visite à la maison – – – où en est la maison – – – La maison est finie. Visite dans les pièces – – – Pendant les douleurs, il voit la maison au dehors » [390–393].

Zola se sent donc attiré vers des arrangements et des épisodes qui, au fond, sont en contradiction avec ses intentions de faire simple, d'éviter « le panache », de s'en tenir à la réalité brute, laquelle ne connaît pas les constructions romantiques. Mais il se tient sur ses gardes, il ramène constamment l'intrigue sur les voies de la simplicité et de la vérité, et le résultat de ses efforts est que le roman ne présente guère de ces effets antithétiques ou mélodramatiques qui gâtent certaines de ses œuvres.

En même temps, il est évident que le jeune héros qui promène ses malheurs à travers l'ancien plan, est une victime de ce romantisme que haïssait Zola. Albert et Gérard sont tous les deux des romantiques de la même trempe que Frédéric Moreau, dans l'*Education sentimentale*. Avec tous les traits autobiographiques que Zola leur a empruntés, ils sont de ces ratés, de ces enfants du siècle si amoureusement conscients de leur passivité langoureuse.

L'ancien plan a donc pour « toile de fond » la campagne que Zola mène contre le romantisme dans ses œuvres critiques ; ce plan témoigne de ses efforts continus pour se débarrasser de certaines tendances romantiques ; enfin, il y a une communion intime entre le jeune héros de ce plan et le type de romantiques que représente Frédéric Moreau. Nous avons donc lieu de conclure qu'il entrait dans les intentions de Zola, de faire le procès du romantisme, et que le roman dont il traçait, en 1881, les premières esquisses, devait critiquer, du moins indirectement, toutes les formes de ce romantisme qu'il combattait avec acharnement depuis quelques années.[24]

Mais ce qui est vraiment nouveau dans l'Ebauche de 1883, aussi bien que dans le roman, c'est que Zola parle ici du *pessimisme*. Dans l'ancien plan, et dans les six ouvrages critiques qu'il publiait pendant les années 1880–1882, *ni le pessimisme, ni le nom de Schopenhauer ne sont mentionnés.*

En se remettant à l'Ebauche en février ou en mars 1883, il s'intéresse exclusivement aux aspects psychologiques de l'action, dans lesquels entreront nombre d'éléments qu'il puise dans sa propre expérience. Mais, tout d'un coup, le personnage de Lazare devient une sorte de symbole philosophique, ce à quoi Zola, jusqu'alors, n'avait guère explicitement pensé. Presque tous les symptômes de la névrose de Lazare deviennent en effet l'expression du mouvement philosophique qui est maintenant le grand ennemi : « Cela est très bon, c'est le caractère moderne du pessimisme » [150]. Ensuite il développe encore ce thème, qui sera une des dominantes du roman.

Le nouveau pessimisme a hanté Zola. Au fond, ce pessimisme était vraisemblablement, à ses yeux, une variante du vieux romantisme et de sa « maladie du siècle ». Mais le pessimisme présentait sans doute certains nouveaux aspects, il permettait certaines conclusions que le romantisme n'eût pas permis de tirer, parce qu'il n'avait pas exactement les mêmes prémisses. Le romantisme était, entre autres choses, une réaction contre la raison trop étroite et contre la rigueur de la science. Il était aussi une réaction contre le style classique qui était pour Zola l'idéal – hélàs, si difficile à atteindre. Le nouveau pessimisme puisait sans doute un peu aux mêmes sources, mais il tirait aussi des conclusions précipitées et pernicieuses de l'évangile que professait Zola. Les jeunes pessimistes se délestaient de la science parce qu'elle avait beaucoup promis et peu tenu. Et, abandonnant la science, ou abandonnés par elle, ils se jetaient dans les bras de Schopenhauer, dans la passivité, l'indifférence morale et l'impuissance du Nirvana.

## 3

## Le nouveau pessimisme

Le nouveau pessimisme offrait des appas auxquels Zola ne pouvait être insensible. Avant d'étudier son hostilité à cette doctrine, nous essaierons d'esquisser sa situation psychologique vers 1880, année où il subit la crise à laquelle nous avons déjà fait allusion.

L'attitude belliqueuse et presque fanatique qui marque de son empreinte ses œuvres critiques n'exclut pas les doutes, l'hypocondrie, la misanthropie même. Le docteur Toulouse constate, en 1896, que la « tendance principale de son caractère est d'être tenace et constant dans l'effort. – – – A ce point de vue, il n'est pas pessimiste, croyant à la vertu du travail, bien qu'ayant une conception plutôt triste de la vie. »

Mais le travail même le met au supplice : « Ordinairement il enfante dans le doute et dans la peine, jamais content, désespérant toujours de bien faire et d'achever sa besogne. » Et, ailleurs, Toulouse résume : « Optimiste de tendance, il se rend compte que la vie est en fait mauvaise. »[1]

Alfred Kerr a raconté ce qui suit sur un entretien qu'il eut, en 1901, avec Zola. Celui-ci faisant cette remarque : « je ne suis pas optimiste », Kerr objecta que le dernier livre de Zola, *Travail,* comme le volume final des Rougon-Macquart, débordait d'optimisme, ce à quoi Zola répondit : « Je *veux* être optimiste. »[2]

Il est vrai que ces témoignages se réfèrent à une époque de beaucoup postérieure à celle qui nous occupe à présent. Mais nous pouvons constater exactement la même attitude à l'égard de la vie chez le Zola des années 1880. Dans son livre sur le romancier, Paul Alexis fait un exposé du « pessimisme constitutionnel » de Zola :

> ... pessimiste, porté à voir les choses en noir, il croira sans cesse qu'il n'a rien fait, que tout va pour lui de mal en pis, qu'il est le plus infortuné des hommes. Ce n'est donc que par réflexion qu'il revient au sentiment juste de la réalité. Son état ordinaire consiste à frissonner d'anxiété et à rester sur le qui-vive. Disposition d'esprit qui, certes, l'empêche de jouir de la renommée, mais qui l'excite au travail autant qu'autrefois.[3]

Il n'est pas heureux, poursuit Alexis. Bien portant, il se croit malade. Célèbre, il craint chaque matin, en se mettant devant sa table, de ne plus pouvoir écrire deux lignes.

Edmond de Goncourt a entendu les mêmes lamentations : dans une note du 1er février 1880, il raconte ce qui s'est passé, la veille, à un dîner offert par Tourguéniev à Zola, Daudet et Goncourt. On en vint à parler de la mort : « Alors Zola d'énumérer les phénomènes morbides, qui lui donnent la peur de ne pouvoir jamais finir les onze volumes, lui restant à écrire. »[4]

Zola doute sans cesse de lui, il est nerveux et impressionnable, il ne connaît pas la tranquillité, il ne jouit de rien, constate Alexis :

> On raconte que Delacroix, à son lit de mort, pensant à ce qu'il avait souffert dans sa longue carrière, disait : « Je meurs enragé ! » Eh bien ! Emile Zola, lui, vit comme Delacroix mourut : enragé ! Enragé, dit-on, contre les autres ; enragé bien davantage contre lui-même.[5]

Que ce tempérament ait laissé des traces dans presque tous les romans de la série, est incontestable. Chacun d'eux, à une ou deux exceptions près, contient des scènes cruelles ou morbides ; Zola est attiré vers les côtés noirs de l'existence. Vers la fin des années 70 on peut relever les premières expressions de la morbidité toute particulière qui caractérisera plus tard Lazare. Hemmings et Niess ont constaté que c'est dans la *Mort d'Olivier Bécaille* qu'on rencontre pour la première fois cette peur de la mort qui semble être le grand trait commun de Lazare et de Zola.[6] Cette nouvelle fut publiée en mars 1879, en traduction russe, dans le *Messager de l'Europe*.[7] La version française de la nouvelle parut dans le recueil intitulé *Naïs Micoulin* (1884).

Olivier Bécaille est un homme hanté par la peur de la mort, il a des obsessions effrayantes, qui ne sauraient cependant dépasser la réalité épouvantable, puisqu'il est enterré vivant. Il y a dans la peinture de ce malheureux des similitudes frappantes avec Lazare. Niess cite le passage suivant :

« Que de fois, la nuit, je me suis réveillé en sursaut, ne sachant quel souffle avait passé sur mon sommeil, joignant les mains avec désespoir, balbutiant : 'Mon Dieu ! mon Dieu ! il faut mourir !' »[8]

Comme Lazare et Louise, comme Zola et sa femme éprouvent ensemble la peur de la mort,[9] Olivier et sa femme sont tous les deux hantés par la même obsession. Dans un autre passage de la nouvelle, se retrouve d'ailleurs exactement la même question qui, selon Goncourt, tourmentait Zola, et que se pose, depuis longtemps, Lazare : « Qui partirait le premier, elle ou moi ? »[10]

Voici en plus des rapports signalés par Niess et Hemmings, quelques autres phrases de la nouvelle, qui montrent combien sont intimes les rapports entre la nouvelle et le roman. Il arrive qu'Olivier, pour venir à bout de sa peur, recoure à une sorte de formule magique : « Eh bien ! on mourait, c'était fini ; tout le monde mourait un jour ; rien ne devait être plus commode ni meilleur. »[11] C'est là exactement l'attitude de Pauline lorsqu'elle essaie de réconforter Lazare, c'est la formule esquissée dans l'Ebauche : « On meurt, eh bien ! on meurt » [187]. Egalement, nous lisons, dans un autre passage de la nouvelle : « Le terrible : 'A quoi bon?' sonnait comme un glas à mes oreilles. »[12] A peu près la même formule reviendra dans la troisième esquisse de 1881 : « la peur de la mort, paralysant tout ; à quoi bon ? puisque tout doit finir, et peut-être à l'heure même » [380–381]. Nous n'avons guère besoin de souligner que c'est là aussi un des points capitaux du roman, ainsi par exemple dans le chapitre VII, où Pauline essaie de tirer Lazare de son noir désespoir après la mort de la mère :

Son désir était surtout de le rejeter dans l'action, quitte à y laisser le reste de son argent. Mais, déjà, il haussait les épaules. A quoi bon ? Et il avait pâli, car l'idée lui était venue que, s'il commençait ce travail, il mourrait avant de l'avoir terminé (p. 218).

L'année 1879 offre d'autres exemples de cette obsession. Nous pensons à *Nana,* publiée dans le *Gil Blas* au cours de l'année. Dans le chapitre XII, il y a une scène entre Nana et Muffat. Les pensées de Nana tournent autour de Dieu, de la mort et de l'enfer, et elle répète : « J'ai peur de mourir . . . J'ai peur de mourir . . . » Elle est possédée de sa terreur, elle se lève, elle rôde dans la chambre, elle tressaille au plus léger bruit. Muffat, lui aussi, a depuis quelque temps été obsédé d'angoisse, d'idées noires qui le rapprochent de la religion. Il se tord les mains, il balbutie : « Mon Dieu . . . mon Dieu . . . mon Dieu. » Et cette scène morbide s'achève sur les mots suivants :

Quand elle revint, elle le trouva, sous la couverture, hagard, les ongles dans la poitrine, les yeux en l'air comme pour chercher le ciel. Et elle se remit à pleurer, tous deux s'embrassèrent, claquant des dents sans savoir pourquoi, roulant au fond de la même obsession imbécile. Ils avaient déjà passé une nuit semblable ; seulement, cette fois, c'était complètement idiot, ainsi que Nana le déclara, lorsqu'elle n'eut plus peur.[13]

Selon Goncourt, Zola met, en 1882, la crise qu'ils subissent, sa femme et lui, en rapport avec la dépression dont ils souffrent depuis la mort de la mère, en 1880.[14] Mais les passages de la nouvelle et la scène de *Nana* que nous venons de citer, présentent des situations presque identiques à celle que Zola racontait à Goncourt en 1882. Il y a donc lieu de conclure que ces scènes de 1879, dans la nouvelle et dans *Nana,* s'appuient, elles aussi, sur des souvenirs autobiographiques, et que, par conséquent, les sensations et les états d'âme qui sont représentés dans les œuvres de 1879, existaient déjà chez Zola *avant* la mort de la mère, ce qui n'empêche pas ces réactions d'être rendues actuelles et de s'aggraver après cet événement.[15]

L'année 1880 fut pour Zola particulièrement dure ; la perte de quelques amis l'affecta profondément. F. W. J. Hemmings relève d'abord la mort de Duranty, le 9 avril. Duranty et Zola étaient depuis longtemps de grands amis et des frères d'armes, comme en témoignent les hommages chaleureux de Zola au réalisme intransigeant de Duranty.[16] Le 8 mai, Flaubert mourut. Ce fut Maupassant qui, par une courte dépêche, annonça la sinistre nouvelle à Zola. On ne saurait se tromper sur la profonde sincérité du chagrin qu'éprouva Zola en apprenant la mort d'un homme qui fut pour lui, comme pour ses confrères, un ami aimé aussi bien qu'un maître vénéré. D'où le désespoir qui éclate, le lendemain de la mort de Flaubert, dans une lettre émouvante qu'il écrit à Céard : « Oh ! mon ami, il faudrait mieux nous en aller tous. Ce serait plus vite fait. Décidément, il n'y a que tristesse, et rien ne vaut la peine qu'on vive. »[17]

La situation extérieure de Zola avait totalement changé après le succès retentissant de l'*Assommoir,* en 1877. L'année suivante, il acheta une maison à Médan, où il fit faire successivement des améliorations et des annexes – entre autres le chalet qui a laissé des traces dans l'ancien plan. Ici, à Médan, il se créerait un milieu calme et abrité, où il pût poursuivre sa tâche écrasante et réunir autour de lui ses amis et ses disciples.

Donc, à l'âge de 40 ans, il s'était affirmé, il avait consolidé sa position littéraire et ses conditions matérielles et il s'était créé un milieu de travail qui lui plaisait. Mais c'est comme si la consolidation extérieure et la tension intérieure allaient de pair en cette année 1880, où, après la mort de sa mère, toutes les tendances neurasthéniques et morbides même s'aggravèrent. Goncourt qui, deux mois après cet événement bouleversant, a reçu la visite de Zola, rapporte :

Zola vient aujourd'hui me voir. Il entre avec cet air lugubre et hagard qui particularise ses entrées. Il s'échoue dans un fauteuil, en se pleignant geignardement, et un peu à la manière d'un enfant, de maux de reins, de gravelle, de palpitations de cœur, puis il parle de la mort de sa mère, du trou que cela fait dans leur intérieur, et il en parle avec un attendrissement concentré. Et quand il vient à causer littérature, à causer de ce qu'il veut faire, il laisse échapper la crainte de n'en avoir pas le temps.[18]

L'étude de l'ancien plan a montré combien il se sentait obsédé par les souvenirs douloureux, ce qui le fit d'ailleurs renoncer à ses intentions. La déclaration qu'il fit, en 1881, à Alexis, est répétée dans la lettre à Goncourt que nous avons citée plus haut.[19]

Ayant reconnu qu'il ne pouvait continuer à travailler au roman sur Pauline, il écrivit pour le *Figaro* un article intitulé « L'Adultère dans la bourgeoisie »,[20] où il donnait l'assaut à la morale « bourgeoise » mensongère, en soutenant que l'adultère est la plaie dominante de la classe bourgeoise. Selon Alexis, cette idée le préoccupait et l'amena à se demander s'il n'y avait pas là matière à un roman, qui devait être une sorte de pendant à l'*Assommoir*. Une brusque clarté se fit dans son esprit, dit Alexis, et il conçut *Pot-Bouille*.[21]



13—*802357*

Il s'était donc éloigné le plus possible du roman sur Pauline. Au lieu d'un roman intime à deux ou trois personnages, il composa un roman qui se jouait dans l'atmosphère écœurante d'une « caserne bourgeoise » ; au lieu de traiter les questions vitales qui étaient pour lui de la plus haute importance personnelle, il lança une diatribe violente contre une classe de la société. Le contraste entre les deux œuvres fut on ne peut plus vigoureux. Son chagrin se transforma en dépit, en colère et en attaques contre des phénomènes sociaux et moraux. Comme souvent, c'est le Zola moraliste qui prend la plume. Il insiste dans une lettre datée du 9 février 1882 :

Pas une page, pas une ligne de *Pot-Bouille* n'a été écrite par moi sans que ma volonté fût d'y mettre une intention morale. C'est sans doute une œuvre cruelle, mais c'est plus encore une œuvre morale, au sens vrai et philosophique du mot.[22]

Les idées de Schopenhauer furent présentées au public français dès 1850, où la *Revue des Deux-Mondes* et le *Journal des Débats* publiaient quelques articles sur le philosophe allemand et son système pessimiste.[23] De première importance pour la vulgarisation de la philosophie de Schopenhauer furent les deux ouvrages dont nous avons parlé en suivant à la trace les études de Zola : *La Philosophie de Schopenhauer,* par Ribot, publié en 1874, et surtout la traduction de Bourdeau, sous le titre de *Pensées, Maximes et Fragments* (première édition de 1880, troisième de 1881). C'est surtout ce dernier ouvrage que Zola et ses amis ont lu et discuté, c'est Bourdeau qui est le véritable missionnaire de l'évangile de Schopenhauer en France. Huysmans renvoie à ce livre de chevet dans une lettre à Zola, à laquelle nous reviendrons prochainement,[24] et Maupassant en sortait bien des perles pour une chronique qu'il livrait au *Gaulois* au mois de décembre 1880.[25]

Connu depuis plus d'une dizaine d'années, Schopenhauer fut donc, vers 1880, le philosophe à la mode en France. Les traductions de ses œuvres se succédèrent rapidement, on scrutait ses idées dans les revues, dans les salons, entre intellectuels.[26] Dans sa célèbre comédie, *Le Monde où l'on s'ennuie* (1881), Edouard Pailleron a combattu avec les armes du ridicule le pessimisme mondain qui gagnait certains cercles à cette époque.

Le pessimisme, tel que l'exposait Schopenhauer, ou plutôt tel qu'on l'interpréta pour le mettre à la portée de tous, renfermait bien des éléments qui, en apparence, étaient en accord avec les idées du naturalisme. Schopenhauer insistait sur l'absurdité absolue de l'existence. C'est là sans doute la « philosophie » qui semblait se dégager de bien des œuvres naturalistes, du moins au dire des critiques conservateurs. On pouvait aussi imputer à cette philosophie une froide indifférence à toutes les valeurs spirituelles qui, selon les conceptions traditionnelles, rendaient la vie digne d'être vécue. La misanthropie de Schopenhauer, son insistance à souligner les aspirations mesquines et ridicules des hommes, furent dans tous les cas des éléments d'une philosophie qui possédait tout ce qu'il fallait pour séduire la génération des auteurs qui avaient vécu dans leur jeunesse le désastre de 1870–71.

Ce fut la génération à laquelle appartenaient Zola et ses amis. Leur aîné de vingt ans, Flaubert, avait déjà sa philosophie, son pessimisme, à lui, et on ne peut guère dépister dans ses œuvres une influence manifeste du philosophe allemand. Mais il n'ignora pas Schopenhauer, comme le prouve une lettre datée de 1879 : « Connaissez-vous Schopenhauer ? J'en lis deux livres. Idéaliste et pessimiste, ou plutôt bouddhiste. Ça me va. »[27]

Son disciple Maupassant s'adonnait à l'étude du philosophe allemand. Il « voua un culte à Schopenhauer », constate André Vial, qui démontre que Maupassant a pénétré à fond le livre de Bourdeau et que Schopenhauer a joué un rôle important pour la formation de sa philosophie.[28] On peut tirer les mêmes conclusions à l'égard de Rod et de Huysmans, dont nous pouvons d'ailleurs suivre les réactions au procès qu'intentait Zola au pessimisme dans la *Joie de vivre.*

Edouard Rod est aujourd'hui un auteur oublié, mais de son temps il s'était fait une certaine renommée comme un des représentants du nouveau roman psychologique. Ne faisant pas directement partie du groupe de Médan, il avait pourtant des relations avec Zola, et ce fut en romancier naturaliste qu'il embrassa la carrière littéraire, en 1880. Mais le plus connu de ses romans, la *Course à la mort,* le révèle comme un pur pessimiste et ce pessimisme est sans doute le plus systématique de ceux qui ont été professés par les romanciers naturalistes lesquels rejetaient du reste les uns après les autres le programme littéraire et philosophique de Zola. *La Course à la mort* fut publiée en 1885, mais elle avait été commencée plusieurs années auparavant.[29]

J.-K. Huysmans avait débuté dès 1874. Huit ans plus tard, en 1882, il publia ce célèbre document d'ennui et de dégoût qui s'appelle *A vau-*

*l'eau*. Il présentait à ses lecteurs un tableau d'une tristesse écœurante et d'une noire misanthropie : veule, sans force, sans volonté, le pauvre M. Folantin, fonctionnaire d'un ministère – d'ailleurs comme Huysmans lui-même – bat le pavé de Paris, errant de gargote en gargote à la recherche de mets mangeables. Epuisé par ces déceptions, il cherche une dernière désillusion dans les bras d'une prostituée, après quoi il conclut qu'il faut « se laisser aller à vau-l'eau ; Schopenhauer a raison, se dit-il, 'la vie de l'homme oscille comme une pendule entre la douleur et l'ennui ».[30] C'est là encore une fois le Schopenhauer de la version de Bourdeau ; Zola a copié la même phrase d'après les *Pensées, Maximes, Fragments*.[31]

Les déambulations grotesques de M. Folantin n'étaient, dans leur tristesse indicible, qu'un symbole de l'absurdité complète de la vie selon les interprétations vulgaires des maximes du philosophe allemand. Bien des années après la publication d'*A vau-l'eau* – en 1891 – Huysmans a témoigné de la puissante influence qu'exerçait sur lui, à cette époque, la philosophie de Schopenhauer : « Jadis, j'ai beaucoup aimé Schopenhauer, – aujourd'hui il me désenchante. »[32] Il l'admirait « plus que de raison », il aimait « ses idées sur l'horreur de la vie, sur la bêtise du monde, sur l'inclémence de la destinée ».[33] Et ce ne sont pas là des amplifications faites après coup, car dans une lettre à Zola datée de 1884, à laquelle nous aurons sous peu lieu de revenir, il fait cette déclaration sur la philosophie de Schopenhauer : « ces idées sont, à coup sûr, les plus consolantes, les plus logiques, les plus évidentes qui puissent être ».[34]

Les mêmes opinions furent émises simultanément par des Esseintes, le héros d'*A Rebours*, qui, à tant d'égards, est l'interprète des positions philosophiques et esthétiques de Huysmans vers 1880 et qui, à l'instar de Huysmans, se sent irrésistiblement fasciné par les formules pessimistes de Schopenhauer :

> Ah ! lui seul était dans le vrai ! qu'étaient toutes les pharmacopées évangéliques à côté de ses traités d'hygiène spirituelle ? Il ne prétendait rien guérir, n'offrait aux malades aucune compensation, aucun espoir ; mais sa théorie du Pessimisme était, en somme, la grande consolatrice des intelligences choisies, des âmes élevées – – –[35]

*A Rebours* parut au printemps de 1884. Huysmans y avait travaillé pendant deux ou trois ans : au mois de janvier 1882, Paul Alexis, dans une lettre adressée à Zola, rapporte qu'il a dîné avec Huysmans, qui a

« beaucoup parlé de *A rebours* – détails drôles que je vous conterai ».[36] En 1882 également, en novembre, Huysmans dit qu'il s'est plongé dans une sorte de roman-fantaisie bizarre, « une folie nerveuse », et en novembre 1883, il est encore attelé à son « absurde bouquin ».[37]

Si les nouvelles idées avaient séduit Maupassant, Rod et Huysmans, comme elles avaient captivé une grande partie des intellectuels en France, elles ne pouvaient pas être approuvées par Zola. Cette philosophie de la désolation, de la capitulation, était sans doute capable de l'induire en tentation pendant ces années de crise. Mais il y avait surtout dans cette théorie du pessimisme beaucoup d'idées venues en droite ligne de tout ce que détestait le solide positiviste qui était en lui. Il est à remarquer que ce qui attirait les amis de Zola, et ce qui a failli l'attirer lui-même, ce n'étaient pas les grandes spéculations méthodiques de Schopenhauer. Ils ne le lisaient pas pour pénétrer et s'assimiler une doctrine philosophique allemande. Ce qui, par les traductions et les vulgarisations de Ribot et de Bourdeau, prenait forme devant leurs yeux fatigués, c'était un poème philosophique, une vue d'ensemble, une vision, qui, jugée superficiellement, s'accordait bien, nous l'avons dit, avec les désillusions du naturalisme, mais qui était dans le fond l'inverse du naturalisme dont Zola se faisait l'interprète.

Il s'agit en effet de deux grands systèmes qui se heurtent. A cette époque, Zola fut le seul parmi les romanciers naturalistes à élever son art jusqu'à la création d'un tout homogène d'une grande puissance poétique et symbolique. Tous les autres romanciers de son école furent encore des « petits naturalistes » typiques, des prospecteurs réclamant chacun la concession de leurs petits coins de la réalité – cela dit en admettant que, du point de vue de la forme artistique, Huysmans et Maupassant égalaient déjà Zola, et que Huysmans, avec *A Rebours,* se frayait des chemins nouveaux. Mais seule, l'œuvre de Zola était au niveau des larges perspectives, des sombres visions qui se manifestaient dans l'évangile de Schopenhauer. Et pourtant, ou bien justement à cause de cela, ce fut Zola seul qui opposa une résistance active à la nouvelle doctrine. Il avait une vue d'ensemble, un système cohérent à opposer à celui de Schopenhauer, alors que les autres capitulaient par manque de force et faute d'une philosophie organisée.

Ayant trouvé qu'il n'arrive à rien avec le roman sur Pauline, Zola se détourne d'un projet qui ne peut échapper aux influences des souvenirs personnels. Il compose, en 1881, *Pot-Bouille,* et lorsque, un an plus tard, il se met au roman suivant, il en fait une suite indépendante du roman sur Octave Mouret : *Au Bonheur des Dames.* Il ne peut ni ne veut revenir à Pauline et au jeune homme malheureux.

Néanmoins, sans utiliser la matière autobiographique, *Au Bonheur des Dames* prend position sur les problèmes fondamentaux qui, par la philosophie de Schopenhauer, étaient d'actualité. Le roman sur Denise Baudu et Octave Mouret développe les idées de Darwin, telles que Zola les comprend. Ce qui était de nature trop personnelle dans l'ancien plan de la *Joie de vivre* et les diatribes de Pot-Bouille sont maintenant écartées ; Zola se tourne vers l'activité bouillante de la métropole moderne. Il dépeint le grand commerce en action, enrichissant les uns, appauvrissant les autres, gonflé de ses propres forces de géant, souriant à ceux qui réussissent, impitoyable pour ceux qui échouent. Quand le grand magasin étale toutes ses séductions et ses ressources écrasantes, le petit commerce est anéanti sans merci. C'est là la doctrine de la sélection naturelle, de la victoire du plus fort dans le combat pour l'existence, mais c'est là aussi la joie du travail, la joie de l'action :

> Je veux, dans *Au Bonheur des Dames,* faire le poëme de l'activité moderne. Donc, changement complet de philosophie ; plus de pessimisme d'abord, ne pas conclure à la bêtise et à la mélancolie de la vie, conclure au contraire à son continuel labeur, à la puissance et à la gaîté de son enfantement.
>
> – – –
>
> Le poëme de l'activité moderne. La joie de l'action, le plaisir de l'existence. – – – *La lutte pour la vie.* Gaie.[38]

Ces formules ne concordent pas très bien avec l'idée qu'on se fait en général de l'attitude de Zola vis-à-vis des grandes questions sociales. Et la contradiction s'accuse encore plus si nous nous rendons compte de ce qu'est au fond le grand magasin d'Octave Mouret : ce n'est pas seulement le temple de la séduction, mais aussi une énorme usine sombre, où les salariés traînent leurs vies de demi-pauvreté. Et Mouret ? Il a la passion de l'argent, la rage de posséder de l'or, des marchandises, des clients, des femmes. Il y a de l'admiration, mais pas beaucoup de sympathie dans le portrait de cet arriviste capable, mais de caractère assez grossier, qui, dans *Pot-Bouille,* avait couru après tous les jupons.

Comment s'accordent les formules de l'Ebauche que nous venons de citer, avec le caractère de Mouret et avec la fonction que nous connaissons à son grand magasin ? Les contradictions révèlent en effet un certain illogisme dans l'œuvre de Zola. En dépit de sa faiblesse manifeste pour les constructions schématiques ou antithétiques, il y a souvent dans ses romans une ambiguïté un peu gênante qui, vraisemblablement, dérive d'un conflit jamais réglé entre son besoin naturaliste d'objectivité à tout prix, et son zèle de réformateur, qui n'est d'ailleurs jamais sans certaines contradictions inhérentes. Zola n'interprète pas Darwin à la façon des libéraux extrémistes du dix-neuvième siècle. Chez Darwin, il voit l'une des réponses au problème de la vie et de la mort : contre la mort, la peur de la mort, le pessimisme, il dresse la vie indestructible avec tout son jeu compliqué de forces créatrices. L'invincible volonté de vivre, toujours si fascinante à ses yeux, peut impliquer l'écrasement brutal du plus faible ; mais elle peut aussi impliquer, comme chez Denise Baudu, une pitié active. Octave Mouret est sans doute « le plus fort », qui écrase sans pitié les plus faibles. Denise Baudu a une autre volonté de vivre : l'instinct de la conservation, unie à l'honnêteté et à la bonté agissante. Denise est en effet plus forte que Mouret, car elle le vainc. Elle profite de son ascendant sur lui pour améliorer les conditions des employés, qu'elle connaît à fond par ses propres expériences.

Octave Mouret, l'arriviste cynique, l'homme qui réussit, n'est point le porte-parole de Zola. Mais Mouret *et* Denise Baudu le sont, ensemble, de concert. Tous les deux représentent les forces invincibles du Siècle : lui, par sa brutale et téméraire puissance créatrice qui façonne la réalité sans épargner les plus faibles ; elle, comme le correctif nécessaire du droit du « plus fort ».

Parmi ces personnages typiquement actifs se glisse un individu faible, sans énergie – c'est Vallagnosc, ami de jeunesse de Mouret, un des jeunes hommes fatigués du siècle, un précurseur de Lazare. Pour la première fois, Zola formule ce que devait être, une année plus tard, le thème de Lazare. Ce n'est plus, comme dans les six volumes de campagne, comme, à un certain degré, dans l'ancien plan, le vieux romantisme qui est attaqué – c'est le nouveau pessimisme.

Vallagnosc se renverse mollement sur le canapé, il ferme les yeux à demi lorsqu'il prêche l'évangile des temps nouveaux :

– Tout arrive et rien n'arrive. Autant rester les bras croisés.

Alors, il dit son pessimisme, les médiocrités et les avortements de l'existence. Un moment, il avait rêvé de littérature, et il lui était resté de sa fréquentation avec des poètes une désespérance universelle. Toujours, il concluait à l'inutilité de l'effort, à l'ennui des heures également vides, à la bêtise finale du monde. Les jouissances rataient, il n'y avait pas même de joie à mal faire.[39]

Mais Octave Mouret interrompt sans tarder Vallagnosc. L'important, c'est de vouloir, d'agir, de créer :

Et il raillait les désespérés, les dégoûtés, les pessimistes, tous ces malades de nos sciences commençantes, qui prenaient des airs pleureurs de poètes ou des mines pincées de sceptiques, au milieu de l'immense chantier contemporain.[40]

Zola a déjà trouvé la formule capitale pour le pessimisme de Lazare : « un malade de nos sciences commençantes », et il a en effet porté le premier coup à ceux de ses amis, qui, à ses yeux, flottent à la dérive vers des parages dangereux.

Si le thème d'*Au Bonheur des Dames* marque la position de Zola, ce roman évite pourtant les éléments intimement personnels. Le problème de la mort ne trouve que peu de place ici. Avec Denise Baudu, Zola a créé une expression de la volonté de vivre positive, et à cet égard, il y a des rapports manifestes entre elle et Pauline,[41] mais dans *Au Bonheur des Dames,* Zola n'engage pas toute l'intensité de ses émotions et de ses souvenirs personnels. C'est seulement lorsqu'il s'attaquera pour de bon au roman sur Pauline qu'il traitera les sujets trop intimes qu'il évitait deux ans auparavant.

Ce qui est nouveau dans sa situation, c'est qu'il ne peut traiter ces questions vitales sans les rattacher au pessimisme. En principe, le cadre aussi bien que la substance du roman étaient déjà donnés, et ce cadre, cette substance se prêtaient sans doute excellemment à la discussion philosophique que Zola voulait engager à ce moment.

On ne pouvait guère l'accuser de faire remporter à l'optimisme une victoire trop facile sur le pessimisme. Au contraire, certains ne verraient-ils pas dans la *Joie de vivre* l'affirmation qu'il n'y a rien dans la vie que des souffrances physiques et psychiques, rien qu'une lutte désespérée contre les forces destructives de l'existence, ces forces qui triomphent sur toute la ligne dans cette sombre histoire d'un petit monde misérable ? Quelle consolation Pauline pourrait-elle offrir à tous ceux qui souffrent dans le roman ? Les douleurs des autres s'apaiseraient parce qu'un seul être, grâce à des circonstances heureuses, peut éprouver de la joie quand même ? Et le titre du roman, n'exprimait-il pas l'ironie amère dont parlait Maupassant, qui, dans un compte rendu caractérisait le livre comme un sombre témoignage du pessimisme ?[42]

Les questions de cet ordre touchent à la complexité du roman sur Pauline et Lazare. Les conclusions pessimistes auxquelles le roman peut donner lieu, ne sont pas combattues par des phrases générales sur la valeur de la vie « quand même ». La thèse de Pauline, comme celle du docteur Cazenove, est simple : connaissance, pitié, action. Ce n'est qu'ainsi que l'on peut donner aux hommes la force de vaincre ou de diminuer le mal. Mais cette thèse ne reçoit sa pleine portée que par le ton de compassion émouvante qui marque le roman de son empreinte.

Si les disciples de Schopenhauer pouvaient reconnaître la puissance poétique du roman, sa « tendresse douloureuse » dont parle Huysmans, ils ne pouvaient à coup sûr accepter Lazare comme porte-parole autorisé du nouveau pessimisme. A leurs yeux, ce détraqué hagard a dû paraître comme une caricature inique de la jeune génération qui, à l'ombre de la douloureuse défaite de 1871, cherchait un refuge dans la profondeur des idées pessimistes. Edouard Rod se lança à la défense des Schopenhauériens, dans un article de *Fanfulla,* et Zola lui écrivit à ce propos une lettre, où il précise sa position :

Jamais de la vie je n'ai voulu en [= de Lazare] faire un méthaphysicien, un parfait disciple de Schopenhauer, car cette espèce n'existe pas en France. Je dis au contraire que Lazare a « mal digéré » la doctrine, qu'il est un produit des idées pessimistes telles qu'elles circulent chez nous. J'ai pris le type le plus commun, pourquoi voulez-vous que je me sois lancé dans l'exception en construisant de toutes pièces le philosophe allemand selon votre cœur ? Nous en recauserons du reste.[43]

La défense de Zola est convaincante pour la forme – Lazare a naturellement « mal digéré » la doctrine – mais il est significatif que le romancier ne se prononce que sur les idées pessimistes « telles qu'elles circulent chez nous ». En effet, il n'y avait pas lieu de s'occuper d'autre chose, car ni Zola, ni ses critiques pessimistes ne connaissaient Schopenhauer sous aucun autre aspect.

Au mois de mars 1884, J.-K. Huysmans envoya à Zola une longue lettre sur la *Joie de vivre.*[44] Après force éloges, il vient à ses objections : si Lazare est étudié, au point de vue psychologique, de main de maître, Huysmans n'aime pas la théorie du Schopenhauérisme dont Lazare est le porte-parole. Il trouve que Zola n'a pas assez exposé le côté anti-romantique, anti-werthérien de cette doctrine :

Songez que c'est la théorie de la résignation, la même théorie absolument que celle de l'*Imitation de Jésus-Christ,* moins la panacée future, remplacée par l'esprit de patience, par le parti-pris de tout accepter sans se plaindre, par l'attente bienfaisante de la mort, considérée, ainsi que dans la religion, comme une délivrance et non comme une peur. Je sais bien que vous ne croyez pas au pessimisme et que la préface de Bourdeau aux *Pensées* de Schopenhauer déclare que cet homme prodigieux avait la crainte de la mort – mais, la théorie est plus haute, passe au-dessus de l'homme qui n'appliquait pas à lui-même ses idées, mais, dans l'impossibilité où les gens intelligents se trouvent de croire au catholicisme, ces idées sont, à coup sûr, les plus consolantes, les plus logiques, les plus évidentes qui puissent être. Au fond, si l'on n'est pas pessimiste, il n'y a qu'à être chrétien ou anarchiste ; un des 3 pour peu qu'on y réfléchisse.[45]

Si Zola avait déclaré la guerre au pessimisme, cette lettre ne fut rien moins qu'une déclaration de guerre au positivisme, et par là au naturalisme – faite par un romancier naturaliste. Dire « un des 3 : pessimiste, chrétien ou anarchiste » – c'était affirmer que la religion de Zola, la foi scientifique, le positivisme, ne comptaient pour rien.

Ces attitudes, personnelles et littéraires, de la part des deux confrères de Zola, ont sans doute eu leur répercussion sur la genèse de la *Joie de vivre,* sur le fond général et sur la portée du roman. C'est vers 1880 que Zola menait sa grande campagne naturaliste. A la même époque, et surtout pendant les années 1878–81, il réunissait autour de lui un cercle d'auteurs-amis, qui se regardaient tous, plus ou moins, comme ses disciples. Zola essayait d'être ce que Flaubert et Edmond de Goncourt n'avaient pas été ou voulu être : le théoricien du naturalisme, et il pouvait se dire fièrement que, s'il n'avait pas aspiré à fonder une école, il avait pourtant le premier présenté un programme solide et mûrement réfléchi, auquel s'étaient ralliés quelques auteurs de tout premier rang.

Mais cette fraternité d'armes ne devait pas durer longtemps.[46] Huysmans, qui, le premier, s'affranchissait du naturalisme de Zola, a raconté, sans amertume aucune, les réactions de Zola devant des Esseintes. Après l'apparition d'*A Rebours,* Huysmans passait quelques jours à Médan :

Une après-midi que nous nous promenions, tous les deux, dans la campagne, il s'arrêta brusquement et, l'œil devenu noir, il me reprocha le livre, disant que je portais un coup terrible au naturalisme, que je faisais dévier l'école, que je brûlais d'ailleurs mes vaisseaux avec un pareil roman, car aucun genre de littérature n'était possible dans ce genre épuisé en un seul tome, et, amicalement – car il était un très brave homme, – il m'incita à rentrer dans la route frayée, à m'atteler à une étude de mœurs.

Huysmans eut beau protester qu'il éprouvait un besoin d'ouvrir les fenêtres et de fuir un milieu où il étouffait ; qu'il désirait briser les limites du roman, qu'il voulait supprimer l'intrigue traditionnelle, voire même la passion et la femme, pour « concentrer le pinceau de lumière sur un seul personnage ». Zola ne répondait pas à ces arguments, il se contentait de réitérer son affirmation : « Je n'admets pas que l'on change de manière et d'avis ; je n'admets pas que l'on brûle ce que l'on a adoré. »[47]

Cette conversation eut lieu au début de juillet 1884.[48] La première réaction de Zola, manifestée dans une lettre à Huysmans en date du 20 mai, est en apparence plus positive, mais il ne faut pas se laisser tromper par les jugements fort élogieux qui précèdent les réserves mordantes de la seconde moitié de la lettre. Ce qui gêne Zola dans le livre, c'est d'abord la confusion qui y règne ; il n'y a pas de progression quelconque, des Esseintes étant aussi fou au commencement du roman qu'à la fin.

> Autre remarque : pourquoi des Esseintes prend-il peur devant la maladie ? Il n'est donc pas un Schopenhauerien, pour redouter la mort ? Le mieux pour lui serait de se laisser emporter par sa maladie d'estomac, puisque le monde ne lui paraît pas habitable. – – – Que va-t-on en dire ? S'ils ne se taisent pas, ils pourraient très bien en mener un sabbat du diable, ou le jeter à la tête à vous, à nous, comme la pourriture dernière de notre littérature. Il me semble que je sens des âneries dans l'air.[49]

On a l'impression que Zola n'aime pas cette éventualité – qu'il n'aime pas que le roman de Huysmans soit mis sur le dos du naturalisme. Mais est-ce vraiment possible qu'il ne sentît pas autre chose dans l'air ? Ses formules peuvent éveiller le soupçon que, malgré ses fortes réserves, il se refuse encore à accepter, comme trop amère, la vérité, qui devait pourtant lui sauter aux yeux : que le livre de Huysmans n'était qu'une rupture avec le naturalisme.

Qui oserait prétendre qu'*A Rebours* soit un roman selon l'esprit de Schopenhauer ou même d'un pessimisme plus ou moins strictement défini ?[50] Le dialogue des deux amis ne tourne pas, d'ailleurs, autour du pessimisme. En effet, le roman de Huysmans fut comme un résumé de tout ce que Zola combattait : les spéculations esthétiques trop raffinées, le lyrisme effréné, hérité du romantisme, une subjectivité déréglée et portant en elle tous les germes de la décadence, et l'indifférence totale à tous les problèmes sociaux de l'époque contemporaine. Qu'était tout cela, aux yeux d'un positiviste solide et convaincu, sinon une sorte de retour au romantisme – et un retour sous les drapeaux noirs du pessimisme, car le point de départ même de l'attitude de Huysmans fut un profond pessimisme, confessé et acclamé par lui en des termes sur lesquels on ne pouvait se méprendre.

Lorsque Zola, dans sa lettre à Rod, déclare qu'il a pris « le type le plus commun » des disciples de Schopenhauer en France, il dit en effet qu'il a pris aussi Rod et Huysmans – non pas leurs personnes, mais leurs idées, leurs passions intellectuelles. Si le heurt des opinions ne devait pas mener à une rupture entre Zola et Huysmans – ils correspondent amicalement plusieurs années plus tard – la flèche tirée par Zola avait porté. Les pessimistes étaient attaqués, ils le savaient. Le roman sur Lazare et Pauline n'est pas seulement un acte d'affranchissement personnel d'une dépendance presque innée, il est aussi un gant que jette Zola aux renégats de son propre cercle.[51]

## 4

## L'évangile de Pauline

Dans la *Faute de l'abbé Mouret,* le jeune Serge a une sœur, Désirée, âgée de vingt-deux ans. Elle a grandi à la campagne, chez sa nourrice, et « poussé en plein fumier ». Elle a le cerveau vide, du moins sans pensées graves d'aucune sorte, mais elle profite du sol gras, du plein air de la campagne, se développant « toute en chair, devenant une belle bête, fraîche, blanche, au sang rose, à la peau ferme ». A seize ans, lorsque la puberté était venue, elle n'avait point eu les vertiges ni les nausées des autres filles ; elle prit « une carrure de femme faite, se porta mieux, fit éclater ses robes sous l'épanouissement splendide de sa chair ». Elle eut « cette taille ronde », « ces membres largement assis de statue antique, toute cette poussée d'animal vigoureux ».[1] Elle vit avec les animaux, parfaitement heureuse.

Cette force de la nature a une sœur et un frère spirituels – on hésite sur l'adjectif – dans le *Ventre de Paris.* Ce sont les deux enfants sauvages Marjolin et Cadine, qu'on pourrait définir les Paul et Virginie du naturalisme, et qui, eux aussi, évoluent parmi les animaux – ceux des Halles de Paris. Marjolin est imbécile, ou presque, et après que Lisa Quenu l'a, légitimement, repoussé et frappé, il devient idiot. Si Désirée est une enfant chaste de la nature, Marjolin et Cadine sont la réalisation primitive, animale, de tous les instincts – c'est le bonheur amoral complet, en dehors de toutes les lois banales de la société, de la famille.

Un de ceux qui regardent Marjolin et Cadine, est Claude Lantier, le peintre-génie qui rêve, l'œil pâmé, à son grand tableau. Il est devenu le grand ami des deux gamins, qui lui ont enfin fourni un motif :

Il rêva longtemps un tableau colossal, Cadine et Marjolin s'aimant au milieu des Halles centrales, dans les légumes, dans la marée, dans la viande. Il les aurait assis sur leur lit de nourriture, les bras à la taille, échangeant le baiser idyllique. Et il voyait là un manifeste artistique, le positivisme de l'art, l'art moderne tout expérimental et tout matérialiste – – –[2]

Il n'y a pas à se tromper sur le caractère de manifeste de ce passage : l'art doit être « tout expérimental et tout matérialiste » ; autant dire que tous les côtés de l'existence doivent être représentés par l'artiste, justement parce qu'ils appartiennent à la réalité. On ne jugera pas Marjolin et Cadine, on les dépeindra, on les analysera, comme des éléments d'une réalité dont rien ne doit être caché à la curiosité légitime de l'artiste.

Mais, au fond, Désirée, Marjolin et Cadine sont des tranches de vie, présentées en tant que telles. En effet, nous pouvons constater chez Zola une sorte de fascination vis-à-vis de ces enfants de la nature, fascination qui est définitivement de la sympathie, de l'amour même, en ce qui concerne Désirée, qui est en tout l'opposé de l'ascétisme amer dont son frère est la victime. Rien n'est plus sain, nous assure Zola, que cette vie parmi les bêtes, que ces tas de fumier, ces bêtes accouplées, d'où se dégage « un flot de génération, au milieu duquel elle goûtait les joies de la fécondité ». Ce n'est pas la curiosité dépravée qui la pousse à cette hantise de la reproduction, mais une soumission à l'instinct de fécondité.[3]

Marjolin et Cadine ne sont pas présentés comme des enfants passionnés ou des vicieux, mais toutes les scènes de leurs jeux sensuels portent fortement l'empreinte d'un culte animal de la vie, d'une anarchie effrénée des sens, qui contrastent violemment avec la froide sagesse égoïste des Quenu.

Cet intérêt marqué pour les phénomènes vitaux prend, dans les exemples que nous venons de donner, des expressions presque extatiques. Si dans aucun autre roman de la série – à l'exception peut-être de la *Terre* – ces tendances ne se retrouvent aussi prononcées que dans les deux romans cités, il est néanmoins à remarquer qu'elles passent comme une veine cachée à travers toute la production romanesque de Zola. C'est un fait bien connu que les forces créatrices élémentaires exercent une forte séduction sur son imagination et que, souvent, il s'adonne à un culte de la vie qui est à la fois d'une grande exaltation poétique et d'une brutalité choquante.

Ce culte a un seul objet : engendrement et parturition, à tout prix. C'est comme si Zola mettait, exprès, sur le même plan les processus animaux et humains, car il arrive que l'un et l'autre se transforment en un hymne à la perpétuelle et aveugle rénovation de la vie, qui est, en soi, un bien suprême. Désirée n'est pas la seule, dans le roman sur l'abbé Mouret, à représenter cette vision haletante des passions effrénées poussant les êtres à l'accouplement ; le fameux parc de ce roman, le Paradou, est un paradis des sens et des passions, où les atomes de la matière eux-mêmes aiment et s'accouplent, donnant au sol « un branle voluptueux, faisant du parc une grande fornication » :

Les prairies élevaient une voix plus profonde, faite des soupirs des millions d'herbes que le soleil baisait, large plainte d'une foule innombrable en rut, qu'attendrissaient les caresses fraîches des rivières, les nudités des eaux courantes, au bord desquelles les saules rêvaient tout haut de désir. La forêt soufflait la passion géante des chênes, les chants d'orgue des hautes futaies, une musique solennelle, menant le mariage des frênes, des bouleaux, des charmes, des platanes, au fond des sanctuaires de feuillage ; tandis que les buissons, les jeunes taillis étaient pleins d'une polissonnerie adorable, d'un vacarme d'amants se poursuivant, se jetant au bord des fossés, se volant le plaisir, au milieu d'un grand froissement de branches.[4]

C'est dans cette atmosphère, dans cette ambiance surexcitées que se consomme l'amour de Serge et d'Albine : « Et le jardin entier s'abîma avec le couple, dans un dernier cri de passion. »[5]

Les scènes d'amour dans la fameuse serre de la *Curée* sont baignées dans la même vision d'une fusion furieuse de toutes les passions humaines et animales. Mais si, dans le Paradou, ces amours sont d'une chasteté et d'une innocence paradisiaques, la serre de Renée est le décor d'une passion criminelle, pervertie, qui s'excite et se repaît dans une atmosphère surchauffée, où toute la nature n'est qu'une seule énorme manifestation d'une sexualité honteuse et effrontée. Mais dans l'un comme dans l'autre cas, les forces effrénées de l'accouplement, de la procréation exercent, « chastes » ou lubriques, naturelles ou dépravées, sur l'imagination de Zola une fascination irrésistible. Le roman sur l'abbé Mouret est de 1874 ; six ans plus tard, Zola nomma *le Paradou* la propriété de Médan où il fit construire le chalet dont nous avons fait mention au sujet de l'ancien plan.

Essayer d'élucider tous les aspects, toutes les racines historiques et psychologiques de ce culte de la vie, nous mènerait trop loin. Qu'il suffise d'indiquer quelques influences qui nous paraissent avoir concouru à former ces conceptions à demi religieuses, qui d'ailleurs – et il faut y insister – ne se combinent jamais dans un système rigide quelconque, ni ne se précisent assez pour qu'on puisse y chercher des raisonnements ou des mises au point logiques. Il s'agit toujours d'une vue d'ensemble grandiose et poétique, d'une vision du monde pleine d'un lyrisme vigoureux, à la base desquelles se retrouve sans doute la conception scientifique et, surtout, physiologique de l'homme et de l'existence. C'est le grand système matérialiste de Darwin, le cours éternel de la vie à la mort, de l'engendrement à l'extinction, la lutte perpétuelle, l'écrasement des faibles, la victoire de ceux qui reçoivent et transmettent une hérédité vigoureuse. C'est aussi le système physiologique de Claude Bernard, système purement naturaliste qui a pour but d'examiner, d'analyser toutes les manifestations de la vie humaine, et dont l'importance attachée à « la force vitale créatrice » a indubitablement frappé fort l'imagination de Zola. Et c'est encore, et surtout peut-être, ce curieux traité philosophique et physiologique sur « l'hérédité naturelle » du bon docteur Prosper Lucas, une des belles et grandes erreurs de « nos sciences commençantes », ouvrage de construction aussi ingénieuse qu'erronée mais auquel Zola a consacré de longues heures d'études attentives et crédules. Mais toutes ces stupéfiantes combinaisons d'hérédité que Zola a notées avec une si fidèle application, et presque pieusement, avant d'écrire le premier volume de sa grande série,[6] ont peut-être, au fond, laissé moins de traces dans la formation de son œuvre romanesque, que la conception d'un « élan vital », au sens tout matérialiste du mot, qui est si caractéristique de l'ouvrage du docteur Lucas. Voici les paroles exaltées qui achèvent la Conclusion générale de la deuxième partie de ce traité :

Toute génération directe ou indirecte, c'est-à-dire *spontanée* ou communiquée n'est – – – qu'une exaltation, ou plutôt qu'une extase féconde de la VIE où s'éveillent toujours les mêmes facultés de la force magique qui crée dans l'univers. Dans les entrailles des êtres, ou dans les flancs du globe, partout où elle agit, partout où elle engendre, elle INVENTE, elle IMAGINE ; elle IMITE, elle se RESSOUVIENT.[7]

Il y a peut-être une autre source importante des conceptions de Zola : celle sur laquelle E. Seillière a insisté avec énergie ; il voit derrière toutes les idées, toutes les formules principales de Zola, l'influence dominante de Jean-Jacques Rousseau. Or, l'étude de Seillière sur Zola a, comme d'autres volumes de ce même auteur, ceci de particulier qu'elle est un ouvrage passionné de controverse, un grand manifeste contre les tendances rousseauistes et romantiques qu'il voit partout chez les réalistes et les naturalistes. Certes, on ne saurait que difficilement nier toute influence de Rousseau sur le culte que Zola voue à la vie, aux manifestations naturelles des instincts et des passions. Seulement, comment préciser une telle influence, comment la différencier des indéniables influences actuelles, directes des auteurs dont il a évidemment étudié d'assez près les doctrines ?[8] En réalité, ce que l'on peut établir avec certitude, c'est que, pour trouver les sources littéraires de ce culte, il faut les chercher chez les auteurs « actuels » – et en particulier chez Darwin, Bernard et Lucas ; c'est à partir d'eux qu'il se crée une philosophie ou du moins une vision poétique, derrière laquelle il y a encore des forces motrices psychologiques que nous connaissons mal.

Il est sans doute possible, plausible même, de voir dans cet intérêt passionné pour l'acte sexuel et pour l'enfantement, une expression de profondes inhibitions psychiques : la nature au fond puritaine de Zola aurait été attirée vers les séductions secrètes de l'existence, il aurait eu le désir caché du chaste bourgeois de vouloir connaître les passions violentes et brutales.[9] Quelques explications, freudiennes ou autres, qu'on risque à ce sujet, le fait demeure qu'une grande partie de l'œuvre romanesque de Zola est marquée, et même hantée par cette fascination.

Lorsque Zola approche de la quarantaine, des événements personnels se heurtent violemment à ces tendances. Son inclination vers les côtés morbides de l'existence et sa peur de la souffrance et de la mort se déclenchent avec impétuosité. Quelques-uns de ses meilleurs amis meurent, et il perd sa mère. La mort frappe sa famille, et lui, qui a chanté la perpétuelle génération, lui n'a pas de descendance qui perpétuera sa vie à lui ? Est-ce une pure coïncidence si une des esquisses de l'ancien plan contient le motif d'une mort et d'une naissance simultanées ? Vraisemblablement non ; car comment Zola eût-il pu s'empêcher de penser à la stérilité de son propre ménage à l'époque où il perdit sa mère – lui qui se préoccupait des forces de la vie, de la génération ? Nous avons déjà indiqué la possibilité de certains rapports psychologiques entre le « sacrifice » de Zola sans enfants, et celui de Pauline. Quelle que soit la valeur autobiographique de ces épisodes de l'ancien plan ou du roman, il n'en est pas moins vrai que lorsque Zola est frappé par le découragement, le désespoir même, lorsque le nouveau pessimisme se fait jour, c'est comme s'il ne se reportait pas seulement au positivisme, à la méthode expérimentale, mais qu'il mobilisait aussi pour sa grande contre-attaque un nouvel aspect de son culte de la vie.

Il ne s'agit plus d'une procréation aveugle qui serait en elle-même le beau but final, il ne s'agit plus de chanter, comme dans la *Faute de l'abbé Mouret,* des louanges à un pullulement effréné et dénué de tout sens spirituel ou moral. Ni le découragement et le désespoir personnels ni l'évangile du pessimisme ne peuvent être combattus par les principes de ce mysticisme vague. La coulée vitale comme telle ne suffit plus à Zola, il se voit amené à préciser ses vues et à donner une formule beaucoup plus positive que celle que nous avons rencontrée dans ses œuvres précédentes. Le culte animal de la vie se transforme en évangile – l'évangile de Pauline. Les forces vitales, jusqu'à maintenant d'une amoralité aveugle, prennent une portée profondément morale.

Le roman sur Lazare et Pauline devient ainsi un grand dialogue où les deux protagonistes représentent deux tendances opposées du *moi* de Zola. Lazare est tout le mal que Zola combat en lui-même et qu'il voit rassembler ses forces pour remplir de nouveau le siècle de ses pernicieuses influences : le romantisme, le pessimisme, tous les goûts égocentriques de la décadence et de la morbidité. Lazare en est littéralement la proie, c'est un vieillard avant l'âge ; Zola le fait succomber, comme il espère que succombera tout ce qui est malade et pourri dans le siècle, tout ce qui n'a pas la force de croire à la vie, au progrès, à l'avenir.

Lorsque Zola fait dire à Pauline, plaisamment, que Lazare l'a « convertie au grand saint Schopenhauer » et que, par conséquent, c'est Pauline et non Lazare qui a bien compris le philosophe pessimiste (p. 357), il n'est sans doute pas sérieux. Il est vrai que Schopenhauer prêche la pitié et l'altruisme, mais qui eût vu là l'essentiel de la philosophie de Schopenhauer telle qu'elle fut divulguée en France à cette époque-là ? Cette pitié, cet altruisme apparaît en tout cas comme une pitié bien passive et résignée en comparaison de la bonté active, de l'heureuse abnégation de Pauline.

La foi de Pauline est celle de Zola : la science mènera au bonheur et à la liberté. Tous les éléments principaux de la réponse du positivisme à l'assaut du pessimisme sont formulés dans le personnage de Pauline. Croire ou ne pas croire à la science, voilà une des questions centrales



14—*802357*

des années 80. Un Anglais, W. Graham, venait de publier un livre sous le titre *The Creed of Science,* dont la *Revue Philosophique* donna un compte rendu en 1882. Rien de plus typique de la confiance du positivisme, que ces formules que Zola a vraisemblablement lues et dont il aurait pu être l'auteur : que la science positive résolve ou non les grands problèmes philosophiques, elle suffit à la morale, à la politique, elle nous rend maîtres de la nature. Seule, la science peut délivrer nos âmes et les élever à la sérénité du sage :

. . . connaître les lois de la nature et s'y soumettre, c'est la meilleure garantie de la liberté, la plus solide assurance contre le pessimisme. Nous pouvons et devons tout espérer de la puissance merveilleuse de la science, et, s'il reste encore des mécomptes et des tourments dans l'existence, c'est qu'ils tiennent à la vie même où le calme absolu n'apporterait d'ailleurs qu'un mortel ennui. Nous sommes nés à la fois pour la contemplation et pour l'action, mais pour l'action surtout, pour le combat avec la nature ou avec nos semblables, lutte salutaire et féconde, dont les épreuves pourront être adoucies, mais non pas supprimées.[10]

La science, telle que la conçoit Pauline, n'est plus la dissection impassible dont Zola aimait à parler au début de sa carrière littéraire. Elle n'est plus seulement une « méthode expérimentale » qui met à nu, qui dissèque et qui analyse, pour livrer ensuite aux législateurs et aux moralistes les résultats de ses enquêtes. Elle dispose d'une morale et se met au service de la bonté et de l'équité. Il y a là sans doute chez Zola une évolution qui se fait sentir avant sa rupture avec le pessimisme, car dans *Une Campagne* (1880–1882), il se souvient de quelques « grandes paroles » de Claude Bernard :

On a compris qu'il ne suffit pas de rester spectateur inerte du bien et du mal – – – La morale moderne aspire à un rôle plus grand : elle cherche les causes, veut les expliquer et agir sur elles ; elle veut, en un mot, dominer le bien et le mal, faire naître l'un et le développer, lutter avec l'autre pour l'extirper et le détruire.[11]

Comment ne pas sentir, d'ailleurs, dans ces nobles paroles, le souffle du même esprit qui anime la « religion de l'humanité » de Comte, cette religion de l'altruisme qui est l'émanation finale et définitive du grand système de rationalisme et d'intellectualisme qu'édifiait le philosophe du positivisme ? Au centre de la philosophie de Bernard et de celle de Comte est une interprétation hautement éthique des buts de la science.

La science comme morale – c'est là sans doute une doctrine qui, quelque importante que soit la place qu'elle occupe dans l'œuvre de Zola, n'offre qu'une assez maigre matière pour un drame humain. La haute morale scientifique que représente Pauline : la recherche de la vérité, le désir de connaître, de savoir, afin de pouvoir guérir, la compassion toujours agissante – tout cela est sans doute sublime, mais ce n'est pas un *drame*, et ce ne serait pas suffisant pour nous faire accepter ces belles qualités comme le tremplin d'où l'on s'élance du plan au livre, de l'émotion humaine à l'émotion poétique. Cette transformation, de morale théorique en drame émouvant, est surtout opérée par le sacrifice de Pauline.

Ce sacrifice, on le sait, est des plus grands parce qu'il est absolument spontané et qu'il implique que Pauline renonce à jamais au mariage et aux enfants. Nous connaissons les raisons de son sacrifice : elle veut rendre Lazare heureux, et c'est là sans doute une raison fort altruiste. Mais ce n'est pas tout – elle répète son sacrifice : lorsque, pendant l'absence de Louise, l'amour de Lazare et de Pauline se ranime, elle refuse, quoique passionnée elle-même, de céder aux déclarations furieuses et suppliantes de Lazare. Pourquoi ? Elle sait que Lazare n'est pas heureux avec Louise et qu'elle, Pauline, pourrait lui donner le bonheur qu'il n'a pas trouvé chez l'autre. Refuse-t-elle parce qu'elle comprend qu'une liaison entre elle et Lazare ne pourrait devenir qu'un bonheur illusoire, qui devait bientôt se transformer en malheur ? Sans doute, sage et pondérée, elle s'en rend compte. Cependant, la réaction que souligne Zola surtout chez Pauline, n'est point une considération calme et sensée, mais une réaction toute morale : elle est profondément consciente de la trahison dont elle se rendrait coupable en se donnant à Lazare : « Lâche-moi, c'est abominable ! » lui crie-t-elle, et après s'être dégagée de l'étreinte de Lazare, elle est « comme écrasée sous le poids du dégoût et du chagrin » (pp. 293–295).

Cette scène n'est pas qu'un procès-verbal réaliste de ses sentiments, de ses réactions ; elle est peut-être, par sa portée générale, par son ton, par ses nuances, le « document » qui exprime le mieux ce qui caractérise selon Zola, la femme idéale.

Ce n'est que dans le dernier volume de la série que Zola reviendra sérieusement à la conception ennoblie de la vie et des fonctions vitales pour laquelle il trouvait, dans la *Joie de vivre,* des expressions d'une vérité si émouvante. Le Docteur Pascal est l'homme de science qui a fait toutes les « expériences » sur tous les membres de la famille des Rougon-Macquart. Ses visées, ses points de départ sont ceux de Zola. Se trouvant au bout de sa carrière, il peut éprouver un profond découragement, trouver que le progrès marche d'un pas trop lent, que la science n'a pas tenu toutes ses promesses. Mais lorsque son élève Clotilde se retourne contre la science, qui a fait table rase, qui a laissé la terre nue et le ciel vide, et lorsqu'elle déclare que « nous préférons nous rejeter en arrière, oui ! dans les croyances d'autrefois, qui, pendant des siècles, ont suffi au bonheur du monde », Pascal se porte, avec véhémence, à la défense de la science, de toutes les croyances dont il a toujours fait profession : « . . . il n'y a là qu'une halte, la marche en avant continuera, hors de notre vue, dans l'infini de l'espace. »[12]

Dans la *Joie de vivre* et dans le *Docteur Pascal,* deux tendances de l'œuvre de Zola ont fusionné définitivement, et l'on ne peut guère différencier l'une de l'autre : le culte de la vie, encore fortement empreint de mysticisme mais rattaché directement à la morale et à la science qui met ses découvertes au service de l'humanité et du progrès.

Pierre Martino refuse de voir dans l'hymne à l'amour et à la vie qui va « retentir dans toutes les œuvres prochaines de Zola » une conséquence logique « de la grande enquête scientifique commencée vingt ans auparavant ». Au dire de M. Martino, cet hymne n'est point une réponse de la science au problème de la vie, il n'est point une affirmation positiviste et naturaliste : « Il est, au contraire, une protestation contre la vision que la science risque de donner de la vie ; une protestation jaillie du plus profond de la sensibilité de l'écrivain, qui révèle un illuminement, un peu tardif, de sa destinée. »[13]

Nous croyons cette interprétation peu soutenable. Rien n'indique qu'il existe un conflit entre les deux conceptions du monde qui sont à la base de la philosophie de Zola : l'une scientifique et matérialiste, l'autre matérialiste et mystique. Au contraire, nous croyons avoir pu démontrer que les deux conceptions présentent une évolution à peu près parallèle : toutes deux prennent peu à peu une portée activement morale, et elles s'expriment avec une ardeur toujours grandissante.

Dans le premier des *Evangiles, Fécondité,* Zola abandonne les formules du naturalisme et revêt la robe du prédicateur. Cet hymne à la fécondité et à la famille est à la fois une grande critique sociale et une vision utopique. La science ne joue pas ici un rôle important, mais c'est le culte de la vie qui est devenu ici le grand Evangile. Zola, qui, dans la *Faute de l'abbé Mouret,* chantait le triomphe de la sensualité et de l'amour libre sur les contraintes brutales de la Société et de l'Eglise, est ici le plus austère des moralistes : tout amour qui n'a pas pour but la propagation de la vie, toute mesure préventive ou abortive sont condamnés comme profondément immoraux et même criminels.

Encore une fois, Zola proclame son optimisme systématique : « Je voudrais un optimisme éclatant », dit-il dans une note où il formule ce que doivent être les intentions de la nouvelle trilogie. « C'est la conclusion naturelle de toute mon œuvre – – – Puis, je finis le siècle, j'ouvre le siècle prochain. *Tout cela basé sur la science,* le rêve que la science autorise. »

Il insiste donc sur les liens entre ses romans naturalistes et les trois Evangiles. Après la longue constatation de la réalité, dit-il,

> mon amour de la force et de la santé, de la fécondité et du travail, mon besoin latent de justice éclatera enfin. – – – Je suis content surtout de pouvoir changer ma manière, de pouvoir me livrer à tout mon lyrisme et à toute mon imagination. Mais surtout tremper cela de bonté, de tendresse. Un cantique de bonté, de tendresse, je ne saurais trop insister. Toute une floraison admirable sortant de là. Il faut que cela soit poignant et éclatant.[14]

Il y a, dans cette déclaration, une phrase qui peut tout particulièrement retenir notre attention : « Mais surtout tremper cela de bonté, de tendresse. » C'est là presque mot à mot, la formule qu'il utilisait, dix-sept années plus tôt, dans l'ancien plan de la *Joie de vivre :* « il faudrait tremper le tout de tendresse et de bonté » [374].

Tels sont les liens intimes et forts, qui rattachent le roman sur la douleur et la bonté à la grande apothéose de la vie qui couronne l'œuvre de Zola.

Le culte de la vie professé par Zola n'est point une philosophie strictement pensée et logique. Il est plutôt, comme nous l'avons déjà constaté, une vision d'ensemble sur laquelle ont agi – il est presque superflu de le dire – les réflexions d'une intelligence consciente de ses buts, une vision d'ensemble qui est sans doute constamment l'objet de modifications amenées par les expériences extérieures et intérieures du romancier. Elle n'est donc point et ne veut pas être un système philosophique, et elle renferme bien des contradictions que Zola n'a guère pu ignorer.

Pourtant, aucune de ces contradictions n'arrive à troubler gravement la vision poétique qui, dans le personnage de Pauline, a reçu sa plus belle expression littéraire et humaine. Pauline vit en harmonie avec les forces positives et créatrices de la vie ; de sa bonté et de sa tendresse germera le rêve d'un monde bon et juste où la Vie prodiguera sa plénitude à une race enfin affranchie de l'ignorance et de l'égoïsme.

# NOTES

## PREMIÈRE PARTIE

## I. «L'ancien plan».

### 1. *Introduction: La méthode de Zola. Les manuscrits de la Joie de vivre.*

1 Voir ces noms dans la suite et dans les Notes bibliographiques.
2 Paul Alexis: *Emile Zola*, p. 157. Alexis traduit ici de Amicis, pp. 253—254.
3 Fernand Xau: *Emile Zola*, p. 13.
4 Alexis, p. 158, de Amicis, pp. 253—256. C'est la traduction d'Alexis que nous citons.
5 Alexis, p. 163.
6 Ibid.
7 Nous adoptons ici — et souvent dans ce qui suit — la terminologie de Guy Robert.
8 Alexis, p. 165.
9 Voir Guy Robert: *La Terre*, Deuxième Partie.
10 *La Terre*, passim, et *Emile Zola*, pp. 52 sq. Les études de Robert m'ont donné nombre de suggestions pour mon analyse de la *Joie de vivre*.
11 *Emile Zola*, p. 54.
12 Ibid., p. 55.
13 Ibid., p. 56.
14 Ibid., p. 57.
15 Dans l'édition Bernouard, Maurice Le Blond indique, à tort, que ce volume porte le numéro 10310. (*La Joie de vivre*, p. 365.)
16 *La Joie de vivre*, p. 365.
17 Les chiffres entre crochets renvoient aux feuillets du dossier.
18 *La Joie de vivre*, pp. 361—364, 367—374. Les extraits de l'Ebauche cités par Le Blond sont pris des feuillets 144—151, 157, 159—162, 172—179; la liste se retrouve au f. 226. (Pour les feuillets 159—162 et 172—179, Le Blond indique, à tort, les chiffres 144—181.) Les extraits des « Personnages » proviennent des feuillets 227—230 (Pauline), 235—238 (Lazare), 242—243 (Louise), 244 (Véronique), 247—248 (le docteur Cazenove), 249—250 (le chien Mathieu) et 251—252 (la chatte Minouche). La lettre de Perrier est reproduite aux pages 363—364.
19 Hemmings (op. cit.) publie des extraits des feuillets 160, 161, 178, 179, 187, 188, 194—196, 205, 367—369, 373—375, 377, 378, 380, 384, 385, 390.

### 2. *Les esquisses de l'ancien plan.*

1 Voir Henri Massis: *Comment Emile Zola composait ses romans*, pp. 9, 12 et 18, et *La Fortune des Rougon*, pp. 357—361.

2 Massis, pp. 72—74. Massis dit que la liste semble avoir été dressée « vers le commencement de 1871 peut-être » (p. 72). Selon Guy Robert (*Emile Zola*, p. 51), la liste est « quelque peu postérieure à 1871 ». Selon Massis, la liste comporte dix-sept romans; selon Maurice Le Blond, dix-neuf. (Voir *La Fortune des Rougon*, p. 361.) Dans une lettre du 13 février 1877, Zola dit que la série contiendra une vingtaine de volumes. «*L'Assommoir* — — — appartient à une série, à un vaste ensemble qui se composera d'une vingtaine de volumes. » (*Correspondance 1872—1902*, p. 470.)

3 *La Fortune des Rougon*, p. 347.

4 *Une Page d'amour*, pp. 353—354.

5 P. Martino: *Le Naturalisme français*, p. 89. La citation de Martino : « œuvres de repos et [lire *ou*] de récréation » est évidemment empruntée au livre de Paul Alexis, p. 126. Les mots d'Alexis sont bien dignes d'être cités dans leur contexte. Il écrit : « Si, comme il l'a fait déjà avec *Une Page d'amour*, œuvre moins en avant et moins ambitieuse, exécutée entre *l'Assommoir* et *Nana* par tactique, par délassement aussi, il intercale entre les grands ouvrages dont je viens de parler, des œuvres soi-disant de repos ou de récréation, sortant de sa manière ordinaire afin d'apporter de la variété, le chiffre de vingt volumes que j'ai annoncé sera atteint. » (pp. 125—126.)

6 Alexis, p. 126. Voir, sur ces questions, le prochain chapitre.

7 F. W. J. Hemmings: « The Genesis of Zola's *Joie de vivre.* » Siegfried Lemm a publié quelques extraits de l'ancien plan et de l'Ebauche dans son étude « Zur Entstehungsgeschichte von Emile Zolas Rougon-Macquart und den Quatre Evangiles. » Il semble cependant que Lemm n'ait pas très bien compris certains passages qu'il a étudiés dans le dossier : « Dieses émiettement, die *maladie morale du père Chanteau*, bildet den Gegenstand der folgenden Erwägungen : Mais il faut que cette maladie soit un vrai émiettement, mangeant [f. 146] un être, que je représenterais d'abord comme actif, voulant une œuvre, [. . .] » (p. 34—35).
Lemm ne fait pas de différence entre l'ancien plan et l'Ebauche : « Endlich fasst Zola noch einmal seine Aufgabe zusammen : [f. 366] Voici le roman que je veux écrire. » Puis il cite davantage cette esquisse, qui est la première rédigée par Zola, et non, comme le croit Lemm, le résumé final.

8 Zola omet souvent les accents. A l'exemple de Massis, de Maurice Le Blond, de Robert et de Hemmings, il ne nous a pas paru nécessaire de suivre sur ce point l'orthographe du romancier.

9 Voir les chapitres sur Lazare et sur le pessimisme, pp. 128 sq. et 189 sq.

10 Il s'agit évidemment d'une citation des *Essais* de Montaigne. Dans le premier chapitre du premier livre, nous lisons : « Certes c'est un subject merveilleusement vain, divers, et ondoyant, que l'homme. » (*Les Essais de Michel de Montaigne*, vol. 1, p. 6.) Montaigne était un des auteurs favoris de Zola. Voir Guy Robert: «Zola et le classicisme » dans la *Revue des Sciences Humaines*, janvier—mars 1948, pp. 3 et 5.

## 3. *De quand date l'ancien plan?*

1 Fernand Xau : *Emile Zola*, pp. 46—47. Le texte de l'interview finit par la date du 15 avril 1880.

2 Ibid., pp. 48—50.

3 Ibid., p. 47. Il s'agit du *Roman expérimental*, du *Naturalisme au Théâtre* et de *Nos auteurs dramatiques.*

4 Lettre à Zola, Bibliothèque Nationale, Nouvelles Acquisitions Françaises, n:o 24510. Ce passage a été cité par Armand Lanoux dans *Bonjour, Monsieur Zola*, p. 189.
Dans une autre lettre Alexis écrit : « Paris, 17 octobre 1881. Mon cher ami, Hier, une fois de plus, j'ai été un maladroit, un myope, un étourdi et un nigaud, en filant de Médan avec Rod et en vous quittant la veille d'un douloureux anniversaire,

lorsque, du moins, l'an dernier, je me trouvais à côté de vous — — — j'ai été aujourd'hui avec vous au moins par la pensée, et — — — j'ai pris ma part de l'affliction dont vous étiez hier déjà envahi — je m'en rends compte aujourd'hui. Pour me prouver que vous ne m'en voulez pas, pour me relever à vos propres yeux, vous devriez me permettre de mettre le nom de votre mère sur la première page de la biographie. » (B.N., N.A.F. n:o 24510.) Le livre d'Alexis porte en fait cette dédicace : « A la mémoire de Madame François Zola et à Madame Emile Zola, en respectueux hommage. » Encore une preuve — s'il en était besoin ! — du chagrin qu'éprouvait Zola.

5 Alexis, p. 126.

6 F. W. J. Hemmings : « The Genesis of Zola's *Joie de vivre,* » p. 119 ; Robert J. Niess : « Autobiographical Elements in Zola's *La Joie de vivre,* » p. 1134.

7 Denise Le Blond-Zola: *Emile Zola raconté par sa fille*, pp. 112—113.

8 *La Joie de vivre*, p. 362. Hemmings admet que la quatrième esquisse « was possibly composed after the death of Zola's mother. » (Op. cit., p. 123.)

9 *Correspondance 1872—1902*, p. 605.

10 Voir le chapitre intitulé « Le nouveau pessimisme», p. 189 sq.

## II. Les travaux préparatoires de 1883

### 1. *L'Ebauche*

1 R. H. Sherard : *Emile Zola*, p. 198. La lettre ne se retrouve pas dans la *Correspondance* de Zola.

2 Goncourt : *Journal*, tome 6, pp. 248—249. Cité par Hemmings, p. 122.

3 Le premier feuillet du manuscrit du roman porte, au verso, cette note : « Commencé le mercredi 25 avril 1883. » (Bibl. Nat., N.A.F. n:o 10309.)

4 Hemmings, p. 120.

5 « Ce ne sera. . . jalouse » ajouté dans l'interligne, en commençant au-dessus de « un garçon qui a . . . »

6 « la poser. . . l'Océan » ajouté dans l'interligne.

7 *Emile Zola's Letters to J. van Santen Kolff*, lettre du 6 mars 1889, pp. 27—28.

8 Selon Guy Robert (*Emile Zola*, p. 187, note 6), une coupure serait ici « très probable ». Nous n'avons pas trouvé de raisons suffisamment fortes pour pouvoir exprimer une opinion précise.

9 Hemmings fait une remarque intéressante à l'égard du rôle de Pauline : dans l'ancien plan, Pauline devait représenter la vertu, par opposition avec Nana. En même temps, l'intrigue a besoin d'un conflit d'amour. Si Pauline représente la vertu, et qu'elle soit sérieusement tentée, il faut qu'elle ait des raisons bien graves d'être en mauvais termes avec son mari. Ce thème est varié dans les quatre esquisses. Ensuite, Zola met de côté ce plan et se consacre au roman sur Denise Baudu, à laquelle il « prête » le trait le plus distinctif de Pauline — la vertu. En retournant à son premier projet, il lui faut, pour éviter une répétition, modifier le caractère de Pauline. Pour appuyer sa thèse, Hemmings cite la deuxième esquisse de 1883 : « Je voudrais, dans Pauline, faire plus encore *la bonté* que l'honnêteté. Ne garder l'honnêteté que pour justifier mon arbre généalogique ; mais insister surtout sur la bonté, ce qui différenciera Pauline de Denise. » [205]. Cette modification agit sur l'intrigue : lorsque Pauline ne représentera pas à tout prix la vertu, l'honnêteté, il n'y a plus besoin d'ourdir l'intrigue autour des deux thèmes : fidélité-infidélité.

Sans doute, il y a de cela. Mais la modification opérée sur le caractère de Pauline n'est pas très radicale. En effet, Pauline est, dès l'ancien plan, aussi *la bonté*, elle est « la figure de la santé et de la bonté héroïque — — — pensant à tout, soignant le physique et le moral. »

10 Terme employé par Guy Robert dans son étude sur *La Terre.*

11 « La symphonie. . . mangé » ajouté dans l'interligne.

12 « Le charpentier » dans l'interligne.

13 « La mère » dans l'interligne.

14 « le curé » dans l'interligne.

15 « La mort du chien » dans l'interligne.

16 Niess, p. 1134.

17 « Un raté très intelligent » ajouté dans l'interligne.

18 « Enfin, il faut bien varier sa note et essayer de tout. Tout ceci est simplement histoire de s'éplucher le cerveau ; car, je le répète, je suis très satisfait de *Pot-Bouille*, que j'appelle : mon *Education Sentimentale.* » (Lettre du 21 août 1881, *Correspondance 1872—1902*, p. 562.) — Sur son admiration pour le roman de Flaubert, voir les *Romanciers naturalistes* (article *Gustave Flaubert*) et une étude publiée dans la *Tribune*, le 28 novembre 1879, et qui fut répétée dans le *Voltaire*, le 9 décembre 1879. Hemmings a sans doute raison en disant que cette étude est « extremely interesting and valuable. » (*Emile Zola*, p. 156.)

19 Voir nos chapitres 2 et 5, pp. 62 et 101.

20 Ainsi par exemple au feuillet 48, où il renvoie à Eb. 47, et au feuillet 69, où il renvoie à Eb. 34.

## 2. *Le plan sommaire et les premiers plans détaillés*

1 A priori, il serait possible que ce plan sommaire ne fût pas antérieur, mais postérieur aux premiers plans détaillés. En ce cas, le plan sommaire ne serait qu'un résumé de ces plans. Que cela ne soit nullement le cas, on le constate par le raisonnement de Zola au f. 27 : « Les chapitres II, III et IV réunis peut-être en deux. » Cette note du premier plan détaillé, chapitre II, prouve qu'il existe déjà un plan sommaire pour tous les chapitres. Aussi trouvons-nous, dans le plan sommaire, deux accolades en marge du texte, l'une enfermant le chapitre II et la première moitié du chapitre III, l'autre enfermant la seconde moitié du chapitre III et chapitre IV en entier. De plus, nous lisons au f. 51 : « (il aura son écho et son ton aigu dans le VI). » Cette parenthèse se trouve dans le texte courant, elle n'est donc pas ajoutée dans l'interligne, ni annexée après le texte originaire. Par conséquent, elle se réfère évidemment à un plan sommaire déjà existant.

2 Ces indications sont, pour les différents chapitres: I: 1860 9 ans. II: 9 à 12. III: 12 à 16. IV : 16 à 18. V : 18. VI : 18. VII : 19. VIII : 19 à 20. IX : 20 à 21. X : 22. XI : 22. XII : 24.

3 « maison emportée » ajouté dans l'interligne.

4 « Le chien » ajouté dans l'interligne.

5 Personnage de la *Conquête de Plassans.*

6 « le chien sautant » ajouté dans l'interligne.

7 « Un mot . . . la musique » ajouté dans l'interligne.

8 « Toute l'hist. des Quenu . . . les halles » ajouté dans l'interligne.

9 Voir Robert : *La Terre*, chapitre XV.

10 « Musique, puis médecine » ajouté dans l'interligne.

11 « Influence . . . riche » ajouté dans l'interligne.

12 « elle adore son fils » ajouté dans l'interligne.

13 « La mer . . . ensemble » ajouté dans l'interligne.
14 « Ce qu'elle . . . instruite » ajouté dans l'interligne.
15 Voir f. 82 et 118.
16 « Saute d'amour » ajouté dans l'interligne.
17 « Les titres . . . de l'argent » ajouté dans l'interligne.
18 « Lazare . . . mémoire » ajouté dans l'interligne.
19 « Enfants et camions » ajouté dans l'interligne.
20 « Très violente . . . froide » ajouté dans l'interligne.
21 « Chasse-t-elle . . . ensuite » ajouté dans l'interligne.
22 La même formule se retrouve dans l'Ebauche, f. 219. Elle est répétée deux fois dans le chapitre V : « Les romans qui traînaient dans la maison, des histoires d'amour aux trahisons poétisées, avaient toujours révolté sa droiture, son besoin de se donner et de ne plus se reprendre. » (p. 146.) Et quelques pages plus bas, lorsqu'elle a surpris Lazare et Louise : « Un dégoût la soulevait, c'était pour sa nature droite l'action la plus honteuse, sans excuse, sans pardon — — — Lorsqu'on s'était donné, on ne se reprenait pas. » (p. 157.)
23 Tout ce plan est un excellent exemple de la propension de Zola aux formules frappantes, qui résument les éléments importants d'une analyse, d'une description à faire. Voici, dans le chapitre VII, quelques phrases à peu près identiques à celles du plan que nous venons de citer : « *Le fait de la mort* . . . Cette horreur de n'être plus devenait *tangible : on était quatre*, et *un trou se creusait* . . . C'était donc cela, mourir ? c'était *ce plus jamais* » (p. 204).
24 « (pivot de tout le livre) » ajouté dans l'interligne.
25 « gorge » ajouté dans l'interligne.
26 P. 270. Zola avait en effet « plusieurs chiens » qui mouraient. Voir à ce sujet Denise Le Blond-Zola : *Emil Zola und die Tiere*, Berlin 1933. Cet article a paru en français dans les *Cahiers Naturalistes*, nº 6.
27 « Son émiettement dans le ménage » ajouté dans l'interligne.
28 Voir la Troisième partie, le chap. 3.
29 Cette expression brutale figurera dans le roman : « C'était la mort qu'il retrouvait au bout de leurs baisers. » (p. 275.)
30 Voir supra, p. 46.
31 « (Un autre chapitre) » ajouté au-dessus de la ligne.
32. On se rappelle que, à l'origine, ce fut Pauline qui devait accoucher d'un enfant. Ce fut là un des éléments les plus importants de l'ancien plan. Voir d'ailleurs Hemmings, p. 123.
33 « Pourquoi . . . 19 » ajouté dans l'interligne.
34 « peut-être » ajouté dans l'interligne.
35 Voir le chapitre sur la documentation, p. 79.

## 3. *Les «Personnages»*

1 « riches » ajouté dans l'interligne.
2 « maltraité . . . paresseux » ajouté dans l'interligne.
3 « 1ère maison démolie » ajouté dans l'interligne.
4 « Pourtant . . . violence » ajouté dans l'interligne.

5 En écrivant ce nom peu répandu Zola a-t-il pensé à la bonne d'Edmond de Goncourt qui devait souvent, comme Véronique, servir de garde-malade ? Sur cette Pélagie, voir André Billy : *Les Frères Goncourt*, p. 464.

6 Deux personnages dans *Pot-Bouille* qui discutent souvent de religion et de science.

7 Denise Le Blond-Zola : *Emil Zola und die Tiere*. Voir p. 25 sq. Il est à remarquer que, dès ses premiers projets pour la série, Zola avait l'intention d'introduire des animaux dans les romans : « Donner une [place] importante aux animaux dans les romans. Créer quelques bêtes : chiens, chats, oiseaux. » (Massis, p. 45.)

8 Ainsi pour Véronique : « Une grande fille avec des mains d'homme et une figure de gendarme » [244]. Et dans le roman : « La bonne, une grande fille de trente-cinq ans, avec des mains d'homme et une face de gendarme » (p. 7). Madame Chanteau : « Une vieille dame petite et maigre, les cheveux encore très noirs. N'a jamais été jolie, mais agréable encore, malgré son teint jaune ; le visage déparé par un gros nez signe d'ambition. » [239.] Dans le roman : « Elle était petite et maigre, les cheveux encore très noirs, le visage agréable, gâté par un grand nez d'ambitieuse. » (p. 12.) Chanteau : « Chanteau est un petit homme court, coloré de figure, aux cheveux gris coupés ras, assez gros, la figure ronde et les yeux bleus à fleur de tête. » [233.] Dans le roman: « court et ventru, le teint coloré, regardant le ciel de ses gros yeux bleus à fleur de tête, sous la calotte neigeuse de ses cheveux coupés ras. » (p. 8.)

## 4. *La documentation*

1 *Revue philosophique*, tome 4 (juillet - décembre) 1877, pp. 457—481.

2 « La nature ne se soucie pas de notre bonheur, son seul but c'est la plus grande somme de vie possible. » Et chez Richet : « . . . mais la nature ne se soucie pas de notre bonheur ; le seul but — — — c'est la plus grande somme de vie possible » (p. 468).

3 Le compte rendu se trouve aux pp. 318—327.

4 Bouillier : « Pourquoi aimons nous par dessus tout l'existence ? c'est que la vie, comme l'a dit profondément Aristote, est une sorte d'acte » (p. 65). Ensuite : « La mort est certaine, mais l'heure en est incertaine » (pp. 70—71).

5 Maurice Le Blond écrit, dans ses commentaires du roman : « Avant d'entreprendre son roman, l'auteur relut les philosophes, Platon, Spinoza, et surtout Schopenhauer — — — » [p. 362]. Rien n'indique, dans le dossier, que Zola ait particulièrement étudié Platon ou Spinoza. De telles études auraient sans doute laissé des traces dans les notes. Le Blond fonde vraisemblablement son affirmation sur la présence du nom des deux philosophes dans les notes, mais ces noms ont été simplement empruntés à Bouillier.

6 « Compassion pour les morts » etc. — pensée exprimée par Adam Smith, lequel est cité par Bouillier : « Nous sympathisons même avec les morts . . . Nous les trouvons malheureux d'être privés de la lumière du soleil, de la vue et du commerce des hommes, d'être enfermés dans une froide tombe et d'y servir de proie à la corruption, d'être oubliés du monde et peu à peu éloignés du souvenir et de l'affection de leurs parents les plus proches et de leurs amis les plus chers. » (pp. 78—79.)

7 J.-K. Huysmans : *Lettres inédites à Emile Zola*, publiées et annotées par Pierre Lambert, avec une introduction de Pierre Cogny, Genève-Lille 1953, p. 99. Huysmans, d'ailleurs, avait beaucoup pratiqué Bourdeau.

8 Bourdeau, pp. 11—13.

9 C'est peut-être là que Huysmans a puisé la formule célèbre d'*A vau-l'eau* : « Seul, le pire arrive.»

10 Bourdeau, p. 47.

11 Ibid., pp. 65—68.

12 *Emile Zola's Letters to J. van Santen Kolff*, p. 27.

13 La formule se retrouve dans le Salve Regina : « gementes et flentes *in hac lacrymarum valle.* »

14 C'est nous qui soulignons les phrases qui doivent être comparées avec les titres du feuillet 266.

15 Voir par exemple à la page 99 du roman, où le toast « A vos cent ans ! » que porte innocemment le docteur Cazenove, fait pâlir le pauvre jeune homme : « Ce chiffre jeté le traversait d'un frisson . . . Dans cent ans, que serait-il ? quel inconnu boirait à cette place, devant cette table ? » Voir notre citation à la page 94.

16 On se souviendra que Zola faisait souvent faire des « installations nouvelles » à Médan dans les années 80. Voir Denise Le Blond-Zola, pp. 111—114, et notre chapitre sur Lazare, p. 127.

17 « fin du monde par la chasteté » ajouté dans l'interligne.

18 Les pages correspondantes chez Ribot : 19, 92, 138, 139.

19 Les pages correspondantes chez Ribot : 30, 82 et 120.

20 Le revers porte ce texte : « par un reste d'habitude religieuse, malgré le péché où pourrissait le village. Cette indifférence tenait lieu au prêtre de tolérance, il allait chaque samedi jouer aux dames avec Chanteau, bien que celui-ci, ni Lazare, ne missent jamais le pied à la messe. Il ne discutait même pas, madame Chanteau ».

21 Voir, pour l'*Assommoir*, Henri Massis : *Comment Emile Zola composait ses romans*, p. 178 sq., et Ida-Marie Frandon : *Autour de Germinal*, p. 93.

22 Pour Thyébaut, voir Deffoux-Zavie : *Le Groupe de Médan*, pp. 177—191, René Dumesnil : *La Publication des Soirées de Médan*, p. 97 sq., et *Les Cahiers Naturalistes*, no 4, 1955, pp. 165—168.

23 Il est difficile d'expliquer autrement pourquoi certaines notes seulement contiennent des renvois. Dans aucun des cas où nous savons que Zola a eu recours à un ouvrage spécialisé, les renvois ne manquent.

24 Sur Céard, voir C. A. Burns : *Henry Céard and his relations with Flaubert and Zola*, p. 310. Il n'est point impossible que les informations d'ordre médical dont nous n'avons pu déceler les origines, émanent en effet de Céard.

25. Tel a été le cas pour certaines notes dans le dossier du *Germinal.* Voir à ce sujet Ida-Marie Frandon : *Autour de Germinal*, p. 79. — Il s'agit ici surtout de la terrible scène de la version. Quel manuel Zola a-t-il utilisé ? Peu importe, puisque les manuels que nous avons pu consulter (Maunoury-Salmon : *Manuel de l'art des accouchements*, 1874 ; Lucien Pénard : *Guide pratique de l'accoucheur et de la sage-femme*, 1879 ; Naegele-Grenser : *Traité pratique de l'art des accouchements*, 1880) donnent tous, bien naturellement, à peu près les mêmes renseignements. Si nous concluons que c'est l'ouvrage de Pénard qui a servi de guide à Zola, c'est parce que nous avons trouvé là le plus de conformité dans les détails. (Voir plus loin, p. 223 n. 25.)

26 Voir la *Correspondance 1872—1902*, p. 585. En effet, il y a ici une erreur dans l'édition Bernouard, qui date la lettre du 29 avril 1882. Elle est sans aucun doute de 1883, et par conséquent, certaines phrases se réfèrent à la *Joie de vivre*, et non *Au Bonheur des Dames*, que préparait Zola au printemps de 1882. Le passage qui nous intéresse est le suivant : « Rien autre. Nous voilà réinstallés ici. Dès mercredi, j'ai attaqué l'écriture de mon roman. Je tâche de me désintéresser des grands effets, je voudrais le faire bonhomme. — Et, à ce propos, tâchez donc de me savoir quels sont les livres d'études que les étudiants en médecine possèdent, la première année et la seconde. » Ce fut en effet le mercredi 25 avril 1883 que Zola entreprit la rédaction du manuscrit définitif de son roman. — R. H. Sherard fut vraisemblablement le premier à citer cette lettre, ce qu'il fit dans sa biographie de Zola, publiée en 1893. Il en donne une traduction anglaise. Il date la lettre du 29 avril 1883. (Sherard, p. 200.)

27 F. W. J. Hemmings : « The description of Chanteau's gout was almost certainly inspired by Turgenev, who was podagric in later life. Cf. *Journal des Goncourt*, vol. V, p. 252. » (*Emile Zola*, p. 172.) Il est à remarquer qu'un autre ami de Zola, William Busnach, avec lequel le romancier collaborait intimement dans les années 80, souffrait cruellement de la goutte. Dans ses lettres à Zola, il se plaint souvent de ses douleurs. Voir par exemple les lettres datées du 21 mars, 10 juin, 14 juillet, 16 août 1881, du 4 août 1883. [Lettres à Emile Zola, Nouvelles Acquisitions Françaises, Bibl. Nat., volume 24513.]

28 Ainsi par exemple au revers du f. 283, où nous lisons : « Médan 31 août 82 » et au revers du f. 276, où il a écrit : « Médan, 20 mai 80. »

29 F. 312 : « Ils s'embrassèrent tous deux, madame Chanteau dit en se retirant qu'elle pouvait fermer la porte, si elle voulait. Mais déjà ». Le roman, p. 33 : « Ils l'embrassèrent. Mme Chanteau lui dit, en se retirant, qu'elle pouvait fermer sa porte à clef. »

30 « Fini le 23 novembre 1883 » [N.A.F. 10310, p. 584].

31 Garrod, p. 104.

32 Voir par exemple *Massis*, p. 139 sq., *Une Page d'amour*, p. 359, et Fernand Doucet : *L'esthétique d'Emile Zola et son application à la critique*, p. 184.

33 « cheval vendu » ajouté dans l'interligne.

34 Pierre Cogny : « Emile Zola et la côte normande » dans *Paris-Normandie*, du 3 octobre 1955.

35 Ibid.

## 5. *Les seconds plans détaillés*

1 Guy Robert : *La Terre*, p. 245.

2 « qui sort » ajouté dans l'interligne.

3 « Elles ont . . . Caen » ajouté dans l'interligne.

4 « Une ondée . . . ouest » ajouté dans l'interligne.

5 « La grange pour mairie » ajouté dans l'interligne.

6 « Nommer . . . rester » ajouté dans l'interligne.

7 « Le désordre, l'aigreur de la maison » ajouté dans l'interligne.

8 Voici quelques exemples de regroupements semblables dans d'autres plans. *Chapitre III* : La caractéristique « la traiter en sœur » [30] viendra un peu plus tard que Zola ne le prévoit dans le plan. La caractéristique de Pauline, au f. 34, « Pauline la joie de vivre — — — toujours droite — — — dans le bonheur de l'habitude, dans l'espoir du lendemain » viendra plus tôt que Zola ne se le propose dans le plan. *Chapitre VII :* Selon le plan, les réactions de Véronique après la mort de madame Chanteau se manifesteront au début du chapitre. En rédigeant le chapitre, il combine les réactions de Véronique avec l'analyse de Pauline, plus loin, ce qui met en lumière, d'une façon toute naturelle, la tension entre Véronique et la nouvelle maîtresse de la maison. *Chapitre VIII* : Selon le plan, l'analyse de l'ennui de Lazare devait suivre l'épisode des brise-lames. Dans le chapitre, Zola commencera par l'analyse, évidemment pour obtenir une transition naturelle avec la fin du chapitre précédent.

9 « L'illustre Herbelin » ajouté dans l'interligne.

10 « se cache . . . phases » ajouté dans l'interligne.

11 « (29, 30, 31 ébauche) » ajouté dans l'interligne.

12 « Ce qu'il perd, la gaîté » ajouté dans l'interligne.

13 « Conversation . . . science (32) » ajouté dans l'interligne.

14 « Mathieu repris, traits » ajouté dans l'interligne.

15 « La mer aimée ou détestée » ajouté dans l'interligne.

16 « Embarrassés des bocaux, ou non » ajouté dans l'interligne.

17 Voir supra, p. 221.

18 Pour la promenade et « l'inspection », voir notre chapitre sur Lazare, p. 131.

19 Voir ibid., p. 129.

20 Voici quelques autres exemples de ces formules fixes : « Ce qu'elle voit, les bêtes, la petite Minouche [20] ... Ce qu'elle voit, les bêtes, les petits de Minouche [28] ... Elle est la joie de vivre [21, 93, 147 etc.] ... La maladie de nos sciences commençantes. Un garçon intelligent qui a touché à tout.... Oisiveté, ennui, ... [34]. Un malade de nos sciences commençantes [173] ... L'ennui est au fond de Lazare [93] ... L'ennui au fond ... [94]. Elle est bonne, gaie, la bonté gaie [34—35].... Toujours gaie, la bonté gaie [93].

21 « datée de Caen » ajouté dans l'interligne.

22 Boutigny avait été l'associé de Lazare dans le projet d'exploitation des algues. Alors que Lazare et Pauline perdaient beaucoup d'argent, Boutigny se faisait une fortune.

23 « Un baiser sur les lèvres » ajouté dans l'interligne.

24 Zola fera en effet s'expatrier Lazare. Dans le grand résumé donné par le docteur Pascal, il constate : « Pauline Quenu était toujours à Bonneville, à l'autre bout de la France, en face du vaste océan, seule désormais avec le petit Paul, depuis la mort de l'oncle Chanteau, résolue à ne pas se marier, à se donner toute au fils de son cousin Lazare, devenu veuf, parti en Amérique pour faire fortune. » (*Le Docteur Pascal*, p. 117.)

25 Voir supra, p. 221, n. 25. Voici le passage dont s'est peut-être inspiré Zola : « Si, par hasard, ce qui se rencontre assez souvent, la femme, découragée par tout ce qu'elle a déjà souffert, paraissait ne pas vouloir se soumettre à ce qu'on lui propose, objectant qu'elle aime mieux mourir que d'avoir à supporter des douleurs plus atroces encore que les précédentes, — il faudrait lui parler de son enfant, du danger que court ce pauvre petit être, qui est encore plein de vie, mais qui va sûrement périr, si l'on ne termine bien vite l'accouchement, — et il est plus que probable qu'on la ferait ainsi consentir à tout : bien peu de femmes, en effet, fermeront longtemps l'oreille à un pareil argument. » (p. 467.)

26 « Paul » ajouté dans l'interligne.

## 6. *La rédaction du manuscrit*

1 Lettres inédites d'Emile Zola à la Maison Bonnier, conservées aux archives de Albert Bonniers Förlag AB, Stockholm. Nous avons publié quelques-unes de ces lettres d'affaires dans les *Cahiers Naturalistes*, nº 4, 1955.

2 Alexis, pp. 159—160.

3 *Correspondance 1872—1902*, p. 595.

4 Ibid., p. 597.

5 *Emile Zola's Letters to J. van Santen Kolff*, pp. 5 et 27—28. (Lettres datées du 9 septembre 1884 et du 6 mars 1889.)

6 *Correspondance 1872—1902*, p. 599.

7 Lettres inédites d'Emile Zola à la Maison Bonnier — voir note 1.

8 Des lettres inédites adressées à Zola, il ressort que William Busnach avait le dessein de tirer une pièce de la *Joie de vivre*. Dans une lettre datée du 21 janvier 1885 [?], Busnach écrit : « Cher ami, Hier, toujours malade et souffrant davantage de mes douleurs rhumatismales, j'ai pris un livre dans la collection des Rougon-Macquart. Le livre ... c'est la *Joie de vivre* ! Je l'ai lu d'un trait. Quelle *merveille* ! C'est peut-

être ce que vous avez fait de plus beau. Et savez-vous ce que malgré mes souffrances et mes [mot illisible] j'ai découvert dans ce livre : *trois actes* superbes ! Pour Mme Pasca, Lecoz et Demarsey. Sans la mort de la mère. Et finissant au mariage de Lazare et de Louise. Mais quel joli rôle à faire pour Pauline ! Je vais chercher ça. — — — Et quel beau titre sur une affiche : *La joie de vivre* ! » Il revient à son idée dans une lettre datée du 5 février : « J'ai oublié de vous dire un mot hier de la *Joie de Vivre*. J'ai le Ier acte, je crois. Nous en dirons un mot à notre prochaine entrevue. » [N.A.F., no 24513.] Zola a-t-il manqué d'intérêt pour ce projet, ou Busnach a-t-il été engagé par d'autres affaires ? La correspondance ne nous fournit aucun indice à ce sujet.

9 Toutes les références entre crochets dans le présent chapitre se réfèrent à N.A.F. 10309—10310.

10 Bien entendu, il n'existe pas de feuillets intermédiaires qui résument les aspects du travail artistique dont nous avons essayé ici de donner une idée. Mais quelques-uns de ces aspects se constatent au feuillet 234, dont voici le texte intégral :
« [raturé : tait re] sortit *peu à* → de nouveau le lendemain, et peu à peu, emporté par la vie du dehors, il abrégeait ses visites, ne *restant plus que quelques moments* → demeurait *qu'un instant* → que le temps de *demander* → prendre des nouvelles. C'était *toujours* → d'ailleurs Pauline qui le renvoyait, s'il parlait *de passer la matinée près d'elle* → seulement de s'asseoir. Lorsqu'*elle le voyait entrer* → il rentrait avec Louise, elle *leur faisait* → les forçait à raconter leur promenade, heureuse de leur animation, du grand air qu'ils rapportaient *avec eux* → *dans leurs* → [raturé : mot illisible] → dans leurs cheveux. Ils semblaient si *fraternels* → camarades, qu'elle ne les soupçonnait plus. [Raturé : Son beau regard confiant les enveloppait d'une affection de sœur] Et, dès *que Véronique se montrait* → qu'elle apercevait Véronique, la potion à la main, elle criait gaiement :
— Allez-vous-en donc ! vous me gênez.
Parfois, elle rappelait Louise pour lui recommander Lazare, comme un enfant.
— Tâche qu'il ne s'ennuie pas. Il a besoin de distraction . . . Et *allez* → faites une bonne course, je ne veux [raturé : deux mots illisibles] *disait-elle en riant* → pas vous voir d'aujourd'hui.
Quand elle était seule, ses yeux fixes semblaient les suivre au loin. Elle passait les journées à lire, en attendant le retour de ses forces, si brisée encore, que *quatre* → deux ou trois heures de fauteuil l'épuisaient. *Mais s* → Souvent, elle laissait tomber le livre sur ses ».
(Dans le roman, ce passage se retrouve à la page 145.)

11 « Zola's Final Revisions of *La joie de vivre* », dans *Modern Language Notes*, vol. LVII, 1943. Sans doute, Niess s'est trompé sur le caractère du texte qu'il a consulté et étudié. Il déclare : « In the library of Harvard College is a first edition (Charpentier-Fasquelle, 1884) of Emile Zola's *La Joie de vivre*, corrected in the author's own hand in view of succeeding editions. » (p. 537.) Pourtant, selon des informations que nous avons reçues de Harvard College Library, il ne doit pas s'agir ici de la première édition du roman, mais d'*épreuves mises en pages* recueillies par la bibliothèque : « corrected pageproofs Charpentier edition 1884. »
Selon Pierre Lambert, un tirage du feuilleton du *Gil Blas*, « où le roman avait paru, constitue la véritable édition originale, imprimée sur deux colonnes (Impr. Dubuisson et Cie) ». [J.-K. Huysmans : *Lettres inédites à Emile Zola*, p. 100.] Cette édition est de 1883. Nous n'avons pu consulter ce volume, qui ne se trouve pas à la Bibliothèque Nationale.

12 Parmi les rares inadvertances ou fautes d'impression de la première édition, corrigées dans l'E.B., nous signalons la suivante : « — Je t'en prie, maman . . . Par pitié, laissez-moi » (P.E. 162) → — Par pitié, laisse-moi » (E.B. 133). Pour les assez nombreuses inadvertances et fautes d'impression de l'E.B., voici quelques exemples : « mît » (P.E. 5) → « mit » (E.B. 10) ; « du vestibule » (P.E. 8) → « de vestibule » (E.B. 12) ; « du cabriolet » (P.E. 8) → « de cabriolet » (E.B. 12) ; « je serais curieuse de savoir ce qu'il lui en reste » (P.E. 169) → — — — ce qu'il lu

reste » (E. B. 139) ; « Son ardent désir était de vaincre » (P. E. 219) → « Son ardent désir de vaincre » (E. B. 179) ; « Lazare consentit à ce que Pauline en fît l'avance » (P. E. 289) → « Lazare consentit à ce que Pauline en fit l'avance » (E. B. 235). — Les modifications rédactionelles proprement dites que nous avons pu constater dans l'E. B. se bornent à cinq phrases changées : « grondait » (P. E. 2) → « gronda » (E. B. 7) ; « Seuls, ses petits cheveux — — — jetaient » (P. E. 24—25) → « Seuls, ses longs cheveux — — — portaient (E. B. 25) ; « les seuls pêcheurs riches » (P. E. 126) → « les gros pêcheurs riches » (E. B. 106) ; « cette ancienne affection tournée à la rage » (P. E. 221) → « — — — tournée en rage » (E. B. 180) ; « sous son étreinte » (P. E. 343) → « dans son étreinte » (E. B. 276).

13 N.A.F. 10310, f. 278 ; p. 170. Au lieu de renvoyer, dans les notes 13—21, aux numéros et aux colonnes du *Gil Blas* ou à la première édition, nous renvoyons seulement à l'E.B.

14 Ibid., f. 276 ; p. 169.

15 Pp. 88 et 148.

16 N.A.F. 10310, f. 449. Cf. p. 273.

17 Ibid., f. 581. Cf. p. 357.

18 N.A.F. 10309, ff. 142, 142 ; 10310, ff. 440, 478 ; pp. 92, 92, 267, 292.

19 N.A.F. 10310, ff. 447 et 487 ; cf. pp. 272 et 298.

20 Pp. 94, 150, 161, 288.

21 Pp. 90, 154, 158, 160, 27.

22 « Zola's Final Revisions . . . », p. 537.

23 Ibid., p. 539.



15—*802357*

# Les personnages du roman

## 1. *Description extérieure et analyse intérieure des personnages*

1 Guy Robert : *La Terre*, p. 360.

2 G. Lanson : *Histoire de la littérature française*, p. 1080.

3 Le style indirect libre n'est pas exclusivement réservé aux personnages analysés. Il est appliqué à tous, ou presque, principalement pour rendre les discours, mais parfois aussi pour rendre les pensées des personnages non-analysés. Il est curieux de noter que la chatte, elle aussi, « s'exprime » dans ce style ! Comme il est évident que la Minouche ne parle pas, ce sont, en quelque sorte, ses pensées qui sont interprétées dans ce passage : « Quand il [= Chanteau] criait, eller restait assise sur sa queue, elle le regardait souffrir de ses yeux ronds, où luisait l'étonnement indigné d'une personne sage, dérangée dans sa quiétude. Pourquoi faisait-il tout ce bruit désagréable et inutile ? » (p. 151).

4 « Le difficile est que les époux sont à Paris et que cette analyse n'est pas commode à faire, si je veux rester au village. Je puis avoir une visite de Lazare au village, pendant laquelle Pauline le trouve las et fatigué, émietté. » [113.]

## 2. *Lazare*

1 Paris 1896.

2 Toulouse, p. VII. Niess, op. cit. p. 1144.

3 A Goncourt : *Correspondance 1872—1902*, p. 605. Niess: *Emile Zola's Letters to J. van Santen Kolff*, p. 28.

4 *The Bookman*, Décembre 1901, vol. XIV, p. 343. L'article est mentionné par Albert J. Salvan dans son *Zola aux États-Unis*, p. 109.

5 *Correspondance 1858—1871*, pp. 72—73 et 199.

6 *Æsculape*, nº 11, 1952, pp. 198—203. — Niess soulève aussi la question du nom de Lazare. Nous avons observé que Zola disposait d'autres noms pour son héros. Y a-t-il eu une raison particulière pour que le romancier fixât son choix sur *Lazare*? Niess croit possible que Zola se soit inspiré du poème de Barbier, *Lazare* (1837), qu'il avait évidemment lu. Il souligne aussi que Zola, quelque dix ans plus tard, en 1894, écrivit un opéra, *Lazare*, qui n'a aucun rapport direct avec le roman, puisqu'il traite du Lazare ressuscité par Jesus-Christ. Il est pourtant évident que l'opéra marque un retour à un sujet cher à Zola : la souffrance, la douleur, la mort, et que le thème principal de cette œuvre est, comme le souligne M. Niess, « the same hatred of suffering ». L'opéra, une des œuvres les plus sombres de Zola, composé peu de temps après le message exultant du *Docteur Pascal*, témoigne sans doute de la complexité de la philosophie de Zola. (Voir d'ailleurs R. J. Niess : « Zola's *La Joie de vivre* and the Opera Lazare ».)

Sans doute, les associations d'idées que suggère le nom de Lazare, ont-elles influencé Zola. Mais, en même temps, n'est-il pas possible que Zola se soit inspiré, à son insu, d'un nom dont les syllabes sonnaient à peu près comme celles de son propre nom : *La-zare — Zo-la ?*

7 Sur ce journal, voir par exemple J.-K. Huysmans : *Lettres inédites à Emile Zola*, p. 45 sq.

8 Voir supra, p. 32 sq.

9 Hemmings, p. 121. Goncourt : *Journal*, VI, pp. 185—186.

10 P. 356. L'épisode du cercueil se retrouve curieusement dans un roman écrit plusieurs années avant la mort de la mère. C'est dans son roman de jeunesse, le *Vœu d'une morte* (1866), que nous lisons ce qui suit : « Le lendemain de la mort de sa femme, le veuf s'était mis à exécrer ce logis, qui restait plein de sanglots. Les senteurs de l'enterrement traînaient encore dans les chambres, et il frissonnait lorsqu'il descendait l'escalier, croyant toujours entendre le bruit de la bière heurtant les marches. » (pp. 48—49.) La situation n'est pas exactement la même, mais l'interprétation subjective est évidemment identique à celle de l'épisode raconté dans la *Joie de vivre*. On peut d'ailleurs observer que Zola prend un vif intérêt aux enterrements et aux cercueils. Dans *Comment on meurt*, il y a un enterrement dans chacune des cinq courtes nouvelles. Des enterrements et des cercueils se retrouvent par exemple dans l'*Assommoir*, dans *Une Page d'amour*, dans l'*Œuvre*, dans la *Mort d'Olivier Bécaille*. Cette dernière nouvelle a, on le sait, un thème particulièrement morbide : un homme est enterré vivant, il arrive à se déterrer — pour trouver que sa femme a donné son amour à un autre homme.

11 Toulouse, p. 260. On retrouve exactement le même témoignage chez Louis de Robert (*De Loti à Proust*), qui connaissait personnellement le grand écrivain: « Zola redoutait la mort. C'était chez lui une terreur et parfois une obsession qui le tenait éveillé durant des heures nocturnes. Mme Zola me dit, un jour, que cette épouvante de la mort allait chez son mari jusqu'aux crises de larmes. » (p. 139.)

12 Toulouse, pp. 251—252. Le passage est cité par Niess, p. 1145. Voir aussi Hemmings, *Emile Zola*, p. 166 sq.

13 Matthew Josephson : *Zola and his Time*, p. 289.

14 Paul Alexis, p. 4.

15 Alexis, p. 4 ; Sherard, p. 10.

16 Sherard, p. 10 : « the treacherous mistral smote him with her icy hands. » Que le souvenir de la mort du père se soit gravé profondément dans l'esprit de Zola, ressort du fait qu'il a usé de ce souvenir dans *Une Page d'amour*. Voir Sherard, p. 10, et Alexis, p. 13.

17 Bourdeau, p. 47.

18 Voir surtout nos chapitres « La foi dans la science », p. 177 sq., et « Le nouveau pessimisme ».

## 3. *Pauline*

1 *Le Docteur Pascal*, pp. 111—112.

2 Bourdeau, p. 56.

3 *Cours de philosophie positive*, tome I, p. 16.

4 Vol. 26, pp. 161—186.

5 Jean Lacroix : *La Sociologie d'Auguste Comte*, p. 80.

6 Ibid. p. 62, 63. Est-ce une pure coïncidence que la femme idéale dans le *Docteur Pascal* porte le même prénom que *Clotilde* de Vaux, qui fut le grand amour, la grande inspiratrice de Comte, et qui joue, selon M. Lacroix, dans le positivisme « un rôle analogue à celui de la Vierge Marie dans le catholicisme. . . » ?

7 Flaubert admirait beaucoup Spencer. Dans une lettre datée de janvier 1878, il écrit : « Les positivistes français se vantent : ils ne sont pas positivistes ! Ils tournent au matérialisme bête, au d'Holbach ! Quelle différence entre eux et un Herbert Spencer ! Voilà un homme, celui-là ! (*Correspondance*, t. 8, p. 107.) Et dans une autre lettre, de la même année : « Voilà un homme, celui-là ! et un vrai positiviste, chose rare en France, quoi qu'on die. L'Allemagne n'a rien à comparer à ce penseur. » (*Correspondance*, t. 8, p. 141.) — Chez Maupassant, le même intérêt pour le philosophe anglais, dont André Vial, dans sa thèse *Guy de Maupassant et l'Art du roman*, retrace l'influence qu'il a exercée sur le disciple de Schopenhauer.



15*—*802357*

8 *Revue Philosophique*, 1877 : 1, t. 3, p. 173.

9 Néret : *Documents pour une Histoire de l'Education sexuelle*, p. 141.

10 *Hygiène de la jeune fille*, p. 26 sq.

11 Le chapitre sur la puberté de Pauline inquiétait beaucoup Goncourt, qui soupçonnait Zola de lui avoir emprunté cette idée, soupçon que Daudet communiquait à Zola. Celui-ci protesta vivement dans une lettre datée du 14 décembre 1883: « Cette nuit, après votre départ, j'ai causé avec Daudet de la similitude de nos deux pages sur la puberté, et Daudet m'a laissé entendre que vous vous imaginiez m'avoir lu votre chapitre, avant que j'écrive le mien. [Il s'agit de *Chérie*, roman auquel travaillait Goncourt.] Je vous avoue que cela m'a beaucoup remué et chagriné. De toute ma force, je proteste : vous ne m'avez jamais lu ce chapitre, je l'ignore encore ; j'aurais évité tout rapprochement possible, si je l'avais connu. » Goncourt répond, un peu boudeur : « comme vous travaillez beaucoup plus vite que moi, moi qui ai commencé un an avant vous, je puis passer près du public auprès duquel vous êtes plus en faveur que je ne le suis, je puis passer pour m'être inspiré de vous. Je suis un peu embêté, voilà tout. Quant au chapitre de l'apparition des règles, Daudet s'est trompé, je me rappelle parfaitement le hasard, et je n'accuse que le hasard, de la similitude. » On comprend bien les réactions de Goncourt, mais il n'y a pas de raison pour qu'on soupçonne Zola d'avoir malhonnêtement profité d'une confidence de Goncourt. (Pour les deux lettres, voir *Correspondance 1872—1902*, pp. 604—605.) Il paraît en effet fort vraisemblable que l'un et l'autre écrivain se soient inspirés de l'ouvrage du docteur Coriveaud.

A en croire Louis de Robert (*De Loti à Proust*), la méfiance de Goncourt était nettement morbide : « De bonne foi, il se persuadait qu'on le plagiait, qu'on le pillait, qu'on lui faisait tort de toutes les manières. L'éditeur Charpentier m'a raconté qu'il le vit arriver furieux, un matin, dans son cabinet de la rue de Grenelle. C'était au moment de la publication par Zola de son roman *L'Œuvre*. — Ce Zola ! Voilà qu'il prend mes titres, à présent ! Charpentier marqua son étonnement. Il ne se souvenait pas que Goncourt eût publié un ouvrage sous ce titre : *L'Œuvre*. — Comment ! dit Goncourt. Et mon étude sur Gavarni : *Gavarni et son œuvre*. » (p. 132.) Anecdote ? Sans doute, mais « ben trovato ».

12 Toulouse, pp. 259 et 260.

13 *Mélanges, Préfaces et Discours*, p. 291.

14 Ibid.

15 Dans sa biographie de Zola, F. W. J. Hemmings consacre quelques lignes à la stérilité du ménage Zola. Il cite, d'après *De Loti à Proust*, de Louis de Robert, ces mots d'Alexandrine Zola après la mort de son mari : « Pourquoi n'a-t-il pas voulu des enfants de moi quand j'étais encore en état de lui en donner ? » (Hemmings, p. 229. Louis de Robert, p. 140.)

16 Louis de Robert donne la réponse suivante à la question amère que posait madame Emile Zola : « Pourquoi ? Parce que, trop longtemps, il n'avait pensé qu' à son œuvre, qu' à sa mission d'écrivain. L'instinct de paternité s'était éveillé tard en lui, la cinquantaine atteinte, à cette heure où, la fièvre créatrice commençant à s'apaiser, il découvrait qu'il s'était privé de bien des joies et que l'écrivain n'avait pas fait sa part à l'homme. Voilà tout le drame. » (pp. 140—141.) — Angus Wilson a une autre interprétation, fort intéressante, mais à notre avis du moins, pas tout à fait convaincante : « In its final form the work is a retribution to Alexandrine, and, yet also, a rejection of her sterility. » (*Emile Zola*, p. 101.) Wilson suppose donc que la stérilité des époux était due à Alexandrine Zola. C'est là une hypothèse aussi probable qu'une autre, mais en l'admettant, comment Wilson veut-il expliquer la vraie signification du sacrifice de Pauline ? Il ne peut pas voir dans ce sacrifice une *critique* de Pauline ?

Pourtant, il y a peut-être entre Pauline et Mme Emile Zola un autre lien, signalé par Niess : « By dint of patience and charity she [= Pauline] makes herself something of a good angel to the poor fishermen of the region. Mme Emile Zola seems to have occupied somewhat the same position in Médan ; she distributed the ' pain bénit ' during the village festival and the curé did not hesitate to call on her for frequent aid to his poor. It is not at all impossible that Zola recalled this activity of his wife's when he wrote the scenes where Pauline's charity finds its practical expression. » (Op. cit., pp. 1139—1140.)

17 Alexandrine Zola naquit en 1839 et avait donc 44 ans en 1883.

18 *Le Docteur Pascal*, p. 343.

## 4. *Les Chanteau*

1 Niess, ibid., pp. 1134—1137.

2 Denise Le Blond-Zola atteste l'énergie de Mme François Zola : « Vaillante mère qui, pendant un séjour de son fils à Aix — — — lui disait : ' Bonne santé et bon courage. C'est ma devise. ' Son énergie avait toujours été un exemple pour Zola ... » (Op. cit. p. 63.) Il paraît s'agir ici d'une tradition orale — émanant de Zola lui-même ? Peut-être la grand ' mère maternelle de Zola a-t-elle aussi joué un rôle pour la formation du portrait de l'active madame Chanteau. Dans l'article déjà cité, « In the Days of my Youth » dans *The Bookman*, Zola dit d'elle : « . . . her mother, a cheerful, sturdy, sensible Beauceronne, was still very active in spite of her seventy years, and did much to keep our home together. » (op. cit. p. 344.) Et plus tard : « It was there that my brave and active grandmother died » (p. 345).

3 P. 362.

4 Niess, ibid., p. 1136, Denise Le Blond-Zola, ibid. pp. 118—119.

## 5. *Le médecin et le curé*

1 Bouillier, p. 47.

2 Voir supra, p. 141 sq.

3 Voir l'Edition Bernouard, tome 37.

4 Ibid. pp. 447—448.

5 *Les Romanciers naturalistes*, p. 121.

6 P. 208. La même réflexion se retrouve d'ailleurs à la page 185.

7 Cité d'après Robert : *La Terre*, p. 28.

8 Dans sa thèse *Guy de Maupassant et l'Art du roman*, André Vial émet l'opinion que l'abbé Horteur « semble bien devoir quelque chose à l'abbé Picot, d'*Une Vie*, roman publié l'année précédente. » (p. 400, note 5.) En effet, les deux romans sont de la même année ; *Gil Blas* publia le roman de Maupassant en feuilleton depuis le 27 février 1883. (Voir Vial : *La Genèse d'Une Vie*, p. 24.) Mais s'il y a une influence, c'est plutôt le bon abbé Picot qui est l'emprunteur, puisque l'abbé Horteur existait déjà en principe, comme nous l'avons montré, depuis quelques années, sous la forme de l'abbé Radiguet.

## 6. *Louise et Véronique*

1 *Madeleine Férat*, p. 31.

2 Ibid.

3 Ibid., p. 33.

4 *Correspondance 1872—1902*, p. 577. (Lettre du 9 février 1882.)

5 Livraison du 1er août 1882, vol. 4. Beaussire écrit : « Il serait imprudent de détruire les internats de garçons ; mais, s'ils n'existaient pas, il n'y aurait pas lieu de les inventer. A plus forte raison, l'état doit-il s'abstenir de créations de ce genre pour les filles — — — L'éducation n'est pas sans doute, dans la plupart d'entre eux [= les internats], telle que la souhaiteraient les libres esprits qui ont à cœur de soustraire les femmes aux influences cléricales. » (pp. 631—632.)

6 Nous pensons surtout à Renée dans la *Curée* et à Marie Pichon dans *Pot-Bouille.*

## 7. *La mer et les pêcheurs*

1 Voir supra, p. 40.

2 Joan Yvonne Dangelzer : *La Description du milieu dans le roman français de Balzac à Zola*, p. 213.

3 C'est nous qui soulignons.

4 Il nous paraît difficile de ne pas entendre dans la description de la lutte de Lazare contre la mer un écho de la fameuse scène des *Travailleurs de la mer*, où Gilliat, avec le brise-lames qu'il a construit pour se protéger, brave la fureur de la mer qui monte pour l'écraser. (Deuxième partie, livre troisième.) Le 14 mars 1866, Zola publia dans l'*Evénement* un compte rendu fort élogieux des *Travailleurs de la mer*, qui venaient de paraître. Voir *Modern Language Review*, vol. 42, L. W. Tancock: « Some Early critical Work of Emile Zola. . . » En dehors de cette scène, on chercherait cependant en vain des ressemblances entre Lazare et le héros de Victor Hugo.

5 *Le Roman expérimental,* p. 105. Voir d'ailleurs notre prochain chapitre.

## TROISIÈME PARTIE

# Les idées du roman

## 1. *La foi dans la science*

1 Guy Robert : *Emile Zola*, p. 41. Voir aussi Robert: «Zola et le classicisme», p. 7.

2 *Le Roman expérimental*, p. 11.

3 Ibid., p. 12.

4 Cette définition sommaire du roman naturaliste se retrouve dans *Documents littéraires*, p. 33. Nous reviendrons plus loin aux définitions du naturalisme données par Zola.

5 « Comme je l'ai dit ailleurs, je n'ai jamais voulu être que le soldat le plus convaincu du vrai. Sans doute, on a pu confondre le romancier et le critique — — — Mais, je le répète, avec le recul des années, tout se mettra en sa place. On séparera le critique du romancier ; on établira qu'il a cherché la vérité passionnément, à l'aide des méthodes scientifiques, souvent contre ses propres œuvres ; on le suivra dans son évolution, appliquant les mêmes formules à la littérature, à l'art, à la politique ; on le verra enfin obéir à l'impulsion du siècle, partir de l'insurrection romantique pour arriver au mouvement naturaliste — — — retrouvant, sur le terrain de plus en plus solide des sciences, la grandeur simple du génie national. » (*Une Campagne*, 1882, pp. IX—X.)

6 *Le Roman expérimental*, pp. 27—29.

7 Ibid. p. 73.

8 « Le romancier naturaliste affecte de disparaître complètement derrière l'action qu'il raconte. Il est le metteur en scène caché du drame. Jamais il ne se montre au bout d'une phrase. On ne l'entend ni rire ni pleurer avec ses personnages, pas plus qu'il ne se permet de juger leurs actes. » (*Les Romanciers Naturalistes*, pp. 109—110.) Et voici quelques formules aussi catégoriques dans le *Roman expérimental* : « Il [= le roman naturaliste] est impersonnel, je veux dire que le romancier n'est plus qu'un greffier, qui se défend de juger et de conclure, le rôle strict d'un savant est d'exposer les faits, d'aller jusqu'au bout de l'analyse, sans se risquer dans la synthèse — — — Eh bien ! le romancier doit également s'en tenir aux faits observés, à l'étude scrupuleuse de la nature, s'il ne veut pas s'égarer dans des conclusions menteuses. Il disparaît donc, il garde pour lui son émotion, il expose simplement ce qu'il a vu. » (p. 103.)

9 Lettre au *Bien public*, le 13 février 1877. (*Correspondance 1872—1902*, p. 467.) Mais il arrive que les exigences de la polémique le poussent à certaines modifications. Il écrit par exemple dans *Une Campagne* : « Je me souviens d'un romancier qui avait écrit un roman intitulé *L'Assommoir*. C'était une œuvre consciencieuse des ravages que l'ivresse fait à Paris, dans les classes ouvrières. Ce livre était trempé de pitié et de tendresse ; il criait grâce pour la femme, grâce pour l'enfant ; il montrait le travail vaincu par la fainéantise et l'alcool ; il demandait de l'air et de l'instruction pour ces misérables, moins d'excitation politique et plus de bien-être social. » (pp. 295—296.) Quelle vérité dans cette description ! Mais, en vue de la polémique — contre Gambetta, d'ailleurs — Zola insiste sur une tendance formelle et expresse qui est sans doute peu compatible avec les plus strictes théories du romancier.

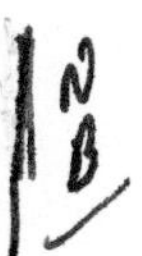


10 *Les Romanciers naturalistes*, p. 110.

11 Article dans le Figaro du 18 décembre 1866. Cité d'après Guy Robert : *Zola*, p. 18.

12 *Thérèse Raquin*, p. VIII. La préface fut écrite pour la deuxième édition, 1868.

13 Cité d'après Massis : *Comment Emile Zola*... p. 18.

14 Ibid. p. 101.

15 Ibid. p. 14.

16 *Le Docteur Pascal*, p. 91.

17 *Le Roman expérimental* (1880), *Le Naturalisme au Théâtre, Nos auteurs dramatiques, Les Romanciers naturalistes, Documents littéraires* (1881) et *Une Campagne* (1882).

18 Le *Roman expérimental*, p. 28.

19 Voir supra p. 30.

20 Le *Journal* des Goncourt, tome 6, p. 255.

## 2. *L'héritage romantique*

1 Paul Alexis, p. 260—261. Ce poème (*L'Aérienne*) a été recueilli dans le tome 50 de l'édition Bernouard (pp. 348—353).

2 *Documents littéraires*, p. 73 sq.

3 *Correspondance 1858—1871*, p. 141.

4 *Le Naturalisme français*, p. 24.

5 *L'Esthétique d'Emile Zola*... p. 69. Voir par exemple les lettres du 17 mars 1860 et du 18 juillet 1861, dont la dernière surtout s'étend sur les rapports des sciences et de l'art.

6 Trois textes inédits d'Emile Zola. *Revue des Sciences Humaines*, fasc. 51—52, p. 184.

7 *Une Campagne*, pp. 245—252.

8 *Une Campagne*, pp. 245 et 250. — Dans un autre article du même volume, « Pluie de Couronnes », où il s'en prend avec véhémence à l'Académie, il voit cette institution comme la faible citadelle du romantisme : « Pendant près de vingt ans, elle a résisté au romantisme ; puis, elle s'est laissé envahir. Aujourd'hui, elle résiste au naturalisme ; puis, si le naturalisme daigne la prendre d'assaut, elle se laissera prendre. — — — Jamais elle n'est avec le siècle. » (p. 289.) Et voici, dans *Documents littéraires*, (p. 49), une de ces phrases catégoriques où il tranche net : « . . . la dissemblance profonde des deux formules, l'une qui est idéaliste, l'autre qui est positiviste. Deux mondes sont en présence. Il faut que l'un tue l'autre. »

9 *Le Roman expérimental*, p. 8.

10 Ibid. pp. 36 et 45.

11 Ibid. p. 56.

12 *Les Romanciers naturalistes*, pp. 276—278. C'est nous qui soulignons. Zola revient souvent à ces expressions plus ou moins médicales pour caractériser le romantisme : « le lyrisme, le coup de démence sublime », « voir le monde dans un affolement cérébral, dans la vision de leurs nerfs détraqués ; . . . » (*Le Roman expérimental*, pp. 61 et 76.) « Après les échevèlements du romantisme, la frénésie du lyrisme à outrance . . . » (*Documents littéraires*, p. 135). « Et j'ajoute que le romantisme, la première période, affolée et lyrique, doit nécessairement conduire au naturalisme, la seconde période, nette et positive. » (A propos de Littré : ) « Vous voyez donc bien que, pour être un honnête homme, la démence lyrique n'est pas indispensable ! » (*Une Campagne*, pp. 106—107 et 250.)

13 *Le Roman expérimental*, pp. 74—75.

14 Ibid., p. 71.

15 Ibid., pp. 80—81.

16 *Les Romanciers Naturalistes*, p. 100.

17 Ibid., pp. 301—303.

18 Fernand Xau, pp. 53—54.

19 « Panache » est un de ses mots favoris pour chicaner le style des romantiques : « Toujours les mêmes sauts ; la confusion la plus complète, des bouts de vérités se terminant par des panaches lyriques. » (*Documents littéraires*, p. 114). « De là, viennent nos exagérations regrettables, notre langue encore empanachée, notre observation trop spécialement tournée vers certains sujets. » (*Une Campagne*, p. 306.)

20 Dans une critique de L'*Aigle du Casque* de Victor Hugo, il caractérise ainsi le début du poème : « Ce point de départ contient tout le procédé romantique, l'antithèse éternelle, le vieillard confiant sa vengeance à l'enfant ; . . . » Et ensuite: « Dès lors, nous entrons dans l'antithèse jusqu'au cou. » (*Documents littéraires*, pp. 60 et 62.)

21 Franke, p. 26.

22 *Le Ventre de Paris*, p. 212.

23 *La Fortune des Rougon*, l'arbre généalogique, p. 347.

24 Henri Martineau souligne que la chambre de Lazare, pleine de chaudières et de cornues, ressemble au « laboratoire du vieux Faust tel qu'on le voit dans les estampes allemandes — — — » (*Le Roman scientifique d'Emile Zola*, p. 236.)

## 3. *Le nouveau pessimisme*

1 Toulouse, op. cit. pp. 264, 276 et 265, note 1.

2 Cité d'après Pierre Moreau : *Germinal d'Emile Zola*, p. 11. Kerr écrit : « Er warf mal den Satz hin : ' Ich bin ja nicht Optimist. ' Ich unterbrach ihn. Seine letzten Bücher schienen von Optimismus zu strotzen, so das Buch von der Arbeit, schon der Schlussband der Rougon-Macquart. Er antwortete ziemlich ernst : ' Ich *will* Optimist sein. ' » (*Gesammelte Schriften*, Berlin 1926, tome 1, p. 364).

3 Alexis, pp. 208—209.

4 Goncourt : *Journal*, vol. 6, pp. 102—103.

5 Alexis, p. 209.

6 Hemmings : « The Genesis . . . », p. 119 sq. Niess : « Zola's *La Joie de vivre* and *La mort d'Olivier Bécaille* ». (*Modern Language Notes*, vol. LVII, 1942, pp. 205—207.)

7 Voir Jean Triomphe : « Zola collaborateur du Messager de l'Europe » dans *Revue de Littérature comparée*, 17e année, 1937, p. 759.

8 Vol. 36 de l'édition Bernouard, pp. 150—151.

9 Sur Zola et sa femme, voir citation, supra p. 127.

10 Vol. 36 de l'édition Bernouard, p. 151.

11 Ibid., p. 150.

12 Ibid., p. 151.

13 *Nana*, la première édition, 1880, pp. 424—425.

14 Voir supra, p. 127.

15 Niess soutient (dans « Zola's *La Joie de vivre* and *La mort d'Olivier Bécaille* ») que les événements de l'automne de 1880 ont influencé la nouvelle, ce qui est impossible, puisqu'elle fut composée avant la mort de la mère et non vers 1884, date de la publication du recueil *Naïs Micoulin*.

16 Voir supra, p. 182 sq.

17 *Correspondance 1872—1902*, p. 545.

18 Goncourt : *Journal*, vol. 6, p. 126. Cité par Hemmings, p. 121.

19 Voir supra, p. 33.

20 L'article est repris dans *Une Campagne*, pp. 133—140.

21 Alexis, p. 126—127.

22 *Correspondance 1872—1902*, p. 579.

23 Voir A. Baillot : *Influence de la philosophie de Schopenhauer en France*, p. 15. — Plus récemment, Guy Michaud, dans son *Message poétique du Symbolisme*, a décrit le climat intellectuel et spirituel des années 80, et tout particulièrement l'influence de Schopenhauer sur la génération de 1885. (Voir le *Message poétique*, vol. I, pp. 210 sq., et vol. II, pp. 255 sq. et 273 sq.)

24 Voir p. 202.

25 Voir André Vial : *Guy de Maupassant et l'Art du roman*, pp. 116—117.

26 Voir par exemple un grand nombre d'articles et de comptes rendus dans la *Revue Philosophique*, la *Revue des Deux-Mondes* et la *Philosophie Positive*.

27 Flaubert : *Correspondance*, tome 8, p. 272. Sur Flaubert et Schopenhauer, voir Baillot, passim.

28 Voir Vial, op. cit., p. 115 sq.

29 Sur Rod et la *Course à la mort*, voir Baillot, op. cit. pp. 314—315, et James Raymond Wadsworth : *The Novels of Edouard Rod*, pp. 11, 14 et 15.

30 *A vau-l'eau*, p. 240. Voir Pierre Cogny : *J.-K. Huysmans à la recherche de l'unité*, p. 37 sq.

31 Bourdeau, p. 55, Zola, f. 262.

32 *Lettres inédites à Emile Zola*, note, p. 101.

33 La préface d'*A Rebours*, écrite en 1903, p. VII.

34 *Lettres inédites à Emile Zola*, p. 99.

35 *A Rebours*, pp. 111—112.

36 *Lettre inédite à Emile Zola*, B.N., N.A.F., n° 24510, lettre datée du 22 janvier 1882.

37 *Lettres inédites à Emile Zola*, pp. 90 et 96.

38 *Au Bonheur des Dames*, pp. 467 et 459 (extraits de l'Ebauche et des plans).

39 *Au Bonheur des Dames*, p. 79.

40 Ibid., p. 80. Ce n'est pas la première fois que Zola parle de « nos sciences commençantes ». Il le fait déjà dans *Une Campagne* , où, présentant Céard et Huysmans, il dit du premier : « C'est un observateur et un expérimentateur qui considère la méthode scientifique comme la seule digne d'un esprit raisonnable, mais qui s'attend aux déconvenues et qui doute fort du bonheur final de l'humanité. Il y a là un trait général de sa génération : nos sciences commençantes font des sceptiques, mais des sceptiques braves, décidés à aller jusqu'au bout des faits. » (p. 207.) Il est intéressant de noter que Zola parle ici de *sceptiques*, et non de *pessimistes*, et que ces sceptiques ne se moquent pas de « nos sciences commençantes » — au contraire, ce sont « des sceptiques braves ». Deux ans plus tard, les pessimistes sont entrés en scène, raillant ou accusant « nos sciences commençantes ».

41 Voir supra, p. 41, et p. 217, note 9.

42 Dans le *Gaulois* du 27 avril 1884.

43 *Correspondance 1872—1902*, p. 611.

44 Voir supra, p. 194.

45 *Lettres inédites à Emile Zola*, p. 99.

46 « Tous les cinq rendent un juste hommage à leur aîné, mais à l'écrivain et non au doctrinaire — — — La brèche une fois ouverte, les positions chez Havard ou Ollendorff bien conquises — — — on se dispersa. Le divorce était impliqué dans cette union. Dès 1882, Edouard Rod pouvait s'apitoyer sur l'isolement de Zola. » (Vial : *Guy de Maupassant et l'Art du roman*, p. 20.)

47 *A Rebours*, la préface de 1903, pp. XVIII et XIX.

48 Voir Robert Baldick : *The Life of J.-K. Huysmans*, p. 90.

49 Voir J.-K. Huysmans : *Lettres inédites à Emile Zola*, pp. 105—107.

50 Sur Huysmans et Schopenhauer, voir Pierre Cogny : *J.-K. Huysmans à la recherche de l'unité*, surtout p. 23 sq.

51 Pour cet acte d'affranchissement personnel, voir Hemmings : « It is not impossible, then, that *La Joie de vivre* in its final shape signifies an attempt on the part of the author to rid himself of an intolerable burden by projecting it into a piece of semi-autobiographical fiction. » (Op. cit., p. 122.) Marcel Girard est plus catégorique : « Car si Zola, par un côté, est le frère heureux de Lazare, il est aussi le créateur de Lazare ; et, le créant, il s'est délivré du Lazare qu'il portait en lui depuis sa jeunesse. » ( « Emile Zola ou la joie de vivre » dans *Æsculape*, no 11, 1952, p. 203.) — Pour le rôle que nous attribuons à Huysmans au sujet de Lazare, voir Angus Wilson, qui touche à ce probleme dans son *Emile Zola* : « ' Un René ou Werther naturaliste ', he describes him [= Lazare] in his notes, a Huysmans who has rejected his master, we may guess. » (p. 101.)

## 4. *L'évangile de Pauline*

1 *La Faute de l'abbé Mouret*, pp. 74—75.

2 *Le Ventre de Paris*, p. 192.

3 *La Faute de l'abbé Mouret*, p. 75.

4 Ibid., p. 254.

5 Ibid, p. 255.

6 Voir Massis, p. 35 sq.

7 Prosper Lucas : *Traité . . .*, tome 1, p. 623.

8 Dans le chapitre intitulé *Mysticisme pseudo-scientifique* de son *Emile Zola*, M. Seillière, exposant la profession de foi du docteur Pascal, conclut que la grande enquête entreprise par Zola sous le patronage avoué de Claude Bernard, est en effet purement rousseauiste sous son fard scientifique si facilement écaillé. Et, citant une lettre de 1885 où Zola dit que son rôle a été « de remettre l'homme à sa place dans la création, comme un produit de la terre soumis à toutes les influences du milieu » et qu'il a remis à sa place « le cerveau parmi les organes », M. Seillière tranche net : « en d'autres termes, le mysticisme de Rousseau poussé à ses conséquences extrêmes, dépouillé des derniers vestiges de discipline chrétienne rationnelle qui en ont d'abord pallié les résultats moraux et sociaux inéluctables. » (pp. 131—132.) — *La Joie de vivre* est traité surtout aux pages 227—230, où l'on note d'ailleurs que M. Seillière considère que « le pessimisme schopenhaurien est une forme de la névrose romantique, forme conçue dans les premières années du XIXe siècle, prise en considération par l'opinion européenne vers le milieu de ce même siècle et que Zola était donc bien en droit d'attribuer à un Français du second Empire, mais qui, à l'époque où il publia la *Joie de vivre*, avait dès longtemps fait place à d'autres revêtements du mysticisme naturiste ». (pp. 228—229.) Ayant sous les yeux les témoignages de Maupassant, de Huysmans, de Rod, qui étaient tous des fervents schopenhauériens, on se demande quels étaient ces puissants « revêtements du mysticisme naturiste » qui auraient *depuis longtemps* supplanté le pessimisme ?

9 Voir F. W. J. Hemmings, qui, dans son *Emile Zola* (le chapitre VIII), donne une analyse objective et équilibrée de ce problème intéressant. A défaut de faits, il faut se contenter d'hypothèses plus ou moins solides.

10 *Revue Philosophique*, 1882, tome 2, p. 656.

11 *Une Campagne*, p. 116. Qu'il s'agisse vraiment déjà d'un *Evangile*, ressort par un autre passage d'*Une Campagne*, où Zola prononce l'éloge de Littré, « un des esprits les plus puissants de ce siècle. » Littré est un missionnaire des vérités scientifiques :

« Quel homme mieux que Littré aurait pu remplir ce rôle ? Il possédait la vaste intelligence, l'instruction universelle : lui seul avait le droit de parler au nom des faits, de répandre l'Evangile nouveau des vérités démontrées. » (p. 251.)

12 *Le Docteur Pascal*, pp. 89—90. A la même époque, il reprit les mêmes formules dans un discours qu'il donna au banquet de l'Association Générale des étudiants, le 18 mai 1893. Parmi les nombreux parallèles qu'on peut établir entre les deux textes, nous nous contenterons de signaler ceux-ci : « Puisqu'on ne saura jamais tout, à quoi bon savoir davantage ? — — — il n'y a là qu'une halte » (*Le Docteur Pascal*, ibid.) « A quoi bon marcher, si le but doit s'éloigner toujours ? A quoi bon savoir, si l'on ne doit pas savoir tout ? — — — Pour moi, messieurs, qui suis un vieux positiviste endurci, il n'y a là qu'un arrêt fatal dans la marche en avant. » (*Mélanges, Préfaces et Discours*, pp. 288—289.)

13 Pierre Martino : *Le Naturalisme français*, p. 100.

14 Cité d'après Guy Robert : *Emile Zola*, p. 158.

# NOTES BIBLIOGRAPHIQUES

## I. MANUSCRITS


*La Joie de vivre :* Le manuscrit du roman (N.A.F. 10309—10310). Notes préparatoires plans etc. (N.A.F. 10311.)

*Lettres à Emile Zola* de Paul Alexis (N.A.F. 24510) et de W. Busnach (N.A.F. 24513).

*Lettres d'Emile Zola* à la Maison Bonnier, conservées dans les archives d'Albert Bonniers Förlags AB, Stockholm.


## II. IMPRIMÉS


*Alexis, Paul :* Emile Zola. Notes d'un ami. Paris 1882.

*Amicis, Edmondo de :* Ricordi di Parigi. Quatrième édition, Milan 1880.

*Bernard, Claude :* Introduction à l'étude de la médecine expérimentale. Paris 1865.

*Baillot. A. :* Influence de la philosophie de Schopenhauer en France. Paris 1927.

*Baldick, Robert :* The Life of J.-K. Huysmans. Oxford 1955.

*Billy, André :* Les frères Goncourt. Paris 1954.

*Bookman, The*, vol. XIV. New York 1901.

*Bouillier, Francisque :* Du plaisir et de la douleur. Paris 1877.

*Bourdeau, J. :* Voir Schopenhauer.

*Burns, C. A. :* Henry Céard and his Relations with Flaubert and Zola. (French Studies, vol. 6, 1952.)

*Cahiers naturalistes (Les)*, Paris 1955—56.

*Cogny, Pierre :* J.-K. Huysmans à la recherche de l'unité. Paris 1953.

— Emile Zola et la côte normande. (Paris—Normandie, 3 octobre 1955.)

*Comte, Auguste :* Cours de philosophie positive. Paris 1869.

— Système de politique positive ou traité de sociologie, instituant la religion de l'humanité. Paris 1851—54.

*Coriveaud, A. :* Hygiène de la jeune fille. Paris 1882.

*Dangelzer, Joan Yvonne :* La Description du milieu dans le roman français de Balzac à Zola. Paris 1938.

*Deffoux, Léon*, et *Zavie, Emile :* Le Groupe de Médan. Paris 1920.

*Doucet, Fernand :* L'Esthétique d'Emile Zola et son application à la critique. La Haye 1923.

*Dumesnil, René :* La Publication des Soirées de Médan. Paris 1933.

*Flaubert, Gustave :* Correspondance, tome 8. Paris 1930.

*Frandon, Ida-Marie :* Autour de « Germinal ». La mine et les mineurs. Genève-Lille 1955.

*Franke, Carl :* Emile Zola als romantischer Dichter. (Marburger Beiträge zur romanischen Philologie. Marburg 1914.)

*Franzén, Nils-Olof :* Emile Zola, homme d'affaires, correspondance inédite avec son éditeur suédois. (Les Cahiers naturalistes, no 4, 1955.)

*Garrod, Alfred Baring :* La Goutte. Sa nature, son traitement, et le Rhumatisme goutteux. Paris 1867.

*Girard, Marcel :* Emile Zola ou la joie de vivre. (Æsculape, no 11, 1952.)

*Goncourt, Edmond de :* Journal des Goncourt, tome 6. Paris 1892.

*Hemmings, F. W. J. :* Emile Zola. Oxford 1953.

— The Genesis of Zola's *Joie de vivre.* (French Studies, vol. VI, 1952.)

*Hugo, Victor :* Les Travailleurs de la mer. Paris 1883.

*Huysmans, J.-K. :* A Rebours. Paris 1947.

— A vau-l'eau. Paris 1913.

— Lettres inédites à Emile Zola, publiées et annotées par Pierre Lambert, avec une introduction de Pierre Cogny. Genève-Lille 1953.

*Josephson, Matthew :* Zola and his Time. New York 1928.

*Kerr, Alfred :* Gesammelte Schriften, tome 1. Berlin 1926.

*Lacroix, Jean :* La Sociologie d'Auguste Comte. Paris 1956.

*Lanoux, Armand :* Bonjour, Monsieur Zola. Paris 1954.

*Lanson, G. :* Histoire de la littérature française. Paris 1947.

*Le Blond-Zola, Denise :* Emile Zola raconté par sa fille. Paris 1931.

— Emil Zola und die Tiere. Berlin 1933. Le texte français de cet article a été publié par les Cahiers naturalistes, no 6, 1956.

*Lemm, Siegfried :* Zur Entstehungsgeschichte von Emile Zolas Rougon-Macquart und den Quatre Évangiles. (Beiträge zur Geschichte der romanischen Sprachen und Literaturen. Halle. 1913.)

*Lucas, Prosper :* Traité philosophique et physiologique de l'Hérédité naturelle... Paris 1847—1850.

*Martineau, Henri :* Le Roman scientifique d'Emile Zola. Paris 1907.

*Martino, Pierre :* Le Naturalisme français. Cinquième édition revue et corrigée. Paris 1951.

*Massis, Henri :* Comment Emile Zola composait ses romans. Paris 1906.

*Michaud, Guy :* Message poétique du Symbolisme. Paris 1947.

*Montaigne, Michel de :* Les Essais de Michel de Montaigne. Vol. 1, Paris 1906.

*Moreau, Pierre :* « Germinal » d'Emile Zola. Centre de Documentation Universitaire, Paris 1954.

*Néret :* Documents pour une histoire de l'éducation sexuelle. Paris 1957.

*Niess, Robert J. :* Emile Zola's Letters to J. van Santen Kolff. University Studies, St. Louis 1940.

— Autobiographical Elements in Zola's *La Joie de vivre.* (P.M.L.A. vol. LVI, 3—4. 1941.)

— Zola's *La Joie de vivre* and *La Mort d'Olivier Bécaille.* (Modern Language Notes, vol. LVII, 1942.)

*Niess, Robert J.* : Zola's *La Joie de vivre* and the Opera Lazare. (The Romanic Review, vol. XXXIV, N° 3, 1943.)

— Zola's Final Revisions of *La Joie de vivre*. (Modern Language Notes, vol. LVII, 1943.)

*Pénard, Lucien* : Guide pratique de l'accoucheur et de la sage-femme. Paris 1879.

*Revue des Deux Mondes*, vol. 4, 1882.

*Revue Philosophique*, tomes 3 et 4, 1877, et tome 2, 1882.

*Ribot, Théodule* : La Philosophie de Schopenhauer. Paris 1874.

*Robert, Guy* : Emile Zola. Principes et caractères généraux de son œuvre. Paris 1952.

— *La Terre* d'Emile Zola. Etude historique et critique. Paris 1952.

— Zola et le classicisme. (Revue des Sciences Humaines, fasc. 49—50, Paris-Lille 1948.)

— Trois textes inédits d'Emile Zola. (Revue des Sciences Humaines, fasc. 51—52, Paris-Lille 1948.)

*Robert, Louis de* : De Loti à Proust. Paris 1928.

*Salvan, Albert J.* : Zola aux États-Unis. Brown University, Providence, 1943.

*Schopenhauer, Arthur* : Pensées, Maximes et Fragments. Traduits... par J. Bourdeau. Paris 1880.

*Seillière, Ernest* : Emile Zola. Paris 1923.

*Sherard, R. H.* : Emile Zola. London 1893.

*Tancock, L W.* : Some Early Critical Work of Emile Zola. (Modern Language Review, vol. 42.)

*Toulouse, Edouard* : Enquête médico-psychologique sur les rapports de la supériorité intellectuelle avec la névropathie. I : Introduction générale. — Emile Zola. Paris 1896.

*Triomphe, Jean* : Zola collaborateur du Messager de l'Europe. (Revue de littérature comparée, 17e année, 1937.)

*Vial, André* : Guy de Maupassant et l'Art du roman. Paris 1954.
— La Genèse d'Une Vie. Paris 1954.

*Wadsworth, James Raymond* : The Novels of Edouard Rod. Lincoln 1938.

*Wilson, Angus* : Emile Zola. An Introductory Study of his Novels. London 1952.

*Xau, Fernand* : Emile Zola. Paris 1880.

*Zola, Emile* : Les Œuvres Complètes, Paris 1927—1929. Sauf indication contraire, toutes nos références aux œuvres de Zola renvoient à l'édition Bernouard.

— Letters to van Santen Kolff. — Voir Niess.

— Lazare. Dans *Poèmes lyriques*, Paris 1921.

— In the Days of my Youth. (*The Bookman*, vol. XIV, décembre 1901.)

# INDEX DES NOMS CITÉS

# INDEX DES ŒUVRES CITÉES DE ZOLA

(Entre parenthèses est indiqué le numéro de l'ouvrage dans l'Edition Bernouard.)

# TABLE DES MATIÈRES